JN089149

報酬・制度・
実践の
はてなを解決
令和6年版
訪問看護
お悩み
相談室
編集 公益財団法人 日本訪問看護財団
中央法規

はじめに

平成４年に指定老人訪問看護制度が始まり，さらに高齢者以外への指定訪問看護制度が平成６年に始まりました。平成 12 年からは介護保険制度でも訪問看護を提供することになりました。

介護保険制度では，14,426 か所の訪問看護ステーションと 1,204 か所のみなし指定訪問看護事業所（病院・診療所）が，１か月に約 70 万人（介護予防含む）に訪問看護を行っています（介護給付費等実態統計月報：令和５年 12 月審査分）。

平成 30 年度には診療報酬と介護報酬の同時改定があり，医療保険では連携が重視され，また，介護保険では，医療ニーズを伴う中重度者と看取り件数をさらに評価した看護体制強化加算の区分が新設されました。一方で，理学療法士等が訪問看護の範疇で行う訪問の単価は引き下げられました。

令和２年度の診療報酬改定では，同一建物に３人以上の居住者への複数回や複数名訪問看護加算の引き下げ，理学療法士等の報酬が４日目以降も３日目までの報酬と同額に設定されました。機能強化型訪問看護管理療養費の施設要件では看護職員の割合が６割以上と強化された一方で，多職種連携にはビデオ通話の活用が認められるなど緩和された内容もありました。

令和３年度の介護報酬改定では，新型コロナウイルス感染症への対応等から介護サービス全体に影響する運営基準等の改正や基本報酬の見直しがありました。令和２年度の診療報酬改定を受け看護体制強化加算の要件に看護職員の６割以上の要件が追加となりました。また，サービス提供体制強化加算の見直し，理学療法士等の（介護予防）訪問看護の適正化がありました。療養通所介護は月額包括報酬に見直されました。

令和４年度の診療報酬改定では，業務継続計画策定をはじめ，在宅移行を支援する退院当日の訪問看護に長時間の場合の報酬が新設され，ターミナルケア日数に退院当日も含めることになりました。また，機能強化型訪問看護管理療養費１，２の引き上げと地域活動等の実績要件の追加，専門の研修を受けた看護師や特定行為研修修了看護師による専門的な管理に対する評価，ICT 活用による死亡診断の補助に関する評価等がありました。

令和 6 年度の診療報酬と介護報酬の同時改定では，持続可能な 24 時間対応体制の整備に向けた体制加算の新たな区分の創設や電話連絡相談体制の見直しが一体的に行われました。また，質の高い訪問看護の確保の観点から，機能強化型訪問看護管理療養費における在宅看護の専門的な研修を修了した者の配置が義務化（経過措置あり）され，介護報酬においては専門管理加算，遠隔死亡診断補助加算が創設されるなど，制度として求められる役割・機能の発揮に向けて，医療・介護の一体的な改定が行われました。

【本書のご活用を】

本書では，介護保険制度と医療保険制度の双方に関わる訪問看護ステーションの訪問看護を主とし，関連サービスの Q&A を作成しています。また，認知症や精神疾患，難病，小児などの訪問看護実践に役立つ知識や最新情報を取り入れて内容を充実させています。

ご多用のところご寄稿くださいました諸先生方には深謝申し上げます。

本書が，訪問看護等に携わる皆様の実務にお役に立つことを心から願っています。

令和 6 年7月

公益財団法人 日本訪問看護財団

Contents

Ⅰ-2 介護予防訪問看護

Ⅰ-3 訪問看護関連事業

I - 4 医療保険

I - 5 介護保険と医療保険の区分け

I - 6 訪問看護指示書

I - 7 訪問看護計画書・訪問看護報告書

Ⅰ-8 訪問看護の対象と施設等におけるサービス提供

Ⅰ-9 公費

Ⅱ 訪問看護に関する実践編

Ⅱ-1 訪問看護ステーションの開設

Ⅱ-2 訪問看護ステーションの運営

Ⅱ-3 情報管理

Ⅱ-4 他職種連携

Ⅱ-5 在宅ターミナルケアを受ける患者への訪問看護

Ⅱ-6 ALS・難病等の患者への訪問看護

Ⅱ-7 精神障害者への訪問看護

Ⅱ-8 認知症の人への訪問看護

Ⅱ-9 小児患者への訪問看護

Ⅱ-10 高齢者虐待

Ⅱ-11 感染対策

■ 資　料

【凡例】

本書は，訪問看護の報酬・制度・実践に関することを381の問答にまとめ，コンパクトにかつわかりやすい文体で説明した。

報酬 診療報酬，介護報酬に関すること
制度 制度に関すること
サービス内容 具体的なサービス内容や看護の技術に関すること
連携 他機関，他職種との連携に関すること

I

訪問看護に関する 報酬編

1　介護保険
2　介護予防訪問看護
3　訪問看護関連事業
4　医療保険
5　介護保険と医療保険の区分け
6　訪問看護指示書
7　訪問看護計画書・訪問看護報告書
8　訪問看護の対象と施設等におけるサービス提供
9　公費

I-1　介護保険

報酬

001　令和６年度介護報酬改定の概要

Q　令和６年度の介護報酬改定により，介護保険の訪問看護において改定されたことを教えてください。

A　改定率は1.59％（うち0.98％は介護職員の処遇改善に対する改定率としてあてられ，その他サービスにおける賃上げ等への対応として0.61％分）でした。令和６年度の診療報酬・介護報酬の同時改定の大きなテーマとして，現下の物価高騰・賃上げへの対応，そして，2040年を見据えた人材難への対応がありました。

訪問看護については，すべての基本報酬の引き上げが行われました（介護予防訪問看護も含む）。また，同時改定であったことから，介護報酬でも専門管理加算，遠隔死亡診断補助加算が創設され，ターミナルケア加算も診療報酬と同じ2500単位に引き上げられました。そして，持続可能な24時間対応体制の確保の観点から,看護職員の夜間対応に係る負担軽減の取り組み（電話連絡相談の対応の要件緩和も実施）を行っている場合の評価として，診療報酬の24時間対応体制加算と同様の要件で緊急時訪問看護加算（I）が新設されました。さらに，医療・介護連携の更なる推進の観点から，退院当日に看護師が訪問し訪問看護計画を作成した場合の評価として，初回加算の上位区分（I）が新設されました。

訪問看護に期待される役割・機能として，地域で療養される利用者が安心して生活が送れるよう24時間対応，医療・介護連携の推進，退院支援の強化に向けた改定が行われました。一方で，訪問看護の一環として提供される理学療法士等による訪問回数が，看護職員よりも多い場合，または緊急時訪問看護加算・特別管理加算・看護体制強化加算のいずれの算定実績もない場合に，期待される役割・機能とはことなるとして新たな減算規定も設けられました。その他，訪問看護関連サービスである療養通所介護では，登録者以外の短期利用者の受入に係る報酬の新設，また，看護小規模多機能型居宅介護では夜間の緊急宿泊を受け入れる体制の評価等がされました。

002 地域区分

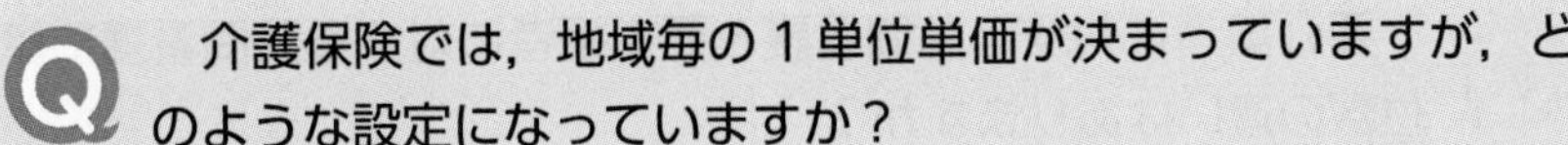

Q 介護保険では，地域毎の1単位単価が決まっていますが，どのような設定になっていますか？

A 8区分に分かれていて，表のような単価となっています（経過措置や特例等が適用される地域もあります）。

（単位：円）

		1級地	2級地	3級地	4級地	5級地	6級地	7級地	その他
上乗せ割合		20%	16%	15%	12%	10%	6%	3%	0%
人件費割合	70%	11.40	11.12	11.05	10.84	10.70	10.42	10.21	10
	55%	11.10	10.88	10.83	10.66	10.55	10.33	10.17	10
	45%	10.90	10.72	10.68	10.54	10.45	10.27	10.14	10

訪問看護は人件費割合70%の単価となります。また，その他関連するサービスの人件費割合は以下の通りです。

○定期巡回・随時対応型訪問介護看護：70%

○看護小規模多機能型居宅介護（複合型サービス）：55%

○療養通所介護：45%

003 要介護者と要支援者の基本報酬

要介護者に対する訪問看護と要支援者に対する訪問看護に単位数の違いはありますか？

A 表のように分かれています。
令和６年度改正により単位数が見直されました。

	訪問看護		介護予防訪問看護	
	改定前	改定後	改定前	改定後
【訪問看護ステーション】				
・20分未満	313単位	314単位	302単位	303単位
・30分未満	470単位	471単位	450単位	451単位
・30分以上１時間未満	821単位	823単位	792単位	794単位
・１時間以上１時間30分未満	1,125単位	1,128単位	1,087単位	1,090単位
・理学療法士等	293単位	294単位	283単位	284単位
【医療機関】				
・20分未満	265単位	266単位	255単位	256単位
・30分未満	398単位	399単位	381単位	382単位
・30分以上１時間未満	573単位	574単位	552単位	553単位
・１時間以上１時間30分未満	842単位	844単位	812単位	814単位
【定期巡回・随時対応型訪問介護看護事業所と連携する場合】(1月につき)	2,954単位	2,961単位		

※理学療法士等は理学療法士，作業療法士，言語聴覚士をいう。

Column

介護保険サービスの利用者負担

利用者の負担は原則１割ですが，所得に応じて２～３割を負担することになります。

004 所要時間「20分未満」の訪問看護

Q 所要時間「20 分未満」の訪問看護の算定要件を教えてください。

A 所要時間 20 分未満の訪問看護の報酬は，気管内吸引や導尿，経管栄養等の医療処置の実施等を想定しています。早朝，夜間，深夜に限らず日中も算定可能です。ただし，20 分未満の訪問看護を算定するには，20 分以上の保健師または看護師による訪問看護が週 1 回以上必要です。なお，20 分未満の訪問看護を算定するためには，24 時間対応できる体制を整え，緊急時訪問看護加算の届出をしていることが要件です。

005 所要時間の算定方法

Q 1日に複数回訪問看護に入る場合，訪問と訪問の間隔に時間的な決まりはありますか？　また，看護師が訪問し，状態の観察や必要な処置を行った後に，引き続き，理学療法士がリハビリテーション目的で入る場合は，どのような算定になりますか？

A 前回提供した訪問看護から概ね2時間未満の間隔で訪問看護を行う場合は，それぞれの所要時間を合算します（20分未満の訪問看護費を算定する場合および利用者の急変等により緊急で訪問する場合は除く)。

例えば，要介護者に対し70分（1,128単位）の訪問看護を行った後，概ね2時間未満の間に40分（823単位）の訪問看護を行った場合は，別々に算定するのではなく，所要時間を合算して考え，1時間以上1時間30分未満の報酬（1,128単位）を算定します。

1人の看護職員が訪問看護を行った後に，続いて別の看護職員が訪問看護を提供した場合は所要時間を合算します。なお，合算する場合に准看護師の訪問が含まれる場合は，准看護師の報酬となります。

問のように，続いて他の職種が訪問する場合は，それぞれの職種毎に算定ができます。ただし，1人の利用者に連続して訪問看護を提供する必要性については，適切なケアマネジメントに基づく判断が必要です。

006 理学療法士等による訪問看護――算定方法

Q 訪問看護ステーションの理学療法士等による訪問看護はどのような算定方法ですか？

A 理学療法士等（理学療法士、作業療法士、言語聴覚士）による訪問看護については、通所リハビリテーションのみでは家屋内におけるADLの自立が困難である場合等であって．ケアマネジメントの結果，看護職員と理学療法士等が連携した家屋状況の確認を含めた訪問看護の提供が必要と判断された場合に，訪問看護費を算定できるものです。

1回あたり20分以上、1人の利用者に週に6回を限度として算定できます。

理学療法士等の訪問看護については、訪問看護指示書に1日あたりの時間と週あたりの回数を記入します（382頁参照）。

また、減算については以下の通りとなります。詳しい減算規定については、8頁9頁10頁をご参照ください。

①1日に2回を超えて（3回以上）行う場合の減算
　訪問看護費　所定単位数の90／100
　介護予防訪問看護費　所定単位数の50／100
②厚生労働大臣が定める施設基準に該当する場合の減算：8単位／回を所定単位数から減算（令和6年度介護報酬改定により新設）
③介護予防訪問看護費　12月を超えて行う場合の減算：5単位／減算または15単位／回減算（令和6年度介護報酬改定により新設）

007 理学療法士等による訪問看護——1日に3回以上行う場合の減算

Q 理学療法士等による訪問看護において、1日に3回以上行う場合の具体的な減算方法について教えてください。

A 下記のような減算となります。

なお、1日に時間を分けて行う場合も3回以上は3回とも減算となります。

〈要介護者の場合〉

294単位×90／100＝264.6（小数点以下四捨五入）→265

〈要支援者の場合〉

284単位×50／100＝142

008 理学療法士等による訪問看護――厚生労働大臣が定める施設基準に該当する場合の減算

令和６年度介護報酬改定で新設された厚生労働大臣が定める施設基準に該当する場合の減算はどのような規定ですか？

下記のような規定になっています。

厚生労働大臣が定める施設基準（※）に該当する訪問看護事業所の場合	8単位／回を所定単位数から減算（新設） （介護予防訪問看護も同様）

※次に掲げる基準①②のいずれかに該当すること

①当該訪問看護事業所における前年度の理学療法士、作業療法士又は言語聴覚士による訪問回数が、看護職員による訪問回数を超えていること。

【前年度とは】

前年の４月から今年の３月までの期間（令和６年度に減算する場合は、令和５年度の訪問回数の実績に応じ、令和６年６月１日から令和７年３月31日までの間で減算することとし、令和７年度以降は前年度の訪問回数の実績に応じ、翌年度４月から減算とする。）

【訪問回数とは】

・理学療法士等が連続して２回の訪問を行った場合は、１回と数える。例えば、理学療法士が３月１日と３月３日にそれぞれ２回ずつ訪問を実施した場合、算定回数は４回であるが、訪問回数は２回となる。また、理学療法士等が３月５日の午前に１回、午後に連続して２回訪問を実施した場合は、算定回数は３回、訪問回数は２回となる。

・居宅サービス計画書、訪問看護報告書及び訪問看護記録書等を参照し、訪問回数を確認すること。

②算定日が属する月の前６月間において、緊急時訪問看護加算、特別管理加算及び看護体制強化加算をいずれも算定していないこと。

【「訪問回数」「緊急時訪問看護加算、特別管理加算、看護体制強化加算の算定」について】

- 利用者ごとではなく，訪問看護事業所全体で判断します。
- 訪問看護費と介護予防訪問看護費は合算して判断します。

009 理学療法士等による訪問看護――介護予防訪問看護　12月を超えて行う場合の減算

令和６年度介護報酬改定において、理学療法士等による介護予防訪問看護が12月を超えて行われた場合の減算はどのように変更されましたか？

A 以下の通り見直されました。

理学療法士等が行う介護予防訪問看護の利用が12月を超える場合	
改定前	改定後
１回につき５単位を所定単位数から減算	・８単位減算を算定している場合（８単位減算については９頁参照）１回につき15単位を所定単位数から更に減算（新設） ・８単位減算を算定していない場合 １回につき５単位を所定単位数から減算

なお、入院による中断があり、かつ、医師の指示内容に変更がある場合は，新たに利用が開始されたものとなります。また、当該事業所においてサービスを継続しているが、要介護認定の状態から要支援認定へ変更となった場合は、要支援認定の効力が生じた日が属する月をもって、利用が開始されたものとなります。ただし、要支援の区分が変更された場合（要支援１から要支援２への変更及び要支援２から要支援１への変更）はサービスの利用が継続されているものとみなされます。

010 理学療法士等が行う訪問看護――看護職員との連携

Q 理学療法士等が訪問看護を行うにあたって、看護職員との連携が必要ですが、どのように連携すればよいでしょうか？

A ・理学療法士等による訪問看護は，その訪問が看護業務の一環としてのリハビリテーションを中心としたものである場合に、看護職員の代わりに訪問させるという位置付けのものであり、利用者の同意（口頭の場合は記録等に残す）を得る必要があります。

・理学療法士等が訪問看護を提供している利用者については、毎回の訪問時において記録した訪問看護記録書等を用い、適切に訪問看護事業所の看護職員および理学療法士等間で利用者の状況、実施した内容を共有するとともに、訪問看護計画書（以下「計画書」という）および訪問看護報告書（以下「報告書」という）については、看護職員（准看護師を除く）と理学療法士等が連携し作成します。また、主治医に提出する計画書は理学療法士等が実施した内容も一体的に記載するものとし、報告書には、理学療法士等が提供した訪問看護の内容とその結果等を記載した文書（388 頁参照）を添付します。

・計画書及び報告書の作成にあたっては、訪問看護サービスの利用開始時及び利用者の状態の変化等に合わせ、定期的な看護職員による訪問により利用者の状態の適切な評価を行う必要があります。この場合の利用開始時とは、利用者が過去 2 月間（暦月）において当該訪問看護事業所から訪問看護（医療保険の訪問看護を含む）の提供を受けていない場合であって、新たに計画書を作成する場合をいいます。また、利用者の状態の変化等に合わせた定期的な訪問とは，主治医からの訪問看護指示書の内容が変化する場合や利用者の心身状態や家族等の環境の変化等の際に訪問することをいい、少なくとも概ね 3 か月に 1 回程度訪問して利用者の状態の適切な評価をします。

報酬

011 休日に訪問した場合の加算は?

Q 当訪問看護ステーションは，土・日曜日は休日としています。このたび，その休日に訪問看護の依頼がありました。休日に訪問した場合に介護報酬で加算はありますか？ 加算がない場合，当ステーションが定めた料金を利用者から徴収してもよいのでしょうか？

A 休日の訪問看護に対する加算はありません。休日であってもケアプランに位置づけられた場合は，それに基づいた訪問看護費のみ算定することになります。

ただし，医療保険では，営業日以外の訪問看護が利用者の選定に基づく場合は，「その他の利用料」として，ステーションが定めた差額料金を徴収してよいことになっています。

報酬

012 訪問看護と訪問介護の同時算定

Q 在宅酸素療法を行っている独居の利用者で，脳梗塞後遺症による麻痺があります。入浴介助は介護職員と２人で行うことが安全で，利用者にとっても負担が少ないと思います。この場合，同時間帯に訪問看護と訪問介護の算定はできますか？

A 原則として，利用者は同一時間帯に１つのサービスを利用することとなっています。

しかしながら，当該ケースのように，呼吸状態の観察や麻痺があることなど，利用者の心身の状況や介護状況などをアセスメントした結果，利用者にとって同一時間帯に利用することが必要と判断されるケアプランに位置づけられた場合は，それぞれの所要時間に応じた所定の単位数が算定できます。

013 「同一建物に居住する利用者に対する減算」とは?

Q 同一建物に居住する利用者に対する減算は，どのような場合に適用されるのですか？

A 同一建物に該当する建物は，養護老人ホーム，軽費老人ホーム，有料老人ホーム，サービス付き高齢者向け住宅だけでなく，マンションや市営住宅などの建物も対象となります。また，減算方法は以下の通りです。

> ①・③10%減算　②15%減算
> ①事業所と同一敷地内または隣接する敷地内に所在する建物，もしくは同一の建物に居住する者（②に該当する場合を除く）
> ②上記建物のうち，当該建物に居住する利用者の人数が1月当たり50人以上の場合
> ③上記①以外の範囲に所在する建物に居住する者（当該建物に居住する利用者の人数が1月当たり20人以上の場合）
> ※減算を受けている者と，当該減算を受けていない者との公平性の観点から，減算を受けている者の区分支給限度基準額を計算する際には，減算前の単位数を用いることとする。

（注）介護予防訪問看護も同様

〈1月当たり20人以上，50人以上の算出方法〉

1月間（暦月）の利用者数の平均を用います。

当該月における1日ごとの該当する建物に居住する利用者の合計÷当該月の日数（小数点以下切り捨て）。

算定月の実績で判断します。

※医療保険の同一建物居住者に対する同一日の訪問看護とは考え方が異なります。

014 「同一建物」の範囲

Q 同一建物に居住する利用者に対する減算の対象となる「訪問看護事業所と同一の建物」「訪問看護事業所と同一敷地内または隣接する敷地内の建物」とは，具体的にどのような場合ですか？

A **〈訪問看護事業所と同一の建物〉**

構造上または外形上，一体的な建築物をいいます。具体的には，1階部分に訪問看護事業所がある場合や当該事業所と渡り廊下でつながっている場合などです。

〈訪問看護事業所と同一敷地内または隣接する敷地内の建物〉

同一敷地内にある別棟の建築物や幅の狭い道路を挟んで隣接する場合などです。

ただし，当該減算の適用は，効率的なサービス提供が可能であることを適切に評価することが趣旨であるため，次のような場合は，同一敷地内または隣接する敷地内の建物には該当しません。

【例】

- 同一敷地内であっても，広大な敷地に複数の建物が点在する場合。
- 隣接する敷地であっても，道路や河川などにより敷地が隔てられていて，横断するために迂回しなければならない場合。

015 高齢者虐待防止措置未実施減算とは?

Q 訪問看護を含む介護サービス事業所における虐待防止のための措置は，令和３年度介護報酬改定で設定され，令和６年３月31日までは努力義務でしたが，今後の対応はどうなりますか？

A 今後は義務化され，虐待の発生またはその再発を防止するための措置が講じられていない場合には，基本報酬が減算となります。

○高齢者虐待防止措置未実施減算　所定単位数の１／100に相当する単位数を減算（新設）

〈算定要件〉

虐待の発生またはその再発を防止するための以下の措置が講じられていない場合に減算(すべての措置の一つでも講じられていなければ減算)

- 虐待の防止のための対策を検討する委員会（テレビ電話装置等の活用可能）を定期的に開催するとともに，その結果について，従業者に周知徹底を図ること。
- 虐待の防止のための指針を整備すること。
- 従業者に対し，虐待の防止のための研修を定期的（年１回以上）に実施すること。
- 上記措置を適切に実施するための担当者を置くこと。

高齢者虐待防止措置未実施減算については，事業所において高齢者虐待が発生した場合ではなく，虐待の発生またはその再発を防止するための措置を講じていない場合に，利用者全員について所定単位数から減算することとなります。

上記の措置が講じられていない場合は，速やかに改善計画を都道府県知事に提出した後，事実が生じた月から３月後に改善計画に基づく改善状況を都道府県知事に報告することとし，事実が生じた月の翌月から改善が認められた月までの間について，利用者全員について所定単位数から減算することとなります。

016 業務継続計画未策定減算とは?

Q 令和３年度介護報酬改定において，業務継続計画の策定が求められるようになり，その経過措置が令和６年３月31日まででしたが，今後の対応はどのようになりますか？

A 感染症や災害が発生した場合であっても，必要な介護サービスを継続的に提供できる体制を構築するため，業務継続に向けた計画の策定の徹底を求める観点から，感染症もしくは災害のいずれかまたは両方の業務継続計画が未策定の場合，基本報酬が減算となります。

○業務継続計画未策定減算　所定単位数の１／100に相当する単位数を減算（新設）

〈算定要件〉

以下の基準に適合していない場合

- 感染症や非常災害の発生時において，利用者に対するサービスの提供を継続的に実施するための，及び非常時の体制で早期の業務再開を図るための計画（業務継続計画）を策定すること。
- 当該業務継続計画に従い必要な措置を講ずること。

上記基準を満たさない事実が生じた場合に，その翌月（基準を満たさない事実が生じた日が月の初日である場合は当該月）から基準を満たない状況が解消されるに至った月まで，当該事業所の利用者全員について，所定単位数から減算することとなります。 なお，経過措置として，令和７年３月31日までの間，当該減算は適用しないことになっていますが，義務となっていることを踏まえ，速やかに作成する必要があります。

017 複数名訪問加算の算定

Q 褥瘡の処置が必要な利用者がいます。体重が重いため，処置をする看護師以外に，身体を支えたり，処置の介助をする人が必要です。このような場合に，複数名訪問加算は算定できますか？

A 問のような場合は算定可能です。同時に2人の看護師等で訪問看護を行う場合と看護師等と看護補助者で行う場合の報酬があります。

算定に当たっては，複数名が必要な時間で考えます。

○複数名訪問加算（Ⅰ）

複数の看護師等（保健師，看護師，准看護師，理学療法士，作業療法士，言語聴覚士）が同時に訪問看護を行う場合

30分未満の場合：254単位

30分以上の場合：402単位

○複数名訪問加算（Ⅱ）

看護師等と看護補助者が同時に訪問看護を行う場合

30分未満の場合：201単位

30分以上の場合：317単位

〈算定要件〉

①利用者の身体的理由により1人の看護師等による訪問看護が困難と認められる場合。

②暴力行為，著しい迷惑行為，器物破損行為等が認められる場合。

③その他利用者の状況等から判断して，①または②に準ずると認められる場合。

※事前に利用者またはその家族に同意を得ておく必要があります。

018 複数名訪問加算――看護補助者の要件

Q 看護補助者の要件はありますか？　具体的にはどのような場合を想定しているのでしょうか？

A 看護補助者とは，訪問看護を担当する看護師等の指導の下に，療養生活上の世話（食事，清潔，排泄，入浴，移動等）のほか，室内の環境整備，看護用品および消耗品の整理整頓等といった看護業務の補助を行う者のことを想定しており，資格は問われません。事務職員等でもよいです。秘密保持や安全等の観点から，訪問看護事業所に雇用されている必要があり，事業所等において必要な研修等を行うことは重要です。なお，指定基準の人員に含まれないことから，従事者の変更届の提出は必要ありません（医療保険においても同様です）。

報酬

019 長時間訪問看護加算の算定要件

Q 膀胱留置カテーテルを挿入している利用者がいます。1 回の訪問看護の時間が 2 時間になります。長時間訪問看護加算が算定できますか？　算定回数は週 1 回限りですか？

A 長時間訪問看護加算（300 単位）は，特別管理加算の算定対象者（38 頁参照）であって，所要時間 1 時間以上 1 時間 30 分未満の訪問看護を行った後に引き続き，通算して 1 時間 30 分以上の訪問看護を行う場合に，ケアプランに位置づけた上で算定します。よって，問の場合は算定可能です。当該加算は，回数制限はありません。また，准看護師であっても加算の額に違いはありません。当該加算を算定する場合は，各訪問看護ステーションが定める 1 時間 30 分を超過する場合の料金を徴収することはできません。

020 初回加算とは?

Q 初回加算とはどのような場合に算定できるのですか？　また，令和６年度介護報酬改定により，どのように見直されましたか？

A 初回加算とは，利用者が過去２月間（暦月）において，当該訪問看護事業所から訪問看護（医療保険の訪問看護を含む）の提供を受けていない場合であって新たに訪問看護計画書を作成した場合に算定できるものです。ただし，初回加算を算定する場合には，退院時共同指導加算は算定できません。

令和６年度介護報酬改定により，看護師が退院・退所当日に初回訪問することを評価する新たな区分が設けられ，以下のように，２段階の評価となりました。

初回加算（Ⅰ）：350単位（新設）	新規に訪問看護計画書を作成した利用者に対して，病院，診療所又は介護保険施設から退院又は退所した日に訪問看護事業所の看護師が初回の訪問看護を行った場合 （Ⅰ）を算定できる場合は，退院当日に（介護予防）訪問看護費が算定できる利用者（23頁参照）のみであることに注意
初回加算（Ⅱ）：300単位	新規に訪問看護計画書を作成した利用者に対して，初回の訪問看護を行った場合

Column

「過去２月間」とは?

初回加算の算定においていう「２月」とは，暦月（月の初日から月の末日まで）によるものになります。よって，たとえば，４月15日から訪問看護の提供が開始になった場合は，同年の２月１日以降に当該訪問看護事業所から訪問看護の提供を受けていない場合です。

報酬

021 2か所の訪問看護ステーションの初回加算

Q 初回加算は新たに訪問看護計画書を作成した場合の評価ですが，同月内に２か所の訪問看護ステーションが関わる場合，それぞれの訪問看護ステーションにおいて算定することは可能ですか？

A A訪問看護ステーションを利用していた利用者がB訪問看護ステーションに変更になった場合や，２か所の訪問看護ステーションを新たに利用する場合も，新規（過去２月間において当該訪問看護ステーションより訪問看護の提供がなかった場合に限る）に訪問看護計画書を作成すれば，それぞれの事業所において算定することが可能です。

報酬

022 要支援から要介護になった場合の初回加算

Q 当訪問看護ステーションの利用者が要支援から要介護となりました。この場合，初回加算は算定できますか？

A 要支援者への介護予防訪問看護を実施後に要介護状態となり，一体的に運営している訪問看護ステーションの訪問看護に移行する場合は，継続していても算定できます（逆に訪問看護から介護予防訪問看護に移行する場合も同様です）。

要支援１から２や要介護１から３などの区分変更では算定できません。

023 退院時共同指導加算とは?

退院時共同指導加算はどのような場合に算定できますか？

A 退院時共同指導加算は，病院，診療所または介護老人保健施設もしくは介護医療院に入院（入所）中の利用者や家族等に対して，退院（退所）に当たって，入院（入所）施設の主治医やその他の職員と連携して退院（退所）後の在宅生活における療養上必要な指導を行い，その内容を提供した場合を評価しています。これまで，指導内容の提供方法は，文書で提供とされていましたが，令和6年度介護報酬改定により，文書だけでなく履歴が残る電子メール等の電磁的方法による提供も認められました。文書以外の方法で提供する場合は，利用者や家族の同意が必要です。また，指導内容を電子メールで送信した場合は，送信した後に利用者や家族が受け取ったことを確認し，確認したことについて訪問看護記録書に残しておきます。

なお，退院時共同指導は，准看護師は担当できません。

医療保険で退院時共同指導加算を算定する場合や介護保険の初回加算を算定する場合は，当該加算は算定できません。

○退院時共同指導加算：600単位

退院・退所につき1回（特別管理加算の算定対象者については2回）に限り算定。

算定に当たって，テレビ電話装置等（リアルタイムでの画像を介したコミュニケーションが可能な機器をいう。以下同じ）を活用して行うことが可能です。ただし，テレビ電話装置等の活用について利用者またはその看護に当たる者の同意を得なければなりません。この際，個人情報保護委員会・厚生労働省「医療・介護関係事業者における個人情報の適切な取扱いのためのガイダンス」，厚生労働省「医療情報システムの安全管理に関するガイドライン」等を遵守します。

024 退院時共同指導加算の算定方法

Q 退院時共同指導加算は，月に１回限りの算定ですか？ １月内に入退院を繰り返す利用者の場合，その都度算定できますか？

A 月１回限りではありません。退院または退所１回につき１回算定が可能で，特別管理加算対象者は２回算定できます。ただし，退院時共同指導（1回目）を行い退院したが，一度も訪問看護の提供がなく再入院してしまい，その後もう一度退院時共同指導（2回目）を行い訪問看護が開始となった場合は，2回目の退院時共同指導加算のみ算定できることになります。

Column

医療機関の退院時共同指導の評価は?

退院時共同指導料１	在宅療養支援診療所の場合:1,500点　それ以外の場合：900点
退院後の在宅療養を担う医療機関の医師または医師の指示を受けた医療従事者等が，入院中の医療機関の医師または医療従事者等と共同して指導を行った場合に算定。	
退院時共同指導料２	400点
入院中の医療機関の医師または医療従事者等が，当該患者の退院後の在宅療養を担う医療機関の医師もしくは医療従事者等または訪問看護ステーションの看護師等（准看護師を除く）と共同して指導を行った場合に算定。さらに，入院中の医療機関の医師または看護師等が，当該患者の退院後の在宅療養を担う医療機関の医師もしくは看護師等，歯科医師もしくはその指示を受けた歯科衛生士，薬局の薬剤師，訪問看護ステーションの看護師等（准看護師を除く）または介護支援専門員または相談支援専門員のうちいずれか3者以上と共同して指導を行った場合には，2,000点を所定点数に加算。	
精神科退院時共同指導料	
精神科退院時共同指導料１（外来を担う医療機関または在宅療養担当医療機関の場合）	イ 精神科退院時共同指導料（Ⅰ）1,500点 ロ 精神科退院時共同指導料（Ⅱ）900点
精神病棟に入院中の患者であって，措置入院患者等または重点的な支援を要する患者に対して，当該患者の外来または在宅療養を担う医療機関の多職種チームが，入院中の医療機関の多職種チームとともに，退院後の療養等について共同で指導等を行った場合に精神科または心療内科を標榜する医療機関において算定。	
精神科退院時共同指導料２（入院医療を提供する医療機関の場合）	700点
精神病棟に入院中の患者であって，措置入院患者等または重点的な支援を要する患者に対して，入院中の医療機関の多職種チームが，当該患者の外来または在宅療養を担う医療機関の多職種チームとともに，退院後の療養等について共同で指導等を行った場合に算定。	

※多職種チーム：精神科の担当医師，保健師または看護師，精神保健福祉士，必要に応じて薬剤師，作業療法士，公認心理師，在宅療養担当医療機関の保険医の指示を受けた訪問看護ステーションの看護師等もしくは作業療法士，市町村等の担当者等

025 退院日の訪問看護

Q 介護保険の利用者が，退院します。退院日に訪問看護を行った場合に，訪問看護費の算定はできますか？

A 介護老人保健施設，介護医療院および医療機関を退所・退院した日に，特別管理加算の対象者または，主治医が退所・退院した日に訪問看護が必要であると認める利用者（訪問看護指示書に記載）であれば，訪問看護費を算定することができます。 なお，短期入所療養介護のサービス終了日（退所・退院日）においても同様です。

医療保険の退院日の訪問看護については，157 頁を参照してください。

026 看護・介護職員連携強化加算とは?

Q 介護職員が痰の吸引等を実施する際，痰の吸引等が必要な利用者に関わっている訪問介護事業所と訪問看護ステーションは，どのように連携すればよいのでしょうか？　どのような場合に看護・介護職員連携強化加算を算定できるのでしょうか？

A 喀痰吸引等業務または特定行為業務を行う事業所として登録を受けた訪問介護事業所の介護職員（①介護福祉士（平成29年度～），②認定特定行為業務従事者）が痰の吸引等（次頁コラム参照）を行うに当たって，痰の吸引等の業務を円滑に行うための支援を評価したものが，看護・介護職員連携強化加算（250単位／月）です。

実際に痰の吸引等を行う際には，介護職員は医師から指示書の交付を受け，医師や看護職員と情報を共有し，緊急時の対応も含めた連携の確保・適切な役割分担の下で行います。そして，個々の利用者の状況に応じた計画書・実施状況に関する報告書の作成が必要になります。

※介護予防訪問看護費には，看護・介護職員連携強化加算の設定はありません。

Column

喀痰吸引等の指示書

痰の吸引等を行う際には，介護職員は医師から「介護職員等喀痰吸引等指示書」の交付を受けます。当該指示書料は，患者の診療を担う医師が診察に基づき訪問介護，訪問入浴介護，通所介護，特定施設入居者生活介護などの事業所や特別支援学校等に対して交付した場合に，患者1人につき3月に1回限り240点を算定します。有効期間は6か月です（No.282参照）。

報酬

027 看護・介護職員連携強化加算の算定要件

Q 看護・介護職員連携強化加算を算定する場合，訪問看護ステーションは，具体的にどのような業務を行う必要がありますか？

A 当該加算は24時間対応できる体制を整えている訪問看護事業所が算定します（緊急時訪問看護加算の届出が必要）。

看護職員の役割は，以下になります。

①痰の吸引等に係る計画書や報告書の作成および緊急時等の対応について助言を行うこと。

②訪問介護員等に同行し，利用者の居宅において業務の実施状況について確認する，または利用者に対する安全なサービス提供体制整備や連携体制確保のための会議に出席すること。

③これらの内容を訪問看護記録書に記載すること。

介護職員と同行訪問し，痰の吸引等の実施状況を確認した場合には，訪問看護費の算定が可能です。ただし，当該加算は訪問介護員等の痰の吸引等の技術不足を補うために同行訪問を実施することを目的としたものではありませんので，技術指導の目的で同行訪問を行った場合には，当該加算および訪問看護費は算定できません。費用については訪問介護事業所との合議により決定することになります。

Column

痰の吸引等とは？

痰の吸引等の行為とは以下の項目です。

- 痰の吸引（口腔内，鼻腔内，気管カニューレ内部）
- 経管栄養（胃ろう，腸ろう，経鼻経管栄養）

介護職員の痰の吸引等研修では，これらの項目が3類型に分かれています。

- 第1号研修（不特定多数）　全行為
- 第2号研修（不特定多数）　喀痰吸引（口腔内および鼻腔内のみ）および経管栄養（胃ろうおよび腸ろうのみ）を行う類型
- 第3号研修（特定の者）　必要な行為のみ（No.284参照）

028 看護体制強化加算とは?

Q 看護体制強化加算とはどのような加算ですか？　どのような算定要件ですか？

A 看護体制強化加算は，中重度の要介護者等の在宅生活を支える訪問看護体制を評価したものです。

算定要件は以下の通りです。

<table>
<tr><th></th><th colspan="2">訪問看護費</th><th>介護予防訪問看護費</th></tr>
<tr><td></td><td>看護体制強化加算
（Ⅰ）550単位／月</td><td>看護体制強化加算
（Ⅱ）200単位／月</td><td>看護体制強化加算
100単位／月</td></tr>
<tr><td>算定日が属する月の前6月間において</td><td colspan="3">①「緊急時訪問看護加算を算定した実利用者数÷実利用者の総数」：50%以上
②「特別管理加算を算定した実利用者数÷実利用者の総数」：20%以上</td></tr>
<tr><td>算定日が属する月の前12月間において</td><td>③ターミナルケア加算を算定した利用者：5名以上</td><td>④ターミナルケア加算を算定した利用者：1名以上</td><td></td></tr>
<tr><td>看護職員の割合</td><td colspan="3">⑤（介護予防）訪問看護の提供にあたる従業者の総数に占める看護職員の割合が6割以上（※）であること。</td></tr>
</table>

- ①②⑤の割合，③④の人数については，継続的に基準を維持しなければなりません。割合・人数は台帳等により毎月記録し，所定の基準を下回った場合には，直ちに都道府県知事等に届け出ます。
- 看護職員の占める割合の算出に当たっては，常勤換算方法により，算出した前月（暦月）の平均を用いることとします。

【割合が 54%を下回った場合】

その翌月から看護体制強化加算を算定できない。

【割合が 54%以上 60%未満であった場合】

その翌々月から当該加算を算定できない（ただし，翌月の末日において 60 ／ 100 以上となる場合を除く）。

029 看護体制強化加算の注意点は?

Q 看護体制強化加算の算定に当たって，注意すべき点はどのようなことですか？

A 以下の点に注意します。

・算定に当たっては，当該加算の内容について利用者またはその家族へ説明を行い，同意を得ること（同意は口頭でもよいが，同意を得たことを記録に残しておく）。

・算定に当たっては，医療機関との連携のもと，看護職員の出向や研修派遣などの相互人材交流を通じて在宅療養支援能力の向上を支援し，地域の訪問看護人材の確保・育成に寄与する取り組みを実施していることが望ましいこと。

・利用者によって，（Ⅰ）または（Ⅱ）を選択的に算定することはできないものであり，いずれか一方のみを選択し，届出を行うこと。

030 看護体制強化加算――総数・割合の考え方

看護体制強化加算の算定に当たって，利用者の総数の考え方，割合の算出はどのようになりますか？

以下のように考えます。

看護体制強化加算を７月に算定する場合

訪問看護利用あり：○　緊急時訪問看護加算あり：緊　特別管理加算あり：特

	1月	2月	3月	4月	5月	6月
利用者A	○緊・特	○緊・特	○緊・特	○緊・特	○緊・特	○緊・特
利用者B	○	○	○	入院 →		○緊・特
利用者C			○緊	○緊	○緊	○緊
利用者D	○	終了 →				
利用者E	○緊・特	○緊	○緊	○	キャンセル	○

利用者数は，延べ人数ではなく実利用者数で考えますので，継続して利用している人も１月に利用が終了した人も「1 人」として数えます。また，医療保険のみの利用者は含みません。

- 前６月間の実利用者の総数：5 人（A ～ E）
- 前６月間の緊急時訪問看護加算を算定した実利用者数:4 人 (A, B, C, E)
- 前６月間の特別管理加算を算定した実利用者数：3 人（A，B，E）
- 緊急時訪問看護加算の割合：4 ／ 5（80％）→要件満たす
- 特別管理加算の割合：3 ／ 5（60％）→要件満たす

※介護予防訪問看護事業所と訪問看護事業所では別々に算出し届出します。

※この例のように，7月に算定する場合は，6月15日以前に届出する必要があるため，6月分を見込みとして，1~6月の6月間の割合を算出します。なお，6月分を見込みとして届出を提出した後に加算が算定できなくなる状態が生じた場合は，速やかにその旨を届出します。

Column

区分支給限度基準額枠外の算定項目

次の項目が区分支給限度基準額枠外の算定項目です。

• 同一建物減算　• 特別地域訪問看護加算　• 中山間地域等における小規模事業所加算　• 中山間地域等へ居住する者へのサービス提供加算　• 緊急時訪問看護加算　• 特別管理加算　• ターミナルケア加算（介護予防除く）　• サービス提供体制強化加算

031 口腔連携強化加算とは?

Q 令和６年度介護報酬改定により新設された口腔連携強化加算とはどのような加算ですか？

A 職員による利用者の口腔の状態の確認によって，歯科専門職による適切な口腔管理の実施につなげる観点から，新たに創設された加算です。算定にあたっては届出（404 頁）が必要です。

○口腔連携強化加算　50 単位／１月１回限り（新設）

〈算定要件〉

- 訪問看護事業所の従業者が，口腔の健康状態の評価を実施した場合において，利用者の同意を得て，歯科医療機関及び介護支援専門員に対し，当該評価の結果を情報提供した場合に，所定単位数を加算する。
- 訪問看護事業所の従業者が利用者の口腔の健康状態に係る評価を行うに当たって，歯科診療報酬の歯科点数表に掲げる歯科訪問診療料の算定の実績がある歯科医療機関の歯科医師または歯科医師の指示を受けた歯科衛生士に相談できる体制を確保し，その旨を文書等で取り決めていること（連携歯科医療機関として届出する）。
- 次のいずれにも該当しないこと。
  - ①他の介護サービスの事業所において，当該利用者について，栄養状態のスクリーニングを行い，口腔・栄養スクリーニング加算（Ⅱ）を算定している場合を除き，口腔・栄養スクリーニング加算を算定していること。
  - ②当該利用者について，口腔の健康状態の評価の結果，居宅療養管理指導が必要であると歯科医師が判断し，初回の居宅療養管理指導を行った日の属する月を除き，指定居宅療養管理指導事業所が歯科医師または歯科衛生士が行う居宅療養管理指導費を算定していること。
  - ③当該事業所以外の介護サービス事業所において，当該利用者について，口腔連携強化加算を算定していること。

032 口腔の健康状態の評価

Q 口腔連携強化加算を算定するにあたって，口腔の健康状態の評価が必要ですが，どのようなことを評価すればよいですか？また，情報提供はどのようにすればよいですか？

A 口腔の健康状態の評価は，それぞれ次に掲げる項目を確認します（ただし，⑦及び⑧については，利用者の状態に応じて確認可能な場合に限って評価を行うこと）。

①開口の状態
②歯の汚れの有無
③舌の汚れの有無
④歯肉の腫れ，出血の有無
⑤左右両方の奥歯のかみ合わせの状態
⑥むせの有無
⑦ぶくぶくうがいの状態
⑧食物のため込み，残留の有無

評価した情報を歯科医療機関及び当該利用者を担当する介護支援専門員に対し，別紙様式６等（405 頁）により提供します。歯科医療機関への情報提供にあたっては，利用者または家族等の意向および当該利用者を担当する介護支援専門員の意見等を踏まえ，連携歯科医療機関・かかりつけ歯科医等のいずれかまたは両方に情報提供を行います。また，口腔の健康状態によっては，主治医の対応を要する場合もあることから，必要に応じて介護支援専門員を通じて主治医にも情報提供等の適切な措置を講じます。

なお，口腔連携強化加算の算定を行う事業所については，サービス担当者会議等を活用し決定することとし，原則として，当該事業所が当該加算に基づく口腔の健康状態の評価を継続的に実施します。

033 中山間地域等の加算

Q 中山間地域等における小規模事業所加算，中山間地域等に居住する者へのサービス提供加算は，どのような場合に算定できるのですか？

A **〈中山間地域等における小規模事業所加算（10％加算）〉**

地域区分の「その他」の地域であり，以下の規定（①～⑤）により定められた地域のうち，特別地域訪問看護加算（33 頁コラム参照）の対象地域を除いた地域に所在する事業所が対象です。

①豪雪地帯対策特別措置法　②辺地に係る公共的施設の総合整備のための財政上の特別措置等に関する法律　③半島振興法　④特定農山村地域における農林業等の活性化のための基盤整備の促進に関する法律　⑤過疎地域の持続的発展の支援に関する特別措置法

かつ，訪問回数が以下のような小規模の訪問看護事業所が対象です。

・訪問看護の 1 月当たりの延訪問回数が 100 回以下
・介護予防訪問看護の 1 月当たりの延訪問回数が 5 回以下

〈中山間地域等に居住する者へのサービス提供加算（5％加算）〉

利用者の自宅が，以下に規定（①～⑩）される場所にあり，その場所が訪問看護ステーションで定めている通常の実施地域外であれば算定対象になります。

①離島振興法　②奄美群島振興開発特別措置法　③豪雪地帯対策特別措置法　④辺地に係る公共的施設の総合整備のための財政上の特別措置等に関する法律　⑤山村振興法　⑥小笠原諸島振興開発特別措置法　⑦半島振興法　⑧特定農山村地域における農林業等の活性化のための基盤整備の促進に関する法律　⑨過疎地域の持続的発展の支援に関する特別措置法　⑩沖縄振興特別措置法

※当該加算を算定する場合は，別途交通費を徴収することはできません。

034 緊急時訪問看護加算とは?

Q 緊急時訪問看護加算はどのような場合に算定できますか？
令和６年度介護報酬改定により，どのように見直されましたか？

A 緊急時訪問看護加算は，利用者・家族等に対する 24 時間連絡体制と計画外の緊急訪問も必要に応じて行う体制をとっていることに対する評価です。当該加算の算定にあたっては，都道府県知事等に当該体制の届出が受理されていることと利用者の同意が必要です。

令和 6 年度の改定により，訪問看護等における 24 時間対応体制を充実する観点から，夜間対応する看護師等の勤務環境に配慮した場合を評価する新たな区分が設けられ，以下のように 2 段階となりました。

改定前		改定後	
緊急時訪問看護加算		緊急時訪問看護加算（Ⅰ）（新設）	
訪問看護ステーション	574単位／月	訪問看護ステーション	600単位／月
医療機関	315単位／月	医療機関	325単位／月
一体型定期巡回・随時対応型訪問介護看護事業所の場合	315単位／月	一体型定期巡回・随時対応型訪問介護看護事業所の場合	325単位／月
		緊急時訪問看護加算（Ⅱ）	
		訪問看護ステーション	574単位／月
		医療機関	315単位／月
		一体型定期巡回・随時対応型訪問介護看護事業所の場合	315単位／月

※（Ⅱ）については，これまでの算定要件と同じになります。

〈算定要件〉

○緊急時訪問看護加算（Ⅰ）

次に掲げる基準のいずれにも適合すること。

①利用者又はその家族等から電話等により看護に関する意見を求められた場合に常時対応できる体制にあること。

②緊急時訪問における看護業務の負担の軽減に資する十分な業務管理等の体制の整備が行われていること。

○緊急時訪問看護加算（Ⅱ）

緊急時訪問看護加算（Ⅰ）の①に該当するものであること。

035 緊急時訪問看護加算（Ⅰ）の算定

Q 緊急時訪問看護加算（Ⅰ）の算定にあたっては，「緊急時訪問における看護業務の負担の軽減に資する十分な業務管理等の体制の整備」が必要ですが，どのような体制の整備が必要ですか？

A 以下のような体制の整備が必要です。

次に掲げる項目のうち，次の①または②を含むいずれか 2 項目以上を満たす必要があること。

①夜間対応した翌日の勤務間隔の確保
②夜間対応に係る勤務の連続回数が 2 連続（2 回）まで
③夜間対応後の暦日の休日確保
④夜間勤務のニーズを踏まえた勤務体制の工夫
⑤ ICT，AI，IoT 等の活用による業務負担軽減
⑥電話等による連絡及び相談を担当する者に対する支援体制の確保

なお，ここでいう「夜間対応」とは，運営規程に定める営業日及び営業時間以外における必要時の緊急時訪問看護や，利用者や家族等からの電話連絡を受けて当該者への指導を行った場合であって，単に勤務時間割表等において営業日及び営業時間外の対応が割り振られているが夜間対応がなかった場合等は該当しません。

また，電話連絡については訪問日時の変更の連絡や利用者負担額の支払いに関する問い合わせ等の事務的な内容は「夜間対応」には含まれません。

Column

特別地域訪問看護加算（15%加算）の対象地域

以下の規定により定められた地域です。

①離島振興法　②奄美群島振興開発特別措置法　③山村振興法　④小笠原諸島振興開発特別措置法　⑤沖縄振興特別措置法　⑥人口密度が希薄・交通が不便等の理由で，サービス確保が著しく困難な地域として厚生労働大臣が定めた地域等

報酬

036 夜間対応する看護師等の勤務環境に配慮した体制——勤務体制

Q 緊急時訪問看護加算（Ⅰ）における看護業務の負担の軽減に資する十分な業務管理等の体制において，「夜間対応した翌日の勤務間隔の確保」「夜間対応に係る勤務の連続回数が２連続（２回）まで」「夜間勤務のニーズを踏まえた勤務体制の工夫」について，具体的に教えてください。

A
・夜間対応した翌日の勤務間隔の確保とは
例えば，夜間対応した職員の翌日の勤務開始時刻の調整を行うことが考えられます。勤務間隔の確保にあたっては，「労働時間等見直しガイドライン（労働時間等設定改善指針）」等を参考に，職員の通勤時間，交替制勤務等の勤務形態や勤務実態等を十分に考慮し，仕事と生活の両立が可能な実行性ある休息が確保されるよう配慮することが大切です。

・夜間対応に係る勤務の連続回数が２連続（２回）までとは
夜間対応の開始から終了までの一連の対応を１回として考えます。なお，専ら夜間対応に従事する者は含まれません。また，夜間対応と次の夜間対応との間に暦日の休日を挟んだ場合は，休日前までの連続して行う夜間対応の回数を数えることとしますが，暦日の休日中に夜間対応が発生した場合には当該対応を１回と数えることとし，暦日の休日前までの夜間対応と合算して夜間対応の連続回数を数えることとなります。

・夜間勤務のニーズを踏まえた勤務体制の工夫とは
例えば，夜勤交代制，早出や遅出等を組み合わせた勤務体制の導入などが考えられます。単に職員の希望に応じた夜間対応の調整をする場合等は該当しません。

037 夜間対応する看護師等の勤務環境に配慮した体制――支援体制

Q 緊急時訪問看護加算（Ⅰ）における看護業務の負担の軽減に資する十分な業務管理等の体制において，「ICT，AI，IoT 等の活用による業務負担軽減」，「電話等による連絡及び相談を担当する者に対する支援体制の確保」とはどのような取り組みですか？

A
- 「ICT，AI，IoT 等の活用による業務負担軽減」とは
  例えば，看護記録の音声入力，情報通信機器を用いた利用者の自宅等での電子カルテの入力，医療情報連携ネットワーク等の ICT を用いた関係機関との利用者情報の共有，ICT や AI を活用した業務管理や職員間の情報共有等であって，業務負担軽減に資するものが想定されます。単に電子カルテ等を用いていることは該当しません。
- 「電話等による連絡及び相談を担当する者に対する支援体制の確保」とは
  夜間対応する看護師が，他の看護師に利用者の状態や対応について相談できる体制を構築している場合や，例えば，夜間対応する看護師が緊急時の訪問を行っている間に別の利用者から電話連絡があった場合に，他の看護師が代わりに対応できる体制などが考えられます。その他，夜間対応者が夜間対応を行う前に，状態が変化する可能性のある利用者情報を共有しておくといった対応も含まれます。

038 24時間対応体制に係る連絡相談を担当する者

Q 緊急時訪問看護加算に係る連絡相談を担当する者は，当該訪問看護ステーションの事務職員でもよいでしょうか？

A 緊急時訪問看護加算に係る連絡相談を担当する者は，原則として，当該訪問看護事業所の保健師または看護師ですが，令和６年度介護報酬改定において，次に掲げる事項のいずれにも該当し，利用者または家族等からの連絡相談に支障がない体制を構築している場合には，当該訪問看護事業所の保健師または看護師以外の職員（以下，看護師等以外の職員）に連絡相談を担当させても差し支えないこととなりました。

①看護師等以外の職員が利用者またはその家族等からの電話等による連絡及び相談に対応する際のマニュアルが整備されていること。
②緊急の訪問看護の必要性の判断を保健師または看護師が速やかに行える連絡体制及び緊急の訪問看護が可能な体制が整備されていること。
③管理者は，連絡相談を担当する看護師等以外の職員の勤務体制及び勤務状況を明らかにすること。
④看護師等以外の職員は，電話等により連絡及び相談を受けた際に，保健師または看護師へ報告すること。報告を受けた保健師または看護師は，当該報告内容等を訪問看護記録書に記録すること。
⑤①から④までについて，利用者及び家族等に説明し，同意を得ること。
⑥連絡相談を担当する看護師等以外の職員について届け出ること。

なお，①の「マニュアル」の内容については149頁をご参照ください。

また，③の「看護師等以外の職員の勤務体制及び勤務状況を明らかにすること」とは，看護師等以外の職員の勤務日及び勤務時間を勤務時間割表として示し，保健師または看護師に明示します。

039 夜間緊急訪問の取り扱い

Q 緊急時訪問看護加算を算定している利用者に対して，夜間に緊急訪問を行いました。この緊急訪問の取り扱いはどのようになるのでしょうか？

A 1月以内の1回目の緊急訪問の場合は，所要時間に応じた所定の単位数のみ算定でき，夜間・早朝加算，深夜加算は算定できません。特別管理加算の対象者であるか否かにかかわらず，2回目以降の緊急訪問から，夜間・早朝加算，深夜加算も算定できます。

040 算定していない利用者の緊急訪問

Q 緊急時訪問看護加算を算定していない利用者から，緊急の訪問依頼がありました。このような場合は，当訪問看護ステーションが定めた料金を徴収してよいのでしょうか？

A 支給限度額に余裕があるのであれば，ケアプランの変更を行い，所要時間に応じた訪問看護費を算定することが可能です。

また，なぜ緊急訪問が必要になったのかをアセスメントしてみましょう。計画された訪問看護で十分な看護が提供できているでしょうか？そして，このような緊急対応が可能な体制をとっていることの評価が，緊急時訪問看護加算であることを利用者にきちんと説明し，同意を得て，翌月より当該加算をケアプランに入れることを検討してもらってはいかがでしょうか？

041 特別管理加算（Ⅰ），（Ⅱ）

特別管理加算は２段階評価ですが，どのような区分けですか？

A 以下の表のような区分けになります。

令和６年度診療報酬改定により，在宅悪性腫瘍等患者指導管理料の名称変更，および，在宅強心剤持続投与指導管理料が新設されたことに伴い，特別管理加算の対象者が変更（下線部）になっています。

特別管理加算（Ⅰ）：500単位／月	特別管理加算（Ⅱ）：250単位／月
• 在宅麻薬等注射指導管理，在宅腫瘍化学療法注射指導管理，在宅強心剤持続投与指導管理を受けている状態 • 在宅気管切開患者指導管理を受けている状態 • 気管カニューレを使用している状態 • 留置カテーテルを使用している状態	• 在宅自己腹膜灌流指導管理・在宅血液透析指導管理・在宅酸素療法指導管理・在宅中心静脈栄養法指導管理・在宅成分栄養経管栄養法指導管理・在宅自己導尿指導管理・在宅持続陽圧呼吸療法指導管理・在宅自己疼痛管理指導管理・在宅肺高血圧症患者指導管理を受けている状態 • 人工肛門または人工膀胱を設置している状態 • 真皮を越える褥瘡の状態 ①NPUAP分類Ⅲ度またはⅣ度 ②DESIGN®分類D3，D4，D5 • 点滴注射を週３日以上行う必要があると認められる状態

Column

NPUAP分類とは？　DESIGN-R®分類とは？

• NPUAP分類（The National Pressure Ulcer Advisory Panel：全米褥瘡諮問委員会）
〈創の深さによる分類〉
ステージⅠ：消退しない発赤
ステージⅡ：部分欠損
ステージⅢ：全層皮膚欠損
ステージⅣ：全層組織欠損
出典：褥瘡の予防クイックリファレンスガイド日本語版
https://www.epuap.org/wp-content/uploads/2016/10/japan_quick-reference-guide-jan2016.pdf

• DESIGN-R®分類（日本褥瘡学会によるもの）
D：Depth（深さ）　E：Exudate（滲出液）　S：Size（大きさ）　I：Inflammation／Infection（炎症／感染）　G：Granulation（肉芽組織）　N：Necrotic tissue（壊死組織）　P：Pocket（ポケット）
軽度をアルファベットの小文字（d.e.s.i.g.n），重度を大文字（D.E.S.I.G.N）で表記
D3：皮下組織までの損傷
D4：皮下組織を越える損傷
D5：関節腔，体腔に至る損傷
※DESIGN-R®褥瘡経過評価用については398頁参照

報酬

042 特別管理加算――点滴注射の対象者①

Q 特別管理加算（Ⅱ）の対象である「点滴注射を週3日以上行う必要があると認められる状態」とは，具体的にはどのような状態ですか？　週3日実施しなかった場合でも該当しますか？

A 主治医より点滴注射を週3日以上行う必要がある旨の指示が出ている場合であって，かつ，当該訪問看護事業所の看護職員が週3日以上点滴注射を実施している状態をいいます。よって，3日実施しなかった場合は，当該加算の対象にはなりません。

主治医の指示は，「在宅患者訪問点滴注射指示書」である必要はなく，通常の訪問看護指示書でも構いません。ただし，点滴注射の指示については，7日毎に受ける必要があります。

報酬

043 特別管理加算――点滴注射の対象者②

Q 週や月をまたがって点滴注射を週3日以上実施した場合，特別管理加算はどのように算定するのでしょうか？

A 1回の指示期間（7日間）において，3日目の点滴注射を実施した日が属する月に算定します。

たとえば，4月28日（土曜日）～5月4日（金曜日）の7日間点滴注射を実施した場合は，3日目（4月30日）の属する4月に算定します。5月も4日間点滴注射を行っていますが，4月28日～5月4日は1回の指示期間ですので，5月には当該加算は算定できません。ただし，5月中の別の期間に改めて点滴注射の指示が交付され，要件を満たせば算定は可能です。

報酬

044 特別管理加算――留置カテーテル

Q 「留置カテーテルを使用している状態」は，特別管理加算（Ⅰ）の算定対象ですが，膀胱留置カテーテルを挿入している状態を指しているのでしょうか？

A 膀胱留置カテーテルのみではありません。腎ろう，膀胱ろうの留置カテーテル，胃ろう，経鼻経管栄養チューブ，腹膜透析のカテーテル等も該当します。しかし，単に留置カテーテルが挿入されているだけでは算定できません。排液の性状や量の観察，薬剤注入，水分バランスの計測等計画的な管理を行っている場合に算定できます。よって，皮下埋め込み式ポートが挿入されていても，在宅において薬剤注入などしていない場合は，計画的な管理を十分にしているとはいえないため算定できません。また，経皮経肝胆管ドレナージチューブなどについても，計画的な管理をしている場合には，留置カテーテルとして算定可能です。ただし，処置等のため一時的に挿入されたドレーンチューブは該当しません。

報酬

045 カテーテルの交換はしていないが…

Q 膀胱留置カテーテルを挿入している利用者がいます。カテーテルの交換は主治医が行っていて，膀胱洗浄は行っていません。このような場合，特別管理加算は算定できるのでしょうか？

A カテーテルの交換や膀胱洗浄を行っていなくても，計画的な管理がなされていれば，特別管理加算を算定することは可能です。膀胱留置カテーテルの管理とは，交換や膀胱洗浄だけではないはずです。カテーテル留置に伴う異常やトラブルの早期発見・対処，本人・家族への指導なども計画的な管理ではないでしょうか？　当該加算については，利用者や居宅介護支援事業者等への情報提供として，都道府県知事等へ届出することとなっています。

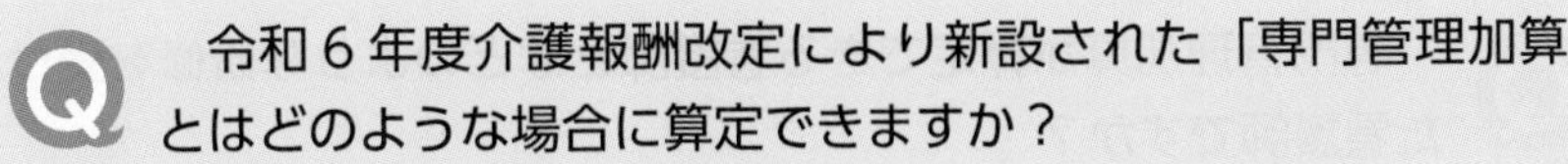

046 専門性の高い看護師による評価

Q 令和６年度介護報酬改定により新設された「専門管理加算」とはどのような場合に算定できますか？

A 今回の改定により，医療保険と同様に介護保険においても，専門性の高い看護師による訪問について評価されました。算定にあたっては，専門性の高い看護師が定期的（月１回以上）訪問看護を行い，利用者に係る訪問看護の実施に関する計画的な管理を行います。

○専門管理加算　イ 250 単位／月（新設）

○専門管理加算　ロ 250 単位／月（新設）

【算定対象者】

イ 緩和ケア，褥瘡ケアまたは人工肛門ケア及び人工膀胱ケアに係る専門の研修を受けた看護師が計画的な管理を行った場合	•悪性腫瘍の鎮痛療法もしくは化学療法を行っている利用者 •真皮を越える褥瘡の状態にある利用者（重点的な褥瘡管理を行う必要が認められる利用者（在宅での療養を行っているものに限る）にあっては真皮まで状態の利用者） •人工肛門もしくは人工膀胱周囲の皮膚にびらん等の皮膚障害が継続もしくは反復して生じている状態にある利用者または人工肛門もしくは人工膀胱のその他の合併症を有する利用者
ロ 特定行為研修を修了した看護師が計画的な管理を行った場合	手順書の交付対象となった利用者 〈手順書が交付される特定行為〉 ①気管カニューレの交換 ②胃ろうカテーテルもしくは腸ろうカテーテルまたは胃ろうボタンの交換 ③膀胱ろうカテーテルの交換 ④褥瘡または慢性創傷の治療における血流のない壊死組織の除去 ⑤創傷に対する陰圧閉鎖療法 ⑥持続点滴中の高カロリー輸液の投与量の調整 ⑦脱水症状に対する輸液による補正 ※手順書について，主治の医師と共に，利用者の状態に応じて手順書の妥当性を検討すること。

報酬

047 専門性の高い看護師とは?

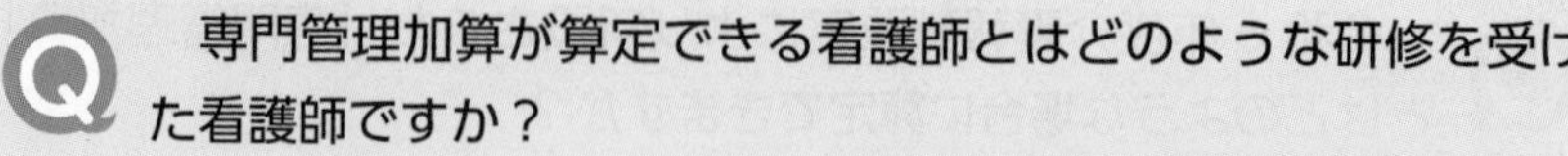

Q 専門管理加算が算定できる看護師とはどのような研修を受けた看護師ですか？

A 専門管理加算イについては，以下の通りです。

①褥瘡ケア：日本看護協会の認定看護師教育課程「皮膚・排泄ケア」

②緩和ケア：日本看護協会の認定看護師教育課程「緩和ケア※」，「乳がん看護」，「がん放射線療法看護」及び「がん薬物療法看護※」，日本看護協会が認定している看護系大学院の「がん看護」の専門看護師教育課程

③人工肛門及び人工膀胱ケア：日本看護協会の認定看護師教育課程「皮膚・排泄ケア」

※ 平成 30 年度の認定看護師制度改正前の教育内容による研修を含む。例えば「緩和ケア」は，従前の「緩和ケア」「がん性疼痛看護」も該当し，「がん薬物療法看護」は従前の「がん化学療法看護」も当該研修に該当する。

専門管理加算ロについては以下の通りです。

①「呼吸器（長期呼吸療法に係るもの）関連」，「ろう孔管理関連」，「創傷管理関連」及び「栄養及び水分管理に係る薬剤投与関連」のいずれかの区分の研修

②「在宅・慢性期領域パッケージ研修」

算定にあたっては，上記の看護師が配置されていることを届け出る必要があります。

048 ターミナルケア加算の算定要件

Q 終末期にあった利用者が亡くなりました。亡くなる24時間前に訪問していますが，死後の処置はしていません。ターミナルケア加算は算定できないのでしょうか？

A 死後の処置をすることは，ターミナルケア加算の算定要件ではありません。ターミナルケア加算は，以下の①～③の厚生労働大臣が定める基準を満たしている事業所（届出が必要）において，在宅で死亡した利用者の死亡日及び死亡日前14日以内に2日以上ターミナルケアを行った場合（ターミナルケアを行った後，24時間以内に在宅以外で死亡した場合を含む）に算定します。

○ターミナルケア加算：2,500単位（令和6年度介護報酬改定において，介護保険の訪問看護におけるターミナルケアの内容が医療保険におけるターミナルケアと同様であることを踏まえ，評価が引き上げられました。）

① 24時間連絡体制が確保された事業所であり，かつ，必要に応じて訪問看護を行うことができる体制が整備されていること。

②主治医との連携の下に，訪問看護におけるターミナルケアに係る計画および支援体制について，利用者およびその家族等に対して説明を行い，同意を得てターミナルケアを行っていること。

③ターミナルケアの提供について，身体状況の変化など必要な事項が記録されていること。

報酬

049 ターミナルケア加算算定の注意点は?

Q ターミナルケア加算を算定するに当たって，気をつけなければならないことはありますか？　具体的に教えてください。

A ターミナルケア加算を算定するに当たって，注意しなければいけない点としては，以下のようなものがあります。

①ターミナルケア加算の算定に必要な記録は，以下の通りです。

㋐終末期の身体症状の変化及びこれに対する看護についての記録

㋑療養や死別に関する利用者及び家族の精神的な状態の変化，及びこれに対するケアの経過についての記録

㋒看取りを含めたターミナルケアの各プロセスにおいて，利用者及び家族の意向を把握し，それに基づくアセスメント及び対応の経過の記録（㋒については，厚生労働省「人生の最終段階における医療・ケアの決定プロセスに関するガイドライン」等の内容を踏まえ，利用者本人及びその家族等と話し合いを行い，利用者本人の決定を基本に，他の関係者との連携の上対応すること)

②ターミナルケアの実施に当たっては，ほかの医療及び介護関係者と十分な連携を図るよう努めること。

③ターミナルケア加算は利用者の死亡月に加算します。
最終訪問日が月末で,死亡日が翌月など,ターミナルケアを最後に行った日の属する月と利用者の死亡月が異なる場合には，加算のみ死亡月に算定することができます（ただし，指示期間中の場合)。

④介護予防訪問看護費にはターミナルケア加算の設定はありません。
要支援 1 または 2 の利用者は対象外ということになります。

050 ターミナルケア加算の日数要件

Q 要介護５の利用者がターミナル期になり，特別訪問看護指示書で頻回に訪問看護に入っていました。14日間の特別訪問看護指示期間が終了し，介護保険の訪問看護を１日提供し翌日死亡しました。この場合，介護保険では訪問看護は１日しかありませんので，要件を満たせずターミナルケア加算は算定できないのでしょうか？

A 死亡日及び死亡日前14日以内に医療保険または介護保険の訪問看護をそれぞれ１日以上（合計２日以上）実施した場合は，最後に実施した保険制度においてターミナルケア加算等を算定できます。よって，問のような場合，医療保険の訪問日数と通算し合計２日以上になりますので，最後に実施した介護保険制度においてターミナルケア加算を算定することができます。

051 情報通信機器を用いた死亡診断の補助

Q 令和6年度介護報酬改定において新設された遠隔死亡診断補助加算とはどのような加算ですか？

A 今改定により医療保険と同様に介護保険においても遠隔死亡診断補助加算が新設されました。情報通信機器を用いた在宅での看取りに係る研修※を受けた看護師が，在宅患者訪問診療料における死亡診断加算を算定する利用者（特別地域に居住する利用者に限る）について，その主治医の指示に基づき，情報通信機器を用いて医師の死亡診断の補助を行った場合に算定することができます。

※厚生労働省「在宅看取りに関する研修事業」（平成29～31年度）及び「ICTを活用した在宅看取りに関する研修推進事業」（令和2年度～）により実施されている研修

Column

死亡診断加算とは・・・

在宅患者訪問診療料　死亡診断加算 200 点：死亡日に往診または訪問診療を行い、死亡診断を行った場合に算定する。

以下の要件を満たしている場合であって、「情報通信機器（ICT）を利用した死亡診断等ガイドライン（平成 29 年 9 月厚生労働省）」に基づき、ICT を利用した看護師との連携による死亡診断を行う場合には、往診または訪問診療の際に死亡診断を行っていない場合でも、死亡診断加算のみを算定可能。

①当該患者に対して定期的・計画的な訪問診療を行っていたこと。
②正当な理由のために、医師が直接対面での死亡診断等を行うまでに 12 時間以上を要することが見込まれる状況であること。
③特別地域に居住している患者であって、連携する他の医療機関において在宅患者訪問看護・指導料の在宅ターミナルケア加算（または同一建物居住者ターミナルケア加算）または連携する訪問看護ステーションにおいて訪問看護ターミナルケア療養費もしくは指定居宅サービス介護給付費単位数表のターミナルケア加算を算定していること。

052 サービス提供体制強化加算とは?

Q サービス提供体制強化加算はどのような場合に算定できるのでしょうか？

A 介護従事者の専門性等に係る適切な評価・キャリアアップを推進する体制および職員の早期離職を防止する体制を評価した加算です。勤続年数３年と勤続年数７年の２区分になっています。

サービス提供体制強化加算（Ⅰ）
勤続７年以上の者が30％以上　６単位／回 (定期巡回・随時対応型訪問介護看護事業所と連携する場合　50単位／月)
サービス提供体制強化加算（Ⅱ）
勤続３年以上の者が30％以上　３単位／回 (定期巡回・随時対応型訪問介護看護事業所と連携する場合　25単位／月)

勤続年数要件の他に，以下の①～③を満たす必要があります。

算定に当たっては，都道府県知事等に届出（406 頁参照）が必要になります。

①研修の実施

すべての看護師等（保健師，看護師，准看護師，理学療法士，作業療法士，言語聴覚士）に対し，看護師等ごとに研修計画を作成し，計画に従って研修（外部における研修も含む）を実施または予定していること。

②会議の開催

利用者に関する情報もしくはサービス提供に当たっての留意事項の伝達または当該訪問看護事業所における看護師等の技術指導を目的とした会議を定期的に（概ね１月１回以上）開催すること。

※テレビ電話装置等を活用して行うことも可能。

③健康診断等の定期的な実施

すべての看護師等に対し，健康診断等を定期的に実施すること。

053 サービス提供体制強化加算の基準——割合の算出方法

Q サービス提供体制強化加算の届出に当たっては，訪問看護ステーションの看護師等の総数のうち，勤続年数７年以上または３年以上の者の占める割合が30％以上であることが要件ですが，この割合はどのように算出するのでしょうか？

A 常勤換算方法により算出した前年度（３月除く）の平均を用います。参考例を示します。

※前年度の実績が6か月に満たない事業所（新たに事業を開始，または再開した事業所を含む）については，届出日の属する月の前3か月について，常勤換算方法により算出した平均を用います。

〈参考例〉勤続年数７年以上の場合

※同一法人等の経営する他の介護サービス事業所等において，サービス提供する職員として勤務した年数を含めることが可能。

	4月	5月	6月	7月	8月	9月	10月	11月	12月	1月	2月
看護師等（常勤換算人数）	4.6	4.6	4.8	4.8	4.8	5.0	5.0	5.0	5.2	5.2	5.2
※常勤換算人数の計算：1か月当たりの看護師等の総勤務時間数÷常勤職員が1か月に勤務する総時間数											
勤続7年以上の看護師等（常勤換算人数）	3.2	3.2	3.0	3.0	3.0	2.8	2.8	2.8	2.4	2.4	2.4
※常勤換算人数の計算：1か月当たりの勤続7年以上の看護師等の総勤務時間数÷常勤職員が1か月に勤務する総時間数											

○４月～２月の看護師等の常勤換算人数の合計：54.2
看護師等の総数の平均常勤換算人数：54.2 ÷ 11 か月＝ **4.9** 人

○４月～２月の勤続７年以上の看護師等の常勤換算人数の合計：31
７年以上の看護師等の平均常勤換算人数：31 ÷ 11 か月＝ **2.8** 人

○ステーションの看護師等の総数のうち，勤続年数７年以上の看護師等の占める割合：2.8 人／ 4.9 人× 100％＝ **57.1**％（30％以上なので，要件を満たしていることになります）

I-2　介護予防訪問看護

制度

054　介護予防訪問看護の定義

Q　介護予防訪問看護とはどのようなものなのでしょうか？　教えてください。

A　介護予防訪問看護は，その者の居宅において，その介護予防を目的として，看護師その他厚生労働省令で定める者により，厚生労働省令で定める期間にわたり行われる療養上の世話または必要な診療の補助をいいます。

介護予防訪問看護の利用には，地域包括支援センター，あるいは委託を受けた居宅介護支援事業所が介護予防サービス計画を作成し，介護予防訪問看護の導入となります。

Column

総合事業とは?

総合事業は，市町村が中心となって住民主体の多様な生活支援サービスをつくり，高齢者の社会参加と支え合い体制を推進して介護予防を目指す事業です。平成 27 年 4 月から随時事業が始まり，平成 29 年度末までに全市町村で行われるようになりました。

総合事業では，要支援 1 または 2 と認定された方や，介護認定を受けなくても基本チェックリストからサービス事業対象者になると，地域包括支援センターの介護予防ケアマネジメントにより，「介護予防・生活支援サービス事業」や「一般介護予防事業」を利用できます。ただし，第 2 号被保険者は基本チェックリストではなく，要介護認定等の申請を行う必要があります。なお，一般介護予防事業は 65 歳以上の方すべてを対象としています。

介護予防・生活支援サービス事業には，訪問型サービスと通所型サービスがあります。訪問型サービスは掃除や買い物などの生活援助ですが，保健・医療の専門職が 3 ～ 6 か月間集中的に訪問し，身体機能や体力の改善，日常生活動作の改善に向けた支援も含まれます。通所型サービスは生活機能向上のための機能訓練，運動・レクリエーション，体操などです。

介護予防訪問介護と介護予防通所介護は，介護保険の予防給付から外れて，総合事業の「介護予防・生活支援サービス」における訪問型サービスと通所型サービスとなっています。

055 介護予防訪問看護を導入するには?

Q 介護予防サービスでは訪問看護は必要ないといわれました。重症化を防ぐためには，早期から訪問看護が入ることが必要だと思います。必要なときに導入してもらうようにするには，どのように説明したらよいでしょうか？

A 一人ひとりの要支援者が，可能な限り自立した日常生活を過ごすには，居宅に出向いて療養環境や日常生活をアセスメントして，支援する必要があります。介護予防訪問看護では，利用者の日常生活から健康上の課題を見出し，心身の機能の維持・回復を図れるように，健康管理や疾病予防，リハビリテーション看護等を介護予防を目的として実施します。重症化防止のために，訪問看護が必要であるか主治医とよく相談することが重要です。

例えば，糖尿病や高血圧などの慢性疾患で自己管理が十分できない利用者に対しては，療養生活をアセスメントし，介護予防訪問看護計画に基づき，食事・栄養や運動，体重のコントロールなど，必要な助言や支援を行って，病状の改善と悪化防止，自己管理力を向上させるなどを利用者とともに目指します。在宅酸素療法の利用者やリウマチなどでは，症状を観察しながらリハビリテーションや服薬管理，療養生活の支援，医療との連携を図るなどを行います。

現在，認知症や独居でうつ状態の高齢者が増加しています。このような方には，時間をかけて個別に関わり，自己管理を支援していく介護予防訪問看護を活用すると効果的です。特に，訪問看護師が利用者とのコミュニケーションを十分図って，利用者が有する能力を最大限に活用する働きかけがポイントです。

また，口腔機能の向上等を図るために歯科医師と連携して情報などを共有し，介護予防訪問看護を実施することで，介護予防，症状のマネジメントによる悪化防止となります。

制度

056 介護予防サービス事業所の指定基準

Q 指定訪問看護事業所（訪問看護ステーション）が介護予防サービス事業所の指定を受ける場合の指定基準を教えてください。

A 都道府県知事，政令市市長，中核市市長（以下，「都道府県知事等」という）に申請を行いますが，指定訪問看護事業所（訪問看護ステーション）と介護予防訪問看護事業所とが同一の事業所において一体的に運営される場合は，人員，設備，備品等を満たしているとみなされ，併せて指定を受けることができます。ただし，運営規定の変更点や居宅サービス運営規定と同一である旨の誓約書，利用料等を提出します。とはいえ，事務処理の簡素化のため，現行のままであれば申請書類を提出しなくてもよいとされていることから，都道府県等で提出書類の様式や対応が異なる場合があります。管轄部署に確認をしたほうがよいでしょう。

これまで介護予防給付のサービス事業所の指定を受けていない場合は，都道府県知事等に事業者が申請をして指定を受けなければなりません。指定基準は，従来の訪問看護ステーションの設置基準と同様です。

制度

057 事業者番号は変わる?

Q 指定訪問看護事業所（訪問看護ステーション）が介護予防サービス事業所の指定を受ける場合，介護予防サービス事業所の指定事務と事業者番号は変更になるのでしょうか？

A 介護予防サービス事業所の指定は都道府県等が行うので，既存の事業所については，現行の事業者番号をそのまま使用することができます。サービス種類のみは登録を必要とします。

報酬

058 ターミナルケア加算の算定は?

Q 介護予防訪問看護においてターミナルケア加算は保険請求できないと聞きました。なぜですか？　また，他の加算はとれるのですか？

A 要支援者はターミナルケア加算の対象とはならないので，算定できません。

介護予防給付は，要支援者に介護予防を目的として，介護予防訪問看護を行い，自立支援を図るものです。

仮にターミナルケアが必要な状態になれば，医療保険で特別訪問看護指示書により頻回に対応することができます。

ターミナルケア加算のほかに，看護・介護職員連携強化加算についても算定できません。その他の加算は算定できます。

サービス内容

059 指定を受けていないのに依頼が…

Q 介護予防訪問看護の指定を受けていませんでしたが，急に要支援者の訪問を介護支援専門員から依頼されました。その人がどうしても当訪問看護ステーションを希望されます。どのようにしたらよいですか？

A 指定を受けていない場合，介護予防訪問看護の報酬請求はできませんので，訪問した場合は自費請求になります。今後継続されるようなら，早急に指定申請をする必要があります。ただし，医師から急性増悪等により特別訪問看護指示書で訪問が必要とされれば，要支援者であっても医療保険から訪問看護サービスを提供することはできます。

I-3 訪問看護関連事業

制度

060 指定療養通所介護とは?

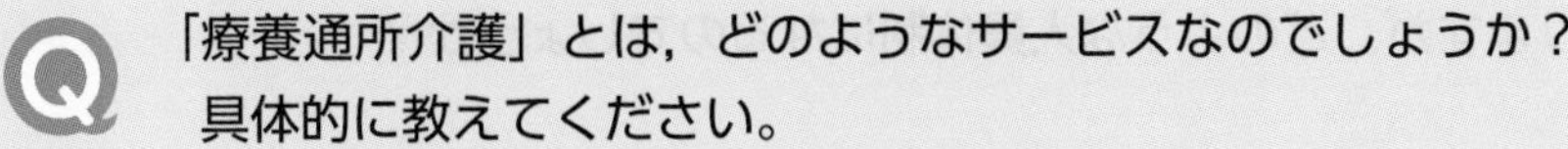

Q 「療養通所介護」とは，どのようなサービスなのでしょうか？具体的に教えてください。

A 療養通所介護は，既存の通所介護と異なり，利用者は常時，看護師による観察を要する難病や認知症，脳血管疾患後遺症，がん末期など，医療ニーズと介護ニーズを併せ持つ要介護者です。管理者は訪問看護の経験がある看護師で，「療養通所介護計画」を立て，利用者1.5人に対し，看護・介護職員が1人以上の人員体制でサービスを提供します。日常生活上の世話および機能訓練を行い，利用者の社会的孤立感の解消，心身の機能の維持・改善，利用者の家族の身体的および精神的負担の軽減を図るサービスです。1事業所の定員は18人以下で，専用の通所室を設け，1人当たり6.4㎡以上の広さが必要です。あらかじめ緊急時対応医療機関を定め，「安全・サービス提供管理委員会」を組織して，安全かつ適切なサービスの提供に努めます。また，平成28年度から，当該サービスは地域密着型サービスに移行したため，「運営推進会議」を12か月に1回以上開催することになりました。ただし，地域の複数の事業所の合同開催も認められています。

Column

介護職員処遇改善加算

令和6年度介護報酬改定で，介護職員の処遇改善に関する加算が一本化されました。従来の区分を統廃合し，I〜Ⅳの類型に整理されました（激変緩和措置として令和6年度中はV（1）〜（14）も設定）。一番低い加算率である（Ⅳ）においても14.5%の加算率となっており，介護職員に毎月支払われる給与の引き上げに当てることとなっています。

制度

061 療養通所介護の人員配置基準

Q　療養通所介護の人員配置基準に，「利用者 1.5：1 以上の看護職員又は介護職員を配置し，常勤専従の看護師を 1 以上」とありますが，どのような人員体制になるのでしょうか？

A　サービス提供時間帯は，常時看護師 1 人以上を確保する必要があります。その看護師は複数の看護師の交代で従事することも可能ですが，利用者は常時観察が必要な人なので，頻回の交代は望ましくありません。たとえば午前と午後で交代する程度です。

利用者が 6 人の場合は 4 人の職員が必要となり，少なくとも看護師 1 人のほか，3 人の看護職員または介護職員が従事することになります。食事や入浴介助など，人員が厚く必要なときには，相当の従業者を配置してケアを行います。

制度

062 利用時間混在時の人員配置は?

Q　利用者によって 8 時間，6 時間，4 時間などと混在する場合，看護職員または介護職員をどのように配置すればよいのでしょうか？

A　サービス提供時間帯は看護師 1 人以上を専従とします。利用者の合計利用時間数を 1.5 で除して得られる時間数以上を勤務する従事者数が必要になります。利用時間が 8 時間，6 時間，4 時間の 3 利用者の場合では，利用時間数の合計 18 時間を 1.5 で割ると 12 時間です。看護師として専従する時間は 8 時間，看護職員または介護職員が 4 時間分を従事します。8 時間のサービス提供時間帯における職員配置例を以下に示します。

看護師　A	5時間稼働
看護師　B	3時間稼働
介護職員	2時間稼働　　2時間稼働

制度

063 看護職員の常勤専従とは?

Q 療養通所介護の従業者について教えてください。「看護職員の常勤専従」とは，どのような意味なのでしょうか？

A 基準上は，雇用形態が「常勤」であれば常勤で，専従とは，サービス提供時間帯には専らそのサービスに従事することです。

療養通所介護の従業者は，看護職員または介護職員となります。理学療法士や作業療法士，ボランティアが療養通所介護サービスに加わることはできますが，サービス提供職員には該当しません。運転士が療養通所介護の送迎に関わる場合，ホームヘルパーの登録資格を有していることで，介護を行う場合は介護職員として，従業者になることができます。

制度

064 療養通所介護の管理者の要件は?

Q 療養通所介護の管理者は看護師とされていますが，どのような要件が必要とされるのでしょうか？　特別な研修などは必要でしょうか？

A 管理者が看護師の場合，管理業務に支障をきたさない限り，療養通所介護の看護職員としてサービスに従事できます。療養通所介護事業所の管理者を兼務できるのは，同一事業者によって設置された訪問看護ステーションなど，他の事業所，施設です（令和６年度の改定より，同一敷地内要件は撤廃）。

療養通所介護は，在宅の要介護者で医療ニーズと介護ニーズを併せ持つ利用者の在宅生活の継続を支援するサービスであり，訪問看護と継続した通所サービスであるため，訪問看護に従事した経験のある看護師とされます。

なお，管理者としての資質を確保するために，関連機関が提供する研修等を受講していることも望ましいことです。

制度

065 療養通所介護を提供する環境条件

Q 訪問看護ステーションの事務所の一角を使用して，療養通所介護室を開設することは可能でしょうか？　専用の通所室として，アコーディオンカーテンで仕切ることなどはできるのでしょうか？

A 中重度者という利用者の状態を考えると，療養通所介護室のプライバシーが守られ，静養できる環境が必要です。図のように出入口は別で専用の部屋として明確になるよう，天井から床まで壁で遮蔽される必要があります。通所介護事業所や病院の併設で療養通所介護が実施される場合は，浴室など，利用者の状態に照らし，それぞれの事業に支障のない範囲で共用することができます。

療養通所介護室 出入口	訪問看護ステーション 出入口

制度

066 療養通所介護室の設備や備品は?

Q 療養通所介護室の設備や備品にはどのようなものが必要でしょうか？　また，経管栄養剤などは持ち込めるのでしょうか？

A 特に基準はありませんが，在宅で使用しているもの，たとえば，栄養剤，薬などを持ち込む場合もあります。静養できるベッドと寝具，車いす，食事や団らんのテーブルといす，冷蔵庫，電子レンジ，食器棚，機材の保管庫，テレビやオーディオ機器，健康状態を観察する看護用品，吸引器，吸入器，ワゴン，救急カート，タオル，オムツやプラスチック手袋などの消耗品，アクティビティのための物品，シンク（水回り），給湯器，オムツ処理機，掃除機，看護師の記録机といす，記録類の保管庫等が必要でしょう。また，火災報知器・通報システムやガス漏れ探知機（冷暖房用にガスを引いている場合），消火設備や搬送用具も必要と考えられます。

067 療養通所介護の報酬

Q 療養通所介護の報酬体系が日単位の報酬から月単位の包括報酬へと見直されましたが，報酬はどのようになりますか？

A 療養通所介護事業所へ登録している期間1月につき，12,785単位を算定することになりました。登録している期間の算定の基礎となる「登録日」とは，利用者が療養通所介護事業者と利用契約を結んだ日ではなく，サービスを実際に利用開始した日とします。また，「登録終了日」とは，利用者が療養通所介護事業者との間の利用契約を終了した日とします。

月の途中から登録した場合または月の途中に登録を終了した場合には，登録していた期間（登録日から当該月の末日まで，または当該月の初日から登録終了日まで）に対応した単位数を算定することとなります。例えば，日割り計算となるので，4月1日利用開始で10日に契約終了した場合は，日割り計算サービスコード表によると，421単位/日×10日＝4,210単位です。なお，入浴介助減算がある場合の日割り単位は400単位，過少サービス減算では294単位，入浴介助減算と過少減算が重なる場合は280単位です。

月の途中で入院となりキャンセルとなった場合は，月額包括報酬で，日割り計算にはなりません。令和6年度介護報酬改定において，登録利用者以外の利用者でケアマネジャーが緊急の利用が必要と認めた方について，定員の枠の中でサービス利用を受け入れた際の報酬として，短期利用療養通所介護費1,335単位（7日以内（特定の方については14日以内））が新設されました。短期利用に係る報酬算定は，事業所として入浴介助減算・過少サービス減算の算定がないことも要件となっているため，注意が必要です。

068 療養通所介護の加算

療養通所介護の加算について，報酬はどのようになりますか？

〈中山間地域に居住する利用者への加算〉

別に厚生労働大臣が定める地域に居住する利用者への療養通所介護は，5／100の加算

〈サービス提供体制強化加算〉

①サービス提供体制強化加算（Ⅲ）イ：48単位／月

指定療養通所介護を利用者に直接提供する職員の総数のうち，勤続年数7年以上の者の占める割合が30／100以上であること

②サービス提供体制強化加算（Ⅲ）ロ：24単位／月

指定療養通所介護を利用者に直接提供する職員の総数のうち，勤続年数3年以上の者の占める割合が30／100以上であること

〈重度者ケア体制加算〉

看護職員を常勤換算方法で3以上確保し，従業者のうち，認定看護師教育課程，専門看護師教育課程，特定行為研修を修了した看護師を1以上確保（常勤・非常勤問わずに契約関係にあることが必要）し，指定訪問看護事業者の指定を併せて受け，かつ，一体的に事業を実施している場合に150単位/月を算定。令和6年度介護報酬改定で新設。

〈その他の加算〉

- 口腔・栄養スクリーニング加算（Ⅰ）：20単位／回（6月に1回を限度）

利用者の口腔の健康状態のスクリーニングまたは栄養状態のスクリーニングを行い，介護支援専門員に情報を文書で共有した場合に算定する。

- 介護職員等処遇改善加算：（Ⅰ），（Ⅱ），（Ⅲ），（Ⅳ）

令和6年6月から，既存の介護職員処遇改善加算・介護職員等特定処遇改善加算・介護職員等ベースアップ等支援加算が一本化され，上記の加算名称に変更となります。加算率は14.5～24.5%で，毎月支払われる給与（手当含む）に当てることが要件とされており，介護職員への一定の配分を条件に他の職種にも事業所全体で柔軟に配分することが可能となりました。

069 療養通所介護の減算

療養通所介護事業の減算について，報酬はどのようになりますか？

表のようになります。

〈利用定員を超えた場合の減算〉 所定単位数に 70 ／ 100 を乗じて得た単位数により算定。
〈看護職員等従業者の員数：別に厚生労働大臣が定める基準に該当する場合〉 所定単位数に 70 ／ 100 を乗じて得た単位数を用いて算定。
〈入浴介助を行わない場合の減算〉 事業所内に入浴設備がない場合など事業所の都合によって入浴介助を実施しない場合，所定の単位数の 95 ／ 100 に相当する単位数を算定。また，療養通所介護計画に，入浴介助の提供が位置づけられている場合に，利用者側の事情により，療養通所介護費を算定する月に入浴介助を１度も実施しなかった場合も減算の対象となるが，利用者の心身の状況や希望により，清拭または部分浴を実施した場合は減算にならない。
〈サービス提供が過少である場合の減算〉 算定月における利用者１人当たり平均回数が，月５回に満たない場合は，所定の単位数の 70 ／ 100 に相当する単位数を算定。 「利用者１人当たり平均回数」は，暦月ごとにサービス提供回数の合計数を，利用者数で除することによって算出する。利用者が月の途中で，利用を開始，終了または入院する場合は，当該利用者を「利用者１人当たり平均回数」を算出するための数に含めない。
〈高齢者虐待防止措置未実施減算〉 令和６年度介護報酬改定において，「虐待防止」に係る必要な対応が実施されていない場合に 99 ／ 100 に相当する単位数を算定する減算が新設された（届出が必要）。
〈業務継続計画未策定減算〉 業務継続計画を策定し，必要な研修・訓練等を実施していない場合に 99 ／ 100 に相当する単位数を算定する。なお，経過措置として，令和７年３月 31 日までの間，感染症の予防及びまん延の防止のための指針および非常災害に関する具体的計画を策定している場合には，減算は適用しないこととなっている。

連携

070 療養通所介護における主治医との連携は?

Q 療養通所介護を利用するに当たって，主治医とはどのように連携すればよいのでしょうか？　気をつける点などあれば，教えてください。

A 療養通所介護の導入に際しては，主治医の指示書は必要ありませんが，利用者の主治医とは密に連携し，サービスの内容や提供方法についての情報を共有するようにします。また，緊急時の対応について，個別に主治医と具体策を検討して，対応策を定めておくことも大切です。

安全・サービス提供管理委員会の検討も踏まえ，対策を講じなければなりません。

サービスを提供して利用者の体調の変化などが生じた場合は，主治医に情報提供します。また，療養通所介護の利用者は，同時に訪問看護の利用者である場合が多いので，訪問看護報告書と併せて情報提供するのもよいでしょう。

制度

071 宿泊サービスの届出は必要?

Q 療養通所介護の自主的サービスとして宿泊サービスを行うことがありますが，届出は必要ですか？

A 療養通所介護事業所の設備を利用し，夜間および深夜に指定療養通所介護以外のサービスを提供する場合には，事前に指定権者（市長等）に所定の様式で届け出る必要があります。

指定療養通所介護事業者は，夜間および深夜に指定療養通所介護以外のサービスの提供により事故が発生した場合は，市町村，利用者の家族，居宅介護支援事業者等に連絡を行うとともに必要な措置を講じます。また，事故の状況に際してとった処置について，記録しなければなりません。

制度

072 療養通所介護は地域密着型通所介護の一類型

Q 療養通所介護は18人以下の定員で，小規模通所介護事業所の範疇ですが，地域密着型サービスですか？

A 療養通所介護事業は平成28年4月から地域密着型サービスとなり，指定は市町村長が行います。事業者は，法人格を有する医療法人，営利法人（会社），社団・財団等公益法人，NPO法人等が開設者となります。市町村の介護保険担当部署に申請し，指定を受けます。ただし，市町村が策定する介護保険事業計画（3年毎）に位置づけられる必要があります。

これにより地域密着型療養通所介護事業者となり，療養通所介護の提供に当たっては，利用者，利用者の家族，地域住民の代表者，当該事業所が所在する市町村の職員または管轄する地域包括支援センターの職員，地域密着型療養通所介護について知見を有する者等により構成される運営推進会議を設置しなければなりません。

運営推進会議は概ね12か月に1回以上開催し，運営推進会議において，指定地域密着型療養通所介護の活動状況を報告し，運営推進会議による評価を受けるとともに，運営推進会議から必要な要望，助言等を聴く機会を設けなければなりません。

平成30年4月からは，運営推進会議の効率化や地域のネットワーク化の観点から，複数の事業所が運営推進会議を合同開催することができるようになりました。この際，利用者の匿名化など，個人情報やプライバシーの保護を行うこととなっています。

なお令和3年4月から，災害時への対応において，避難等訓練の実施に当たって地域住民の参加が得られるよう連携に努める必要があります。

制度

073 療養通所介護と障害福祉サービス

Q 療養通所介護において，重症心身障害児（者）の通所サービスを障害福祉サービスとして提供できますか？

A 平成 24 年 4 月から，療養通所介護事業所は，児童福祉法等に定める児童発達支援に関する事業の指定基準を満たせば，「児童発達支援」の指定を都道府県（指定都市または中核市）から受けて，主に重症心身障害児・者を通わせる児童発達支援等が行えるようになりました。また，児童発達支援等と組み合わせて，放課後等デイサービスや生活介護についても自治体の指定を受けることができます。

さらに，障害児（者）や家族からの相談と発達段階に応じたサービスが提供できるように，障害者相談支援事業の指定も受けることができます。通知（厚生労働省社会・援護局障害保健福祉部障害福祉課・老人保健課「児童福祉法に基づく主に重症心身障害児を通わせる児童発達支援の事業等を介護保険法令に基づく療養通所介護事業所において実施する場合の取扱いについて（平成 30 年 3 月 30 日)」）を確認してください(次頁参照)。

Column

ICT 活用による送迎時の健康状態確認

長期間，定期的に当該事業を利用している場合では，初回のサービス利用時に看護職員が状態観察等を行いますが，初回以外は介護職員が ICT を活用して，送迎時に居宅で状態確認を行い，事業所の看護職員と連携して健康管理を行うことができます。

制度

074 療養通所介護と児童発達支援等の人員体制

Q 療養通所介護と児童発達支援等の人員体制などの組み合わせはどのようになっていますか？

次の表の通りです。

項目		療養通所介護	主に重症心身障害児・者を通わせる児童発達支援等	
			主に重症心身障害児を通わせる児童発達支援または放課後等デイサービス	主に重症心身障害者を通わせる生活介護
定員		18人以下 (最大利用可能人数であり，職員配置を求めるものではない)	5人以上 (左記定員のうち上記定員を設定可能) (上記定員に満たない場合は，左記定員を上限として要介護者の受入が可能)	
人員配置	管理者	1人（看護師：兼務可）	1人（左記と兼務可）	
	嘱託医	−	1人（特に要件なし）	
	従業者	•看護職員または介護職員 (利用人数に応じて，1.5：1の職員配置）（うち，1以上は常勤の看護師) (定員内で利用者外の者を受け入れる場合，利用者合計数に応じて1.5：1を満たす配置が必要)	•児童指導員または保育士1以上 •看護職員1以上 •機能訓練担当職員1以上	•生活支援員 •看護職員1以上 •理学療法士または作業療法士（実施する場合） 上記職員の総数は，障害支援区分毎に規定（例：平均障害支援区分が5以上の場合は，3：1) (左記と一体的に配置することが可)
	支援管理責任者	−	児童発達支援管理責任者1以上 (管理者との兼務可)	サービス管理責任者1 (管理者および左記との兼務可)
設備		•専用部屋　(6.4㎡／人) •必要な設備（兼用可）	指導訓練室のほか，必要な設備（左記との兼用可）	

※主に重症心身障害児・者を対象とする場合，児童発達支援と生活介護は多機能型事業所として一体的に運営可能。
※従業者の配置においては，療養通所介護の人員基準に規定のない「児童指導員または保育士」と「児童発達支援管理責任者（兼務可）」または「サービス管理責任者（兼務可）」の配置が必要。
※「機能訓練担当職員」は理学療法士等でなくても可能。生活支援員は特に資格要件なし。

075 児童発達支援等における報酬

Q 療養通所介護との併設で，主に重症心身障害児の児童発達支援等を行う場合の報酬はどのようになりますか？

A 児童福祉法第6条の2の2第2項に規定する厚生労働省令で定める施設において，重症心身障害児に対して行う児童発達支援等における利用定員が5人の場合から11人以上までの報酬は表の通りです。また，生活介護利用者の報酬は5人以下の区分です。

令和6年度障害福祉サービス等報酬改定で以下の通り見直されています。

重症心身障害児に対し指定児童発達支援を行う場合の報酬

（1）利用定員が5人以上7人以下の場合	2,131単位
（2）利用定員が8人以上10人以下の場合	1,347単位
（3）利用定員が11人以上の場合	850単位

重症心身障害児に対し指定放課後等デイサービスを行う場合の報酬

（1）利用定員が5人以上7人以下の場合	1,771単位　(2,056単位)
（2）利用定員が8人以上10人以下の場合	1,118単位　(1,299単位)
（3）利用定員が11人以上の場合	692単位　(817単位)

※所要時間6時間以上7時間未満の場合

利用定員が5人以下の生活介護サービス費（障害区分・所要時間に応じた1日の報酬）

（1）区分6	1,628単位
（2）区分5	1,218単位
（3）区分4	845単位
（4）区分3	755単位
（5）区分2以下	689単位

076 看護職員・児童指導員等の加配加算

Q 児童発達支援と放課後等デイサービスにおいて，看護職員・児童指導員等の加配加算は対象となりますか？　算定要件である医療的ケアスコアが 40（または 72）点以上とは，児童発達支援と放課後等デイサービスの利用者を合わせて 40（または 72）点以上でよいですか？

A 児童発達支援や放課後等デイサービスを併設し一体的に運営している場合には，多機能型事業所として位置づけられます。また，それぞれ必要な加算の要件を満たしていれば，看護職員加配加算・児童指導員等加配加算に加え，専門的支援体制加算も算定できます。

看護職員加配加算の算定要件である医療的ケアスコアにある点数は，事業所内に通う児のスコアを合算し，72 点以上であれば（Ⅱ）を 40 点以上 72 点未満であれば（Ⅰ）を算定できます。児童指導員等加配加算については，事業所における５年以上の勤続年数や常勤専従の要件などがありますので，各要件を満たし届出を行えば，利用定員に応じた単位数が算定できます。専門的支援体制加算は，理学療法士・作業療法士・言語聴覚士・保育士または児童指導員（５年以上の児童福祉事業所の経験要件有）などを１以上配置し，届出を行った場合に算定可能です（基準該当によりサービス提供していた場合は算定は不可）。

Column

看護職員加配加算における医療的ケアスコア

主に重症心身障害児を支援する児童発達支援等と生活介護の多機能型において，一体的な運用がされており，利用定員も合算している場合においては，障害児と障害者の数を合算しても差し支えない。

＊「平成 30 年度障害福祉サービス等報酬改定等に関するＱ＆Ａ　VOL. 1　(平成 30 年３月 30 日)」等の送付について　問 103　通知日：平成 30 年３月 30 日

077 加配加算における職員

Q 看護職員・児童指導員等の加配加算における職員とは，パート職員では算定できませんか？

A パート等，雇用形態についての定めはありません。事業所により定められた勤務時間を通じて，常勤換算で１以上（Ⅰの場合)，(Ⅱ)においては２以上配置されている場合に加配加算の対象となります。

なお，当該加算を算定するには，児童発達支援給付の算定に必要となる従業員の員数に加えて，主として重症心身障害児に対し児童発達支援を行うため，看護職員や児童指導員，理学療法士等，その他の従業員の加配が必要です（指定導基準を満たして加配すること)。

〈例〉主として重症心身障害児を通わせる児童発達支援（定員５人以上７人以下)

看護職員加配加算：(Ⅰ)，(Ⅱ）児童指導員等加配加算（1）～（5)

(Ⅰ）400単位／日	(Ⅱ）800単位／日
児童発達支援給付の算定に必要となる従業者の員数に加え，看護職員を１人以上配置し，医療的ケア児の医療的ケアスコアの合計が40点以上	児童発達支援給付の算定に必要となる従業者の員数に加え，看護職員を２人以上配置し，医療的ケア児の医療的ケアスコアの合計が72点以上

児童指導員等加配加算（1）～（5)

(1）374単位／日	(2）305単位／日
５年以上児童福祉事業に従事した経験を有する児童指導員等を常勤専従で配置	児童指導員等を常勤専従で配置
(3）247単位／日	(4）214単位／日
５年以上児童福祉事業に従事した経験を有する児童指導員等を配置	児童指導員等を配置
(5）180単位／日	
その他の従業者を配置	

※児童指導員等とは，児童指導員・保育士・理学療法士，作業療法士，言語聴覚士，手話通訳士，手話通訳者，特別支援学校免許取得者，その他こども家庭庁長官が定める基準に適合する者

医療的ケアスコア

	新		基本スコア	見守りスコア 高	中	低	旧		スコア
1	人工呼吸器(NPPV，ネイザルハイフロー，パーカッションベンチレーター，排痰補助装置，高頻度胸壁振動装置を含む)		10	2[1)]	1	0	レスピレーター管理		8
2	気管切開		8	2[1)]		0	気管内挿管・気管切開		8
3	鼻咽頭エアウェイ		5	1		0	鼻咽頭エアウェイ		5
4	酸素療法		8	1		0	酸素療法		5
5	吸引	口鼻腔・気管内吸引	8	1		0	吸引	1回／1時間以上	8
								6回／日以上	3
6	利用時間中のネブライザー使用・薬液吸入		3	0			ネブライザー(6回／日以上または継続)		3
7	経管栄養	経鼻胃管，胃瘻	8	2		0	経管栄養	経鼻・胃瘻	5
		経鼻腸管，経胃瘻腸管，腸瘻，食道瘻	8	2		0		腸瘻・腸管栄養	8
		持続経管注入ポンプ使用	3	1		0		持続注入ポンプ使用	3
8	中心静脈カテーテル	中心静脈栄養，肺高血圧症治療薬，麻薬など	8	2		0	IVH		8
9	その他の注射管理	皮下注射(インスリン，麻薬など)	5	1		0			
		持続皮下注射ポンプ使用	3	1		0			
10	血糖測定[3)]	利用時間中の観血的血糖測定器	3	0					
		埋め込み式血糖測定器による血糖測定[4)]	3	1		0			
11	継続する透析(血液透析，腹膜透析を含む)		8	2		0	持続する透析(腹膜透析含む)		8
12	排尿管理[3)]	利用時間中の間欠的導尿	5	0			定期導尿(3回/日以上)		5
		持続的導尿(尿道留置カテーテル，膀胱瘻，腎瘻，尿道ストーマ)	3	1		0			
13	排便管理[3)]	消化管ストーマ	5	1		0	人工肛門		5
		利用時間中の摘便，浣腸	5	0					
		利用時間中の浣腸	3	0					
14	痙攣時の管理	座薬挿入，吸引，酸素投与，迷走神経刺激装置の作動など	3	2		0			

※見守りスコアは医師が判定する。

【スコアの注意事項】

1) 人工呼吸器の見守りスコアについては，人工呼吸器回路が外れた場合，自発呼吸がないために直ちに対応する必要がある場合は「高」2点，直ちにではないが，概ね15分以内に対応する必要がある場合は「中」1点，それ以外の場合は「低」0点と分類する。
2) 人工呼吸器と気管切開の両方を持つ場合は，気管切開の見守りスコアを加点しない。
3) ⑩血糖測定，⑫排尿管理，⑬排便管理については，複数項目のいずれか一つを選択する。
4) インスリン持続皮下注射ポンプと埋め込み式血糖測定器とが連動している場合は，血糖測定の項目を加点しない。

＊障害福祉サービス等報酬改定検定チーム：医療的ケアが必要な障害児に係る報酬・基準について《論点等》，第16回(R2.10.5)資料4頁を改変

報酬

078 居宅訪問型児童発達支援と訪問看護
――同一日の算定

Q 障害福祉サービスにおいて，居宅訪問型児童発達支援があると聞きましたが，訪問看護と同一日に算定できますか？

A 障害福祉サービスにおいて，「重症心身障害児等の重度の障害児等であって，障害児通所支援を利用するために外出することが著しく困難な障害児」への「居宅訪問型児童発達支援」があります。居宅訪問型児童発達支援と訪問看護の同一日の算定については，特に妨げるものではありません。

制度

079 外出が著しく困難な状態
――居宅訪問型児童発達支援

Q 「居宅訪問型児童発達支援」において，外出が著しく困難な状態とはどのような状態でしょうか？

A 重度の障害の状態，その他これに準ずるものとして，厚生労働省令で定める状態にある障害児が対象となります。具体的に外出が著しく困難な状態とは，①人工呼吸器を装着している状態，その他日常生活を営むために医療を要する状態にある場合，②重い疾病のために感染症にかかるおそれがある状態にある場合です。

たとえば，各種手帳の重度判定（身体障害者手帳１・２級相当，療育手帳重度相当，精神障害者保健福祉手帳１級相当）を基本とし，重度の精神障害の状態にあり自発的な外出ができない場合や，強度行動障害の状態にあり他人を傷つけるなど集団生活が著しく困難である障害児が該当します。

報酬

080 児童発達支援等の報酬の減算

児童発達支援等の報酬で減算はありますか？

A 次のような減算があります。

○個別支援計画の作成が適切に行われていない場合の減算（児童発達支援・放課後等デイ・生活介護）

※個別支援計画未作成減算は，適用される月から2月目までについて所定単位数の30%を減算し，3月目からは，所定単位数の50%を減算。

○虐待防止措置未実施減算：以下の要件を満たせていない場合，所定単位数の１％／日を減算

・虐待防止委員会を定期的に開催するとともに，その結果について従業者に周知徹底を図ること。

・従業者に対し，虐待の防止のための研修を定期的に実施すること。

・上記措置を適切に実施するための担当者を置くこと。

○身体拘束廃止未実施減算：以下の要件を満たせていない場合，所定単位数の１％／日（児童発達支援・放課後等デイ・生活介護）

※身体拘束等に係る記録をしていない場合に，基本報酬から5%減算する。

○自己評価結果等未公表減算

※児童発達支援および放課後等デイサービスにおいて，自己評価結果等未公表の場合は15%減算となる。なお，当該減算は，主に重症心身障害児を通わせる事業所を除く。

081 療養通所介護と児童発達支援等の報酬請求

Q 療養通所介護の定員が 18 人の事業所で，1 日に療養通所介護利用者が 3 人，児童発達支援・放課後等デイ利用者 5 人，生活介護利用者 1 人の合計 9 人が利用した場合の報酬の請求は，どのようになりますか？

A 児童発達支援の指定を受けている場合，それぞれの事業に必要な人員配置基準を満たしていれば，事業ごとに報酬の請求ができます。問の場合であれば，療養通所介護の利用者 3 人については介護保険，児童発達支援・放課後等デイの利用者 5 人については児童発達支援の 5 人以上～7 人以下の区分の報酬を請求し，生活介護利用の 1 人は，生活介護定員 5 人以下の区分で請求します。

制度

082 看護小規模多機能型居宅介護とは?

Q 看護小規模多機能型居宅介護（看多機）とはどのようなサービスで，指定事業者の指定はどこで受けるのでしょうか？

A 看多機は医療ニーズが高い要介護高齢者が利用できるサービスで，複合型サービスから名称が変更されました。

このサービスは，要介護高齢者とその家族のニーズに応じ，住み慣れた地域で生活を継続できるように，利用者の病状，心身の状況，希望およびその置かれている環境を踏まえて，通いサービス，訪問介護サービス，訪問看護サービスおよび宿泊サービスを柔軟に組み合わせることにより，療養生活を支援するサービスです。

地域密着型サービスの一類型のため，市町村が策定する介護保険事業計画に位置づけられる必要があり，その計画において市町村長が指定事業者の指定を行います。介護保険法の改正（令和５年）により，「通い」・「泊まり」のサービスに看護サービス（療養上の世話または必要な診療の補助）が含まれる旨，明確化されました。

制度

083 看多機の利用定員

Q 看護小規模多機能型居宅介護（看多機）の利用定員は何人ですか？

A 登録定員は 29 人以下です。通いサービスの利用定員は，登録定員 25 人の場合は 1 ／ 2 ～ 15 人となっていますが，登録定員 26 人または 27 人の場合は 16 人，28 人の場合は 17 人，29 人の場合は 18 人以下とすることが可能です。また，宿泊サービス利用定員は通いサービスの利用定員の 1 ／ 3 ～ 9 人までです。

なお，通いサービスの利用定員について 15 人を超えて定める事業所では，居間および食堂を合計した面積は利用者の処遇に支障がないと認められる十分な広さ（1 人当たり 3㎡以上）が必要です。

制度

084 看多機の施設，設備は?

Q 看護小規模多機能型居宅介護（看多機）の施設，設備はどのようになっていますか？

A 居間，食堂，台所，宿泊室，浴室，消火設備その他必要な設備および備品を備えます。

居間および食堂は，機能を十分発揮しうる広さが必要です。宿泊室は個室が原則で，利用者の処遇上必要と認められる場合には2人とすることができます。1宿泊室の面積は7.43m²（病院等の面積は6.4m²）で1人が利用する個室となります。

利用者の家族や地域住民との交流の機会が確保されることが求められています。

制度

085 看多機の人員配置基準

Q 看護小規模多機能型居宅介護（看多機）における従業者の人員基準はどのようになっていますか？

A 日中通いサービスでは利用者3人に対し1以上（常勤換算），1以上は看護職員です。訪問サービスでは2以上（常勤換算），1以上は看護職員です。宿泊サービス（夜間・深夜）は時間帯を通じて1以上，宿直職員は必要数以上となっています。

看護職員は2.5人以上（常勤換算）が必要で，うち1人は常勤の保健師または看護師である必要があります。この場合，地方厚生（支）局のみなし指定を受け，医療保険の訪問看護の提供が可能となります。また，看多機の事業所内に訪問看護事業所を設置し一体的に運営する場合（この場合は，都道府県知事等から指定訪問看護事業者としての指定を受ける必要がある）には，併設の訪問看護事業所との兼務もできます（看多機・訪問看護ステーションの双方合わせて2.5人以上（常勤換算）であればよい）。配置された介護支援専門員はサービス計画書を作成します。

制度

086 看多機の管理者の条件は?

Q 看護小規模多機能型居宅介護（看多機）の管理者は看護師と定められていますか？

A 管理者は，特別養護老人ホーム，老人デイサービスセンター，介護老人保健施設，小規模多機能型居宅介護事業，認知症対応型共同生活介護等の従事者，もしくは訪問介護員等として３年以上認知症ケアの経験があり研修を修了している者または保健師もしくは看護師となっています。

管理者は常勤専従とし，事業所の管理上支障がない場合には，当該事業所内の他の職務に従事し，または同一法人内の他の事業所，施設等の職務に従事することができます。なお，兼務の範囲等については，訪問看護の管理者と同様です（適時適切な即応体制の確保）。

制度・連携

087 看多機における主治医との連携

Q 看護小規模多機能型居宅介護（看多機）において，主治医との連携はどのようになっていますか？

A 訪問看護サービスの提供や，通所の場での看護（療養上の世話または必要な診療の補助に限る）の提供に際して，指示を文書で受ける必要があります。

指示書を交付した主治医に対して「看護小規模多機能型居宅介護計画書」および「看護小規模多機能型居宅介護報告書」を提出して連携します。

088 同一建物居住者と看多機

Q 看護小規模多機能型居宅介護（看多機）では，同一建物居住の利用者に対してサービスを行う場合の基本報酬とそれ以外の基本報酬はどのようになっていますか？　また，看多機の利用者以外が短期利用する場合の報酬はどのようになっていますか？

A 報酬は複合型サービス費の中で，イ．看護小規模多機能型居宅介護費（１月につき）とロ．短期利用居宅介護費（１日）となります。同一建物居住の登録者は，当該建物に１人だけの登録者であっても，それ以外の登録者と比較して低い報酬となっています。表の通りです。同一建物適用を受ける利用者の区分支給限度基準額の管理については，減算適用前の単位数を用います。

イ．看護小規模多機能型居宅介護費（1月につき）

要介護度	同一建物居住者以外の登録者	同一建物居住登録者
要介護1	12,447単位	11,214単位
要介護2	17,415単位	15,691単位
要介護3	24,481単位	22,057単位
要介護4	27,766単位	25,017単位
要介護5	31,408単位	28,298単位

※同一建物居住者の建物とは，養護老人ホーム，軽費老人ホーム，有料老人ホーム，サービス付き高齢者向け住宅をいいます。ただし，構造上または外見上同じ建物が対象となります。

ロ．短期利用居宅介護費（1日）

要介護度	単位
要介護1	571単位
要介護2	638単位
要介護3	706単位
要介護4	773単位
要介護5	839単位

※看多機の登録者とは別の短期利用登録者に提供するサービスとなります。

089 訪問看護が医療保険の場合の報酬

Q 看護小規模多機能型居宅介護（看多機）における訪問看護が医療保険の場合には，報酬がどのようになりますか？

A 登録者に対して末期の悪性腫瘍等厚生労働大臣が定める疾病等により医療保険で訪問看護が行われる場合は，要介護度別に1月につきの減算，特別訪問看護指示書の訪問看護を行う場合は1日につきの減算が定められています。

末期の悪性腫瘍等および特別訪問看護指示書の指示期間の訪問看護は，宿泊サービス利用者に対して利用日の日中に行った場合，算定できません。

基本部分 ※同一建物に居住する者以外の者に対して行う場合		末期の悪性腫瘍等により医療保険の訪問看護が行われる場合（1月につき）	特別の指示により頻回に医療保険の訪問看護が行われる場合（1日につき）
イ 看護小規模多機能型居宅介護費 （1月につき）	要介護1 （12,447単位）	－925単位	－30単位
	要介護2 （17,415単位）	－925単位	－30単位
	要介護3 （24,481単位）	－925単位	－30単位
	要介護4 （27,766単位）	－1,850単位	－60単位
	要介護5 （31,408単位）	－2,914単位	－95単位

090 看護小規模多機能型居宅介護費の加算

看護小規模多機能型居宅介護費は基本報酬以外にどのような加算がありますか？

次のような加算があります。

①1日につきの加算
○初期加算：30単位／日
②1回につきの加算
○退院時共同指導加算：600単位／回 ○口腔・栄養スクリーニング加算：（Ⅰ）20単位／回　（Ⅱ）5単位／回（6月に1回） ○口腔機能向上加算：（Ⅰ）150単位／回　（Ⅱ）160単位／回
③1月につきの加算
○認知症加算：（Ⅰ）920単位／月　（Ⅱ）890単位／月　（Ⅲ）760単位／月（Ⅳ）460単位／月 ○若年性認知症利用者受入加算：800単位／月 ○緊急時対応加算：774単位／月 ○特別管理加算：（Ⅰ）500単位／月　（Ⅱ）250単位／月 ○専門管理加算：250単位／月 ○ターミナルケア加算：死亡月に2,500単位 ○遠隔死亡診断補助加算：150単位／回 ○サービス提供体制強化加算：（Ⅰ）750単位／月　（Ⅱ）640単位／月　（Ⅲ）350単位／月 ○介護職員等処遇改善加算：あり（略） ○看護体制強化加算：（Ⅰ）3,000単位／月　（Ⅱ）2,500単位／月 ○訪問体制強化加算：1,000単位／月 ○総合マネジメント体制強化加算：（Ⅰ）1,200単位／月　（Ⅱ）800単位／月 ○中山間地域に居住する者へのサービス提供加算：5／100，小規模事業所加算：10／100，特別地域看多機加算：15／100を乗じた単位数 ○栄養アセスメント加算：50単位／月 ○栄養改善加算：20単位（月2回限度） ○褥瘡マネジメント加算：（Ⅰ）3単位／月　（Ⅱ）13単位／月 ○排せつ支援加算：（Ⅰ）10単位／月　（Ⅱ）15単位／月　（Ⅲ）20単位／月 ○科学的介護推進体制加算：40単位／月 ○生産性向上推進体制加算：（Ⅰ）100単位／月　（Ⅱ）10単位／月

報酬

091 看多機における看護体制強化加算

Q 看護小規模多機能型居宅介護（看多機）において，看護体制強化加算が，（Ⅰ）と（Ⅱ）に区分されますが，どのような違いがありますか？

A （Ⅰ）と（Ⅱ）の共通部分は次の①～③の3項目で，算定日が属する月の前3月間において算出します。

①利用者の総数のうち，主治の医師の指示に基づく看護サービスを提供した利用者の占める割合が80％以上であること。

②利用者の総数のうち，緊急時訪問看護加算を算定した利用者の占める割合が50％以上であること。

③利用者の総数のうち，特別管理加算を算定した利用者の占める割合が20％以上であること。

「看護体制強化加算（Ⅰ)」は3,000単位／月で，追加要件として，12か月間にターミナルケア加算の算定者1名以上であること，登録特定行為事業者（または登録喀痰吸引等事業者）として届け出をしていることがあげられます。

「看護体制強化加算（Ⅱ)」は2,500単位ですが，利用者によって，(Ⅰ)または（Ⅱ）を選択的に算定はできません。事業所はどちらか一方のみの届出となります。

092 総合マネジメント体制強化加算

Q 総合マネジメント体制強化加算について教えてください。

A 総合マネジメント体制強化加算は（Ⅰ）1,200 単位／月と（Ⅱ）800 単位があり，区分支給限度基準額の枠外加算です。定期巡回・随時対応型訪問介護看護，小規模多機能型居宅介護，看護小規模多機能型居宅介護に共通の加算です。次に掲げる基準のいずれにも適合することが算定要件です。

総合マネジメント体制強化加算（Ⅰ）: 1,200 単位，（Ⅱ）: 800 単位

要件	（Ⅰ）	（Ⅱ）
（1）個別サービス計画について，利用者の心身の状況や家族を取り巻く環境の変化を踏まえ，介護職員（計画作成責任者）や看護職員等の多職種協働により，随時適切に見直しを行っていること	○	○
（2）利用者の地域における多様な活動が確保されるように，日常的に地域住民等との交流を図り，利用者の状態に応じて，地域の行事や活動等に積極的に参加していること	△	△
（3）地域の病院，診療所，介護老人保健施設等に対し，事業所が提供することのできるサービスの具体的な内容に関する情報提供を行っていること	○	○
（4）日常的に利用者と関わりのある地域住民等の相談に対応する体制を確保していること	○	
（5）必要に応じて，多様な主体が提供する生活支援のサービス（インフォーマルサービスを含む）が包括的に提供されるような居宅サービス計画を作成していること	△	
（6）地域住民等との連携により，地域資源を効果的に活用し，利用者の状態に応じた支援を行っていること※	事業所の特性に応じ1つ以上実施	
（7）障害福祉サービス事業所，児童福祉施設等と協働し，地域において世代間の交流の場の拠点となっていること		
（8）地域住民等，他事業所等と共同で事例検討会，研修会等を実施していること		
（9）市町村が実施する通いの場や在宅医療・介護連携推進事業等の地域支援事業等に参加していること		

○：看多機・定巡に係る要件　△：看多機に係る要件　※：定巡は実施していることが必要

093 科学的介護推進体制加算とは?

Q 看多機においては，科学的介護推進体制加算：40 単位がありますが，どのような加算ですか？

A 科学的に効果が裏づけられた自立支援・重度化防止に資する質の高いサービス提供の推進を目的とした加算です。LIFE への情報提出とフィードバック情報を活用して，PDCA サイクルを活用してサービスの質向上を図る取組を推進することとされました。

看多機では，事業所のすべての利用者について，別紙様式 1 （科学的介護推進に関する評価（通所・居住サービス））にある「評価日」，「前回評価日」，「障害高齢者の日常生活自立度及び認知症高齢者の日常生活自立度」，「総論（ADL 及び在宅復帰の有無等に限る）」，「口腔・栄養」及び「認知症（必須項目に限る）」の各項目に係る情報を，やむを得ない場合を除き，提出することになっています。

また，「総論（既往歴，服薬情報及び同居家族等に限る）」及び「認知症（任意項目に限る）」の各項目に係る情報についても，必要に応じて提出することが望ましいとされます。提出情報は，利用者ごとに，㋐当該算定開始時における情報，㋑当該サービスの利用開始時における情報，㋒前回提出時以降の情報，㋓当該サービスの利用終了時における情報です。

なお，フィードバックについては必須情報以外も含め提出された情報に基づき実施されます。算定に際し，利用者の同意が必要です。

Column

LIFE とは?

令和3年4月1日より，VISIT および CHASE の一体的な運用を開始するとともに，科学的介護の理解と浸透を図る観点から，名称を「科学的介護情報システム（Long-term care Information system For Evidence)」(「LIFE」）とされました。令和 6 年度介護報酬改定において，データの提出頻度が「3 月に1回」に見直されました。

094 看護小規模多機能型居宅介護費の減算

Q 看護小規模多機能型居宅介護（看多機）における訪問看護体制の減算について教えてください。

A 看護小規模多機能型居宅介護費は，提供される看護の実態や利用者の重症度を踏まえた看護提供体制を評価しているため，次の要件を満たさない場合は表のような減算となります。訪問看護体制減算の算定要件は次のいずれにも適合することとされています。

①算定日が属する月の前３月間において，指定看護小規模多機能型居宅介護事業所における利用者の総数のうち，主治の医師の指示に基づく看護サービスを提供した利用者の占める割合が 100 分の 30 未満。

②算定日が属する月の前３月間において，指定看護小規模多機能型居宅介護事業所における利用者の総数のうち，緊急時訪問看護加算を算定した利用者の占める割合が 100 分の 30 未満。

③算定日が属する月の前３月間において，指定看護小規模多機能型居宅介護事業所における利用者の総数のうち，特別管理加算を算定した利用者の占める割合が 100 分の５未満。

訪問看護体制減算のほか，令和６年度介護報酬改定において，過少サービスの減算について，１人あたりの平均回数が週４回に満たない場合だけでなく，サービス提供回数が週平均１回に満たない場合も減算になると見直されました。

訪問看護体制減算

要介護１から３まで	－925単位
要介護４	－1,850単位
要介護５	－2,914単位

（１月につき）

095 サテライト看多機の開設

Q 本事業所とは別に，サテライト型看護小規模多機能型居宅介護事業所を開設したいのですが，開設場所や人員体制，運営などを教えてください。

A サテライト型看護小規模多機能型居宅介護事業所（サテライト看多機）は2か所まで開設できますが，そのうち1か所は小規模多機能型居宅介護事業所（小多機）でも可能です。登録定員は18人以下となります。

サテライト看多機の開設には，サテライト看多機を開設する本体事業所が，開設から1年以上経っていること，緊急時訪問看護加算の届出をしていること，本体事業所から自動車で20分以内の近距離にあって支援機能を有することが必要な要件です。

事業者は居宅サービス事業等の経験3年以上の者とし，訪問サービスを行う者を2人以上（常勤換算ではない），常勤換算看護職員1.0以上を配置します。

代表者・管理者・介護支援専門員・夜間の当直者（緊急訪問対応要員）は本体事業所との兼務等が可能で，サテライト事業所に配置しないことも可能とされています。

サテライト看多機登録者を本体事業所に宿泊させることはできますが，本体事業所の従業者となじみの関係構築に努めることとされます。逆に，本体事業所の登録者をサテライト看多機に宿泊させることは認められていません。

本体事業所が指定訪問看護事業所を一体的に運営している場合は，出張所として指定訪問看護を行うことも可能です。

096 有床診療所による看多機の開設

Q 医療法人を有しない有床診療所が看護小規模多機能型居宅介護（看多機）を開設することはできますか？

A 医療法人を有しない有床診療所でも，看多機を開設することはできます。

有床診療所が事業者である場合は，当該病床を宿泊室として柔軟に活用できます。1病床以上は利用者専用のものを確保しておくことが必要です。ただし，有床診療所の入院患者と同じ居室を利用することも想定されるので，衛生管理等の面で必要な措置を行わなければなりません。

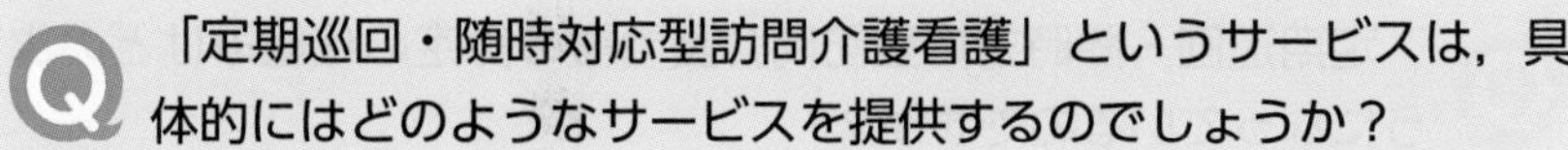

制度

097 定期巡回・随時対応型訪問介護看護とは?

Q 「定期巡回・随時対応型訪問介護看護」というサービスは，具体的にはどのようなサービスを提供するのでしょうか？

A 介護保険の地域密着型サービスの１つで，中重度者（要介護者のみ）の在宅生活を支えるため，日中，夜間を通じて，１日複数回の定期訪問と随時対応を介護と看護が一体的にまたは密接に連携しながら提供するサービスです。

令和６年度介護報酬改定により，夜間にのみサービスを提供する新たな類型が新設され，以下のように３つの類型になりました。

①一体型事業所：１つの事業所で訪問介護と訪問看護のサービスを一体的に提供する（訪問看護サービスの一部を契約により他の訪問看護事業所に委託することも可能）。

②連携型事業所：事業所が訪問看護事業所と連携してサービスを提供する。

③夜間対応型：夜間にのみ随時対応サービス，定時巡回サービス，随時訪問サービスを提供する（訪問看護サービスは行わない）。

提供するサービスの内容は以下の通りです。

〈提供するサービス〉

①定期巡回サービス：訪問介護員等が，定期的に利用者の居宅を巡回して行う日常生活の世話。

②随時対応サービス：随時，利用者またはその家族等からの通報を受け，相談援助または訪問介護員等の訪問もしくは看護師等による対応の要否を判断するサービス。

③随時訪問サービス：②の判断に基づき訪問介護員等が利用者の居宅を訪問して行う日常生活の世話。

④訪問看護サービス：看護師等が医師の指示に基づき，利用者の居宅を訪問して行う療養上の世話または必要な診療の補助。

※一体型事業所は①～④，連携型事業所は①～③まで行うサービスであり，④は連携する訪問看護事業所が行う。

098 定期巡回・随時対応型訪問介護看護の報酬

Q 定期巡回・随時対応型訪問介護看護の算定の仕組みはどのようになっているのですか？

A 一体型・連携型・夜間対応型で次頁の表のような報酬になっています。また，加算・減算については86頁の表を参照してください。

①利用者１人につき１か所の定期巡回・随時対応型訪問介護看護事業所において算定する。

②定期巡回・随時対応型訪問介護看護費（Ⅰ）または（Ⅱ）を算定している間は，当該利用者に係る他の訪問サービスのうち，訪問介護費（通院等乗降介助に係るものを除く），訪問看護費（連携型指定定期巡回・随時対応型訪問介護看護を利用している場合を除く）および夜間対応型訪問介護費は算定しない。

定期巡回・随時対応型訪問介護看護費（Ⅲ）を算定している間は，当該利用者に係る他の訪問サービスのうち，夜間対応型訪問介護費は算定しない。

③通所系サービス利用時は減算，短期入所系サービス利用時は日割り計算となる。

④訪問看護サービス利用者に係る（Ⅰ）は，主治医の判断に基づいて交付された指示書の有効期間内に訪問看護サービスを行った場合に算定する。

⑤末期の悪性腫瘍等厚生労働大臣が定める疾病等の利用者については訪問看護サービス利用者に係る（Ⅰ）は算定しない。

⑥月途中から医療保険給付の対象となる場合，または月途中から医療保険給付の対象外となる場合には，医療保険給付の対象となる期間に応じて日割り計算とする。

〈基本部分〉

	改定前	改定後
イ） 定期巡回・随時対応型訪問介護看護費（Ⅰ）（一体型）		
（1）訪問看護サービスを行わない場合 要介護1 要介護2 要介護3 要介護4 要介護5	 5,697単位/月 10,168単位/月 16,883単位/月 21,357単位/月 25,829単位/月	 5,446単位/月 9,720単位/月 16,140単位/月 20,417単位/月 24,692単位/月
（2）訪問看護サービスを行う場合 要介護1 要介護2 要介護3 要介護4 要介護5	 8,312単位/月 12,985単位/月 19,821単位/月 24,434単位/月 29,601単位/月	 7,946単位/月 12,413単位/月 18,948単位/月 23,358単位/月 28,298単位/月
ロ） 定期巡回・随時対応型訪問介護看護費（Ⅱ）（連携型）		
要介護1 要介護2 要介護3 要介護4 要介護5	（Ⅰ）（1）訪問看護サービスを行わない場合と同様	（Ⅰ）（1）訪問看護サービスを行わない場合と同様
ハ） 定期巡回・随時対応型訪問介護看護費（Ⅲ）（夜間対応型）		
	（新設）	基本夜間訪問サービス費 989単位/月 定期巡回サービス費 372単位/回 随時訪問サービス費（Ⅰ） 567単位/回 随時訪問サービス費（Ⅱ） （2人の訪問介護員等により対応） 764単位/回

〈通所サービス利用時の調整〉

定期巡回・随時対応型訪問介護看護費（Ⅰ）（1）訪問看護サービスを行わない場合，または，定期巡回・随時対応型訪問介護看護費（Ⅱ）	要介護1　－62 要介護2　－111 要介護3　－184 要介護4　－233 要介護5　－281
定期巡回・随時対応型訪問介護看護費（Ⅰ）（2）訪問看護サービスを行う場合	要介護1　－91 要介護2　－141 要介護3　－216 要介護4　－266 要介護5　－322

〈加算・減算〉

准看護師の場合	所定単位数の98／100
高齢者虐待防止措置未実施減算	所定単位数の－1／100
業務継続計画未策定減算 (令和7年3月31日までは経過措置)	所定単位数の－1／100
事業所と同一建物の利用者にサービスを行う場合	（Ⅰ）（Ⅱ）の場合 同一敷地内建物の利用者にサービスを行う場合：－600 単位／月 同一敷地内建物の利用者50人以上にサービスを行う場合：－900単位／月 （Ⅲ）（基本夜間訪問サービス費を除く）の場合 同一敷地内建物の利用者にサービスを行う場合：所定単位数の－10／100 同一敷地内建物の利用者50人以上にサービスを行う場合：所定単位数の－15／100
特別地域定期巡回・随時対応型訪問介護加算（(Ⅲ) 基本夜間訪問サービス費を除く）	所定単位数の＋15／100
中山間地域等における小規模事業所加算((Ⅲ) 基本夜間訪問サービス費を除く）	所定単位数の＋10／100
中山間地域等に居住する者へのサービス提供加算（ハ基本夜間訪問サービス費を除く）	所定単位数の5／100
緊急時訪問看護加算	（Ⅰ）325単位／月（Ⅱ）315単位／月
特別管理加算	（Ⅰ）500単位／月（Ⅱ）250単位／月
ターミナルケア加算	2,500単位
初期加算（イ，ロの場合）	30単位／日
総合マネジメント加算（イ，ロの場合）	（Ⅰ）1,200単位／月（Ⅱ）800単位／月
退院時共同指導加算（イ（2）の場合）	600単位／月
生活機能向上連携加算（イ，ロの場合）	（Ⅰ）100単位／月（Ⅱ）200単位／月
認知症専門ケア加算	イ，ロの場合 （Ⅰ）90単位／月（Ⅱ）120単位／月 ハ（基本夜間サービス費を除く）場合 （Ⅰ）3単位／日（Ⅱ）4単位／日
口腔連携強化加算（イ，ロの場合）	50単位／月1回限度
サービス提供体制強化加算	イ，ロの場合 （Ⅰ）750単位／月（Ⅱ）640単位／月（Ⅲ）350単位／月 ハ（基本夜間サービス費を除く）場合 （Ⅰ）22単位／回（Ⅱ）18単位／回 （Ⅲ）6単位／回
介護職員等処遇改善加算	（Ⅰ）＋245／1000 （Ⅱ）＋224／1000 （Ⅲ）＋182／1000 （Ⅳ）＋145／1000 （Ⅴ）＋221／1000～＋76／1000 （※（Ⅴ）については令和7年3月31日まで）

（注）通所サービス利用時の調整は，基本部分の表（85頁）参照
（注）上記のもの以外に市町村が定める市町村独自加算の設定あり

099 連携型事業所と連携する訪問看護事業所の報酬

Q 連携型事業所と当訪問看護ステーションが連携して訪問看護を提供することになりました。訪問看護の費用はどのように請求するのですか？　通常の訪問看護と同様に算定すればよいのですか？

A 連携型事業所と連携する訪問看護ステーションの報酬は，月単位の包括払いになっています。報酬額等は以下の通りです。算定にあたっては，緊急時訪問看護加算の届出がされている事業所であって，連携する定期巡回・随時対応型訪問介護看護事業所の名称等を都道府県知事に届出します。

〈基本報酬〉
指定定期巡回・随時対応型訪問介護看護事業所と連携して指定訪問看護を行う場合 2,961単位／月　※予防給付はなし
〈加算〉
○要介護5の利用者の場合：＋800単位／月 ○特別地域訪問看護加算：＋15／100 ○中山間地域等における小規模事業所加算：＋10／100 ○中山間地域等に居住する者へのサービス提供加算：＋5／100 ○緊急時訪問看護加算：(Ⅰ)600単位／月(Ⅱ)574単位／月(医療機関の場合(Ⅰ)325単位（Ⅱ）315単位) ○特別管理加算：（Ⅰ）500単位　（Ⅱ）250単位 ○専門管理加算：250単位／月 ○ターミナルケア加算：2,500単位 ○遠隔死亡診断補助加算：150単位 ○初回加算：（Ⅰ）350単位／月（Ⅱ）300単位／月 ○退院時共同指導加算：600単位／回 ○看護・介護職員連携強化加算：250単位／月 ○口腔連携強化加算：50単位／月 ○サービス提供体制強化加算：（Ⅰ）50単位／月　（Ⅱ）25単位／月

〈減算〉
○准看護師による訪問が１回でもある場合：98／100 ○高齢者虐待防止措置未実施減算：－1／100 ○業務継続計画未策定減算：－1／100（令和7年3月31日まで経過措置あり） ○急性増悪等による特別訪問看護指示があった場合：当該指示の日数に応じて、１日につき－97単位
〈日割り計算用単位〉
○日割り単位：97単位／日 ○要介護5の場合：124単位／日（准看護師による訪問が1回でもある場合：122単位／日） ○准看護師による訪問が1回でもある場合：95単位／日 ○高齢者虐待防止措置未実施減算：－1単位／日

100 日割り計算

Q 連携型事業所と連携して訪問看護を行う場合は，1月2,961単位（要介護5は3,761単位）の包括報酬ですが，医療保険の訪問看護が行われた場合や月の途中で利用が開始になった場合などの減算，日割り計算の方法を教えてください。

A **〈減算の具体例〉**

月の途中で特別訪問看護指示書（14日）が交付された場合（1日につき97単位減算）

（例）3月1日～14日（14日間）特別訪問看護指示による訪問看護（医療保険の算定14日分），3月15日～31日（17日間）は定期巡回・随時対応型訪問介護看護事業所と連携して訪問看護

2,961単位－（97単位×14日）＝1,603単位

〈日割り計算の具体例〉（前頁参照）

①月の途中で利用開始（または終了）した場合

（例）3月15日以降利用開始（利用期間は17日）

97単位×17日＝1,649単位

②月の途中で厚生労働大臣が定める疾病等に切り替わった場合

（例）3月15日以降がん末期で医療保険の訪問看護（医療保険の利用期間は17日間）

97単位×14日＝1,358単位

③月の途中でショートステイ等の利用があった場合

（例）3月中（31日間）のうち3泊4日ショートステイを利用

97単位×（31日－4日）＝2,619単位

④月の途中で要介護5から他の要介護度，他の要介護度から要介護5に変更があった場合

（例）3月15日以降要介護5　(97単位×14日)＋(124単位×17日)＝3,466単位

（例）3月15日以降要介護4　(124単位×14日)＋(97単位×17日)＝3,385単位

101 連携型事業所と訪問看護事業所の連携

Q 当訪問看護ステーションが連携型事業所と連携する際に，報酬の算定に関することのほかに，どのようなことが必要になりますか？

A 連携型事業者は，連携する訪問看護事業者との契約に基づき，当該訪問看護事業者から次に掲げる事項について必要な協力を得なければなりません。委託料については，合議により適切に設定することになります。

①定期巡回・随時対応型訪問介護看護計画作成にあたって必要となる看護職員のアセスメントの実施
②随時対応サービスの提供にあたっての連絡体制の確保
③介護・医療連携推進会議への参加
④その他必要な指導および助言

I-4 医療保険

報酬

102 令和6年度診療報酬改定の概要

Q 令和６年度の診療報酬改定により，訪問看護の報酬についてはどのような改定がありましたか？

A 訪問看護に関連する主な改定項目は以下の通りです。

○賃上げに向けた評価の新設 (訪問看護ベースアップ評価料の新設)

○訪問看護ステーションの機能に応じた訪問看護管理療養費の見直し

・訪問看護管理療養費の初日の額の引き上げ（適切な感染管理の下での利用者への対応を評価する観点，および，訪問看護療養費明細書のオンライン請求が開始されることを踏まえ，訪問看護療養費明細書のオンライン請求および領収証兼明細書の発行を推進する観点から，訪問看護管理療養費の評価を引き上げ）

・訪問看護管理療養費１, ２の新設（訪問看護管理療養費の２日目以降）

・機能強化型訪問看護管理療養費１の施設基準の変更（在宅看護等に係る専門の研修を受けた看護師の配置）

○緊急訪問看護加算の評価の見直し

○母子に対する適切な訪問看護の推進（乳幼児加算の見直し）

○訪問看護ステーションにおける持続可能な 24 時間対応体制確保の推進（24 時間対応体制加算の見直し）

○訪問看護医療ＤＸ情報活用加算の新設

○医療ニーズの高い利用者の退院支援の見直し（退院支援指導加算の見直し）

報酬

103 訪問看護ベースアップ評価料

Q 令和６年度診療報酬改定により新設された訪問看護ベースアップ評価料とは，どのような報酬ですか？

A 昨今の物価高騰の状況や高水準となる賃上げ状況などといった経済社会情勢も踏まえて，医療の分野においても，人材確保や賃上げに向けた取り組みを進めることとなり，令和６年度診療報酬改定では，令和６年度にベースアップ＋ 2.5％，令和７年度にベースアップ＋ 2.0％の実現に向けて，医療従事者の賃上げに必要な診療項目が創設されました。

訪問看護ステーションにおいて新設されたのが，訪問看護ベースアップ評価料（Ⅰ）（Ⅱ）です。算定にあたっては，地方厚生局等へ「賃金改善計画書」（新規届出時および毎年４月に作成し，新規届出時および毎年６月）「賃金改善実績報告書」（毎年８月）の提出が必要となります。届出については，430~438 頁の様式を用いることになりますが，賃金改善計画書作成のための自動計算が可能な Excel が添付されていますので，それをご活用ください。

【訪問看護ステーションの基準に係る届出に関する手続きの取り扱いについて（通知）】

https://www.mhlw.go.jp/stf/seisakunitsuite/bunya/0000188411_00045.html

訪問看護ベースアップ評価料（Ⅰ）（Ⅱ）の算定要件等については，93 頁～ 97 頁をご参照ください。

なお，当該評価料による賃上げは「賃上げ促進税制」（94 頁コラム参照）の税額控除の対象となります。

104 訪問看護ベースアップ評価料(Ⅰ)とは?

Q 訪問看護ベースアップ評価料(Ⅰ)の算定要件を教えてください。

A ベースアップ評価料(Ⅰ)は当該訪問看護ステーションに勤務する主として医療に従事する者(専ら管理者の業務に従事する者を除く。以下「対象職員」(※訪問看護ベースアップ評価料(Ⅱ)においても同様))の賃金の改善を実施することについて評価したものです。訪問看護ベースアップ評価料(Ⅰ)は,訪問看護管理療養費(月の初日の訪問の場合)を算定する利用者1人につき,月1回に限り算定することができます。

算定にあたっては,基準を満たしていることを地方厚生(支)局に届け出る必要があります。

〈算定要件の概要〉
(ア)主として医療に従事する職員(専ら管理者の業務に従事する者を除く。以下「対象職員」)が勤務していること。対象職員は別表1に示す職員であり,専ら事務作業(看護補助者等が医療を専門とする職員の補助として行う事務作業を除く)を行うものは含まれない。 (イ)当該評価料を算定する場合は,令和6年度及び令和7年度において対象職員の賃金(役員報酬を除く)の改善(定期昇給によるものを除く)を実施しなければならない。 (ウ)(イ)について,基本給または決まって毎月支払われる手当(以下「基本給等」)の引上げ(以下「ベア等」)により改善を図るため,当該評価料は,対象職員のベア等及びそれに伴う賞与,時間外手当,法定福利費等(事業者負担分等を含む)等の増加分に用いること。 (エ)令和6年度に対象職員の基本給等を令和5年度と比較して2.5%以上引き上げ,令和7年度に対象職員の基本給等を令和5年度と比較して4.5%以上引き上げた場合については,事務職員等の当該訪問看護ステーションに勤務する職員の賃金(役員報酬を除く)の改善(定期昇給によるものを除く)を実績に含めることができること。 (オ)令和6年度及び令和7年度における「賃金改善計画書」を作成していること。 (カ)当該訪問看護ステーションは,当該評価料の趣旨を踏まえ,労働基準法等を遵守すること。 (キ)当該訪問看護ステーションは,対象職員に対して,賃金改善を実施する方法等について,届出にあたり作成する「賃金改善計画書」の内容を用いて周知するとともに,就業規則等の内容についても周知すること。また,対象職員から当該評価料に係る賃金改善に関する照会を受けた場合には,当該対象者についての賃金改善の内容について,書面を用いて説明すること等によりわかりやすく回答すること。

別表1
〈訪問看護ベースアップ評価料における対象職種〉

ア　薬剤師 イ　保健師 ウ　助産師 エ　看護師 オ　准看護師 カ　看護補助者 キ　理学療法士 ク　作業療法士 ケ　視能訓練士 コ　言語聴覚士 サ　義肢装具士 シ　歯科衛生士	ス　歯科技工士 セ　歯科業務補助者 ソ　診療放射線技師 タ　診療エックス線技師 チ　臨床検査技師 ツ　衛生検査技師 テ　臨床工学技士 ト　管理栄養士 ナ　栄養士 ニ　精神保健福祉士 ヌ　社会福祉士 ネ　介護福祉士	ノ　保育士 ハ　救急救命士 ヒ　あん摩マッサージ指圧師，はり師，きゆう師 フ　柔道整復師 ヘ　公認心理師 ホ　診療情報管理士 マ　医師事務作業補助者 ミ　その他医療に従事する職員（医師及び歯科医師を除く）

Column

賃上げ促進税制とは

　中小企業向け賃上げ促進税制とは，中小企業者等が，前年度より給与等を増加させた場合に，その増加額の一部を法人税（個人事業主は所得税）から税額控除できる制度です。

【中小企業向け 賃上げ促進税制 ご利用ガイドブック】
chinnagesokushin04gudebook.pdf (meti.go.jp)

105 訪問看護ベースアップ評価料（Ⅱ）とは?

Q 訪問看護ベースアップ評価料（Ⅱ）の算定要件を教えてください。

A ベースアップ評価料（Ⅱ）は，当該訪問看護ステーションに勤務する対象職員の賃金のさらなる改善を必要とする場合において，賃金の改善を実施することについて評価したもので，訪問看護ベースアップ評価料（Ⅰ）による算定見込みだけでは，賃金増率が1.2%に満たない訪問看護ステーションについては，訪問看護ベースアップ評価料（Ⅱ）を算定することができます。訪問看護ベースアップ評価料（Ⅱ）は，訪問看護ベースアップ評価料（Ⅰ）を算定する利用者１人につき，月１回に限り算定することができます。

算定にあたっては，基準を満たしていることを地方厚生（支）局に届け出る必要があります。

〈算定要件の概要〉

(ア)訪問看護ベースアップ評価料（Ⅰ）の届出を行っている訪問看護ステーションであること。
(イ)訪問看護ベースアップ評価料（Ⅰ）により算定される金額の見込みが，対象職員の給与総額に当該訪問看護ステーションの利用者の数に占める医療保険制度の給付の対象となる訪問看護を受けた者の割合（以下「医療保険の利用者割合」（以下計算式参照））を乗じた数の1.2%未満であること。

医療保険の利用者割合＝
直近３か月の１月あたりの訪問看護管理療養費（月の初日の訪問の場合）の算定回数
／
直近３か月の１月あたりの
医療保険制度の給付の対象となる訪問看護を受けた者
＋介護保険制度の給付の対象となる訪問看護を受けた者

※同一月に医療保険制度と介護保険制度の給付の対象となる訪問看護を受けた者については，医療保険制度の給付による場合として取り扱うこと。

（ウ）訪問看護ベースアップ評価料（Ⅱ）の訪問看護ステーションごとの区分については，当該訪問看護ステーションにおける対象職員の給与総額，訪問看護ベースアップ評価料（Ⅰ）により算定される金額の見込み並びに訪問看護ベースアップ評価料（Ⅱ）の算定回数の見込みを用いて算出した数【A】（以下計算式参照）に基づき，別表２に従い該当する区分のいずれかを届け出ること。

$$【A】 = \frac{\text{対象職員の給与総額} \times \text{医療保険の利用者割合} \times 1.2\% - \text{訪問看護ベースアップ評価料（Ⅰ）により算定される金額の見込み}}{\text{訪問看護ベースアップ評価料（Ⅱ）の算定回数の見込み}}$$

（エ）（ウ）について，算定を行う月，その際に用いる「対象職員の給与総額」及び「訪問看護ベースアップ評価料（Ⅰ）により算定される金額の見込み」の対象となる期間，算出した【A】に基づき届け出た区分に従って算定を開始する月は別表３のとおりとする。「対象職員の給与総額」は，別表３の対象となる12か月の期間の１月あたりの平均の数値を用いること。「訪問看護ベースアップ評価料（Ⅰ）により算定される金額の見込み」及び「訪問看護ベースアップ評価料（Ⅱ）の算定回数の見込み」は，訪問看護管理療養費（月の初日の訪問の場合）の算定回数を用いて計算し，別表３の対象となる３か月の期間の１月あたりの平均の数値を用いること。また，別表３のとおり，毎年３，６，９，12 月に上記の計算式により新たに算出を行い，区分に変更がある場合は算出を行った月内に地方厚生（支）局長に届出を行った上で，翌月（毎年４，７，10，１月）から変更後の区分に基づく金額を算定すること。ただし，前回届け出た時点と比較して，別表３の対象となる 12 か月の「対象職員の給与総額」並びに別表３の対象となる３か月の「訪問看護ベースアップ評価料（Ⅰ）により算定される金額の見込み」，「訪問看護ベースアップ評価料（Ⅱ）の算定回数の見込み」及び【A】のいずれの変化も１割以内である場合においては，区分の変更を行わないものとすること。

（オ）訪問看護ベースアップ評価料（Ⅰ）のイ参照

（カ）訪問看護ベースアップ評価料（Ⅰ）のウ参照

（キ）訪問看護ベースアップ評価料（Ⅰ）のオ参照

（ク）常勤換算２人以上の対象職員が勤務していること。ただし，医療資源の少ない地域に所在する訪問看護ステーションにあっては，この限りではない。

（ケ）当該訪問看護ステーションにおいて，社会保険診療等に係る収入金額の合計額が，総収入の80%を超えること。

（コ）訪問看護ベースアップ評価料（Ⅰ）のカ参照

（サ）訪問看護ベースアップ評価料（Ⅰ）のキ参照

別表２

【A】	訪問看護ベースアップ評価料（Ⅱ）の区分	金額
0を超える	訪問看護ベースアップ評価料（Ⅱ）1	10円
15以上	訪問看護ベースアップ評価料（Ⅱ）2	20円
25以上	訪問看護ベースアップ評価料（Ⅱ）3	30円
35以上	訪問看護ベースアップ評価料（Ⅱ）4	40円

45以上	訪問看護ベースアップ評価料（Ⅱ）5	50円
55以上	訪問看護ベースアップ評価料（Ⅱ）6	60円
65以上	訪問看護ベースアップ評価料（Ⅱ）7	70円
75以上	訪問看護ベースアップ評価料（Ⅱ）8	80円
85以上	訪問看護ベースアップ評価料（Ⅱ）9	90円
95以上	訪問看護ベースアップ評価料（Ⅱ）10	100円
125以上	訪問看護ベースアップ評価料（Ⅱ）11	150円
175以上	訪問看護ベースアップ評価料（Ⅱ）12	200円
225以上	訪問看護ベースアップ評価料（Ⅱ）13	250円
275以上	訪問看護ベースアップ評価料（Ⅱ）14	300円
325以上	訪問看護ベースアップ評価料（Ⅱ）15	350円
375以上	訪問看護ベースアップ評価料（Ⅱ）16	400円
425以上	訪問看護ベースアップ評価料（Ⅱ）17	450円
475以上	訪問看護ベースアップ評価料（Ⅱ）18	500円

別表3

算出を行う月	算出の際に用いる「対象職員の給与総額」の対象となる期間	算出の際に用いる「訪問看護ベースアップ評価料(Ⅰ)により算定される金額の見込み」,「訪問看護ベースアップ評価料(Ⅱ)の算定回数の見込み」の対象となる期間	算出した【A】に基づき届け出た区分に従って算定を開始する月
3月	前年3 月～2月	前年12 月～2月	4月
6月	前年6 月～5月	3～5月	7月
9月	前年9 月～8月	6～8月	10 月
12月	前年12 月～11 月	9～11月	翌年1月

106 訪問看護基本療養費（Ⅰ），（Ⅱ），（Ⅲ）

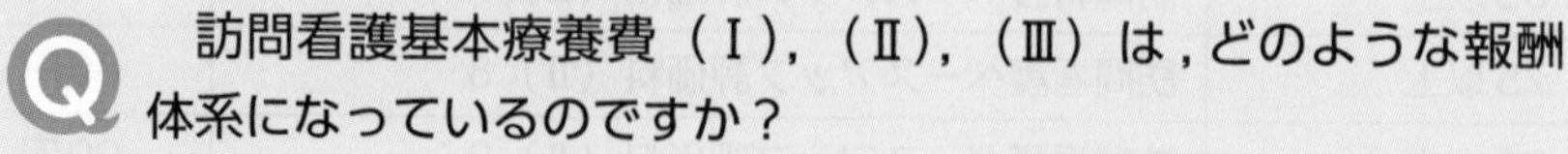

Q 訪問看護基本療養費（Ⅰ），（Ⅱ），（Ⅲ）は，どのような報酬体系になっているのですか？

訪問看護基本療養費の報酬体系は，以下の表のようになります。

訪問看護基本療養費（Ⅰ）			
イ　保健師，助産師，看護師		週3日目まで：5,550円／日	週4日目以降：6,550円／日
ロ　准看護師		週3日目まで：5,050円／日	週4日目以降：6,050円／日
ハ　悪性腫瘍の利用者に対する緩和ケア，褥瘡ケアまたは人工肛門ケアおよび人工膀胱ケアに係る専門の研修を受けた看護師	12,850円（月1回）		
ニ　理学療法士，作業療法士，言語聴覚士	5,550円		
訪問看護基本療養費（Ⅱ）（同一建物居住者への訪問看護）			
イ　保健師，助産師，看護師	同一日2人	週3日目まで：5,550円／日	週4日目以降：6,550円／日
	同一日3人以上	週3日目まで：2,780円／日	週4日目以降：3,280円／日
ロ　准看護師	同一日2人	週3日目まで：5,050円／日	週4日目以降：6,050円／日
	同一日3人以上	週3日目まで：2,530円／日	週4日目以降：3,030円／日
ハ　悪性腫瘍の利用者に対する緩和ケア，褥瘡ケアまたは人工肛門ケアおよび人工膀胱ケアに係る専門の研修を受けた看護師	12,850円（月1回）		
ニ　理学療法士，作業療法士，言語聴覚士	同一日2人	5,550円／日	
	同一日3人以上	2,780円／日	
訪問看護基本療養費（Ⅲ）（外泊者への訪問看護）			
8,500円 入院中に1回（基準告示第2の1に規定する疾病等の利用者※（別表第7・別表第8）の場合は入院中に2回）限りの算定。			

※基準告示第2の1に規定する疾病等の利用者は，105頁参照。

107 精神科訪問看護基本療養費(Ⅰ),(Ⅲ),(Ⅳ)

Q 精神科訪問看護基本療養費はどのような報酬体系になっているのですか？

A 精神科訪問看護基本療養費の報酬体系は表のようになります。訪問看護基本療養費には時間区分はありませんが，精神科訪問看護基本療養費は30分以上と30分未満で基本療養費の額が違いますので注意が必要です。なお，30分未満の訪問については，短時間訪問の必要性があると主治医が認め精神科訪問看護指示書に明記されている場合のみ算定できます。

精神科訪問看護基本療養費（Ⅰ）			
イ　保健師，看護師，作業療法士		週3日目まで 30分以上：5,550円／日 30分未満：4,250円／日	週4日目以降 30分以上：6,550円／日 30分未満：5,100円／日
ロ　准看護師		週3日目まで 30分以上：5,050円／日 30分未満：3,870円／日	週4日目以降 30分以上：6,050円／日 30分未満：4,720円／日
精神科訪問看護基本療養費（Ⅲ）（同一建物居住者への訪問看護）			
イ　保健師，看護師，作業療法士	同一日2人	週3日目まで 30分以上：5,550円／日 30分未満：4,250円／日	週4日目以降 30分以上：6,550円／日 30分未満：5,100円／日
	同一日3人以上	週3日目まで 30分以上：2,780円／日 30分未満：2,130円／日	週4日目以降 30分以上：3,280円／日 30分未満：2,550円／日
ロ　准看護師	同一日2人	週3日目まで 30分以上：5,050円／日 30分未満：3,870円／日	週4日目以降 30分以上：6,050円／日 30分未満：4,720円／日
	同一日3人以上	週3日目まで 30分以上：2,530円／日 30分未満：1,940円／日	週4日目以降 30分以上：3,030円／日 30分未満：2,360円／日
精神科訪問看護基本療養費（Ⅳ）（外泊者への訪問看護）			
8,500円 入院中に1回（基準告示第2の1に規定する疾病等の利用者※の場合は入院中に2回）限りの算定。			

※基準告示第2の1に規定する疾病等の利用者は，105頁参照。
※平成30年度の改定により，精神科訪問看護基本療養費（Ⅱ）1,600円は廃止されました。

108 精神科訪問看護基本療養費の算定と届出

Q 精神科訪問看護基本療養費はどのような場合に算定するのですか？　また，届出は必要ですか？

A 精神科訪問看護基本療養費は，精神障害を有する利用者またはその家族等に対して，精神科を担当する主治医の精神科訪問看護指示書と精神科訪問看護計画書に基づき訪問看護を行った場合に算定します。

精神科訪問看護基本療養費の算定に当たっては，訪問看護ステーションは地方厚生（支）局へ届出が必要です。届出基準は以下の通りです。

〈届出基準〉

精神科訪問看護基本療養費を算定する訪問看護ステーションの保健師，看護師，准看護師または作業療法士は，次のいずれかに該当する者であり，当該者でなければ精神科訪問看護基本療養費は算定できない（精神科訪問看護は研修修了者もしくは経験者でなければ行えない）。

①精神科を標榜する保険医療機関において，精神病棟または精神科外来に勤務した経験を 1 年以上有する者。

②精神疾患を有する者に対する訪問看護の経験を 1 年以上有する者。

③精神保健福祉センターまたは保健所等における精神保健に関する業務の経験を 1 年以上有する者。

④国，都道府県または医療関係団体等が主催する精神科訪問看護に関する知識・技術の習得を目的とした 20 時間以上を要し，修了証が交付される研修を修了している者。なお，研修内容は，精神疾患を有する者に関するアセスメント，病状悪化に対する対応，精神科薬物療法，医療継続の支援，対人関係や日常生活の援助，多職種連携，GAF 尺度による評価方法などです。

109 精神科訪問看護基本療養費の算定上の留意事項

Q 精神科訪問看護基本療養費の算定に当たって，どのようなルールがありますか？　また，各種の加算や訪問看護管理療養費は算定できるのでしょうか？

A 精神科訪問看護基本療養費の額について99頁の表を参照してください。

通常は週3日限りですが，利用者の退院後3月以内においては週5日まで算定が可能です。また，精神科特別訪問看護指示書が交付された場合は，14日を限度として日数制限なく訪問できます。

なお，精神科訪問看護基本療養費（Ⅰ）または（Ⅲ）を算定する場合は，訪問看護記録書，訪問看護報告書に，月の初日の訪問看護時におけるGAF尺度（450参照）により判定した値を記載します。訪問看護療養費明細書には，月の初日の訪問看護時におけるGAF尺度により判定した値に対応するコード（449頁参照）と判定した年月日を記載します。

精神科訪問看護基本療養費（Ⅰ），（Ⅲ）の加算には次のものがあります。

①特別地域訪問看護加算 ②精神科緊急訪問看護加算 ③長時間精神科訪問看護加算 ④夜間・早朝訪問看護加算，深夜訪問看護加算	訪問看護基本療養費（Ⅰ），（Ⅱ）と同様。
⑤複数名精神科訪問看護加算	129頁参照
⑥精神科複数回訪問加算	117頁参照

訪問看護管理療養費およびその加算等については，訪問看護基本療養費と同様に設定されています。精神科訪問看護については，「精神科重症患者支援管理連携加算」（163頁参照）が設定されています。

Column

GAFとは

機能の全体的評価尺度（Global Assessment of Functioning：GAF）とは，精神保健従事者や医師が，成人の社会的・職業的・心理的機能を評価するのに用いられる1～100の数値スケールです（450頁参照）。

110 医療機関の訪問看護の報酬

病院や診療所から医療保険の訪問看護を行う場合の報酬体系は，どのようになっているのですか？

報酬体系は，以下の表のようになります。

【在宅患者訪問看護・指導料】	【同一建物居住者訪問看護・指導料】
1　保健師，助産師または看護師（3の場合を除く）による場合 イ　週3日目まで　580点 ロ　週4日目以降　680点 2　准看護師による場合 イ　週3日目まで　530点 ロ　週4日目以降　630点 3　悪性腫瘍の患者に対する緩和ケア，褥瘡ケアまたは人工肛門ケアおよび人工膀胱ケアに係る専門の研修を受けた看護師による場合 1,285点	1　保健師，助産師または看護師（3の場合を除く）による場合 イ　同一日に2人 (1) 週3日目まで　580点 (2) 週4日目以降　680点 ロ　同一日に3人以上 (1) 週3日目まで　293点 (2) 週4日目以降　343点 2　准看護師による場合 イ　同一日に2人 (1) 週3日目まで　530点 (2) 週4日目以降　630点 ロ　同一日に3人以上 (1) 週3日目まで　268点 (2) 週4日目以降　318点 3　悪性腫瘍の患者に対する緩和ケア，褥瘡ケアまたは人工肛門ケアおよび人工膀胱ケアに係る専門の研修を受けた看護師による場合 1,285点

<table>
<tr><th colspan="2">【精神科訪問看護・指導料】</th></tr>
<tr><th>1　精神科訪問看護・指導料（Ⅰ）</th><th>2　精神科訪問看護・指導料（Ⅲ）</th></tr>
<tr><td>イ）保健師または看護師による場合
(1) 週3日目まで 30分以上の場合　580点
(2) 週3日目まで 30分未満の場合　445点
(3) 週4日目以降 30分以上の場合　680点
(4) 週4日目以降 30分未満の場合　530点
ロ）准看護師による場合
(1) 週3日目まで 30分以上の場合　530点
(2) 週3日目まで 30分未満の場合　405点
(3) 週4日目以降 30分以上の場合　630点
(4) 週4日目以降 30分未満の場合　490点
ハ）作業療法士による場合
(1) 週3日目まで 30分以上の場合　580点
(2) 週3日目まで 30分未満の場合　445点
(3) 週4日目以降 30分以上の場合　680点
(4) 週4日目以降 30分未満の場合　530点
ニ）精神保健福祉士による場合
(1) 週3日目まで 30分以上の場合　580点
(2) 週3日目まで 30分未満の場合　445点
(3) 週4日目以降 30分以上の場合　680点
(4) 週4日目以降 30分未満の場合　530点</td><td>イ）保健師または看護師による場合
(1) 同一日に2人
① 週3日目まで 30分以上の場合　580点
② 週3日目まで 30分未満の場合　445点
③ 週4日目以降 30分以上の場合　680点
④ 週4日目以降 30分未満の場合　530点
(2) 同一日に3人以上
① 週3日目まで 30分以上の場合　293点
② 週3日目まで 30分未満の場合　225点
③ 週4日目以降 30分以上の場合　343点
④ 週4日目以降 30分未満の場合　268点
ロ）准看護師による場合
(1) 同一日に2人
① 週3日目まで 30分以上の場合　530点
② 週3日目まで 30分未満の場合　405点
③ 週4日目以降 30分以上の場合　630点
④ 週4日目以降 30分未満の場合　490点
(2) 同一日に3人以上
① 週3日目まで 30分以上の場合　268点
② 週3日目まで 30分未満の場合　205点
③ 週4日目以降 30分以上の場合　318点
④ 週4日目以降 30分未満の場合　248点
ハ）作業療法士による場合
(1) 同一日に2人
① 週3日目まで 30分以上の場合　580点
② 週3日目まで 30分未満の場合　445点
③ 週4日目以降 30分以上の場合　680点
④ 週4日目以降 30分未満の場合　530点
(2) 同一日に3人以上
① 週3日目まで 30分以上の場合　293点
② 週3日目まで 30分未満の場合　225点
③ 週4日目以降 30分以上の場合　343点
④ 週4日目以降 30分未満の場合　268点
ニ）精神保健福祉士による場合
(1) 同一日に2人
① 週3日目まで 30分以上の場合　580点
② 週3日目まで 30分未満の場合　445点
③ 週4日目以降 30分以上の場合　680点
④ 週4日目以降 30分未満の場合　530点
(2) 同一日に3人以上
① 週3日目まで 30分以上の場合　293点
② 週3日目まで 30分未満の場合　225点
③ 週4日目以降 30分以上の場合　343点
④ 週4日目以降 30分未満の場合　268点</td></tr>
</table>

※平成30年度の改定により，精神科訪問看護・指導料（Ⅱ）160点は廃止されました。

報酬

111 医療機関における質の高い訪問看護の評価

Q 「訪問看護・指導体制充実加算」は，どのような場合に算定できますか？

A 在宅患者訪問看護・指導料（同一建物居住者訪問看護・指導料）の加算である「訪問看護・指導体制充実加算」は，以下の基準を満たした場合に算定できます。

○訪問看護指導・体制充実加算：150 点（月 1 回）

〈施設基準〉（地方厚生(支)局へ届出必要）

(1) 当該保険医療機関において，または別の保険医療機関もしくは訪問看護ステーションの看護師等との連携により，患家の求めに応じて，当該保険医療機関の保険医の指示に基づき，24 時間訪問看護の提供が可能な体制を確保し，訪問看護を担当する保険医療機関または訪問看護ステーションの名称，担当日等を文書により患家に提供していること。

(2) 次に掲げる項目のうち少なくとも 2 つを満たしていること。ただし，許可病床数が 400 床以上の病院にあっては，㋐を含めた 2 項目以上を満たしていること。

㋐在宅患者訪問看護・指導料 3（同一建物居住者訪問看護・指導料 3）の前年度の算定回数が計 5 回以上。

㋑在宅患者訪問看護・指導料（同一建物居住者訪問看護・指導料）に掲げる乳幼児加算の前年度の算定回数が計 25 回以上。

㋒特掲診療料の施設基準等別表第七に掲げる疾病等の患者について，在宅患者訪問看護・指導料（同一建物居住者訪問看護・指導料）の前年度の算定回数が計 25 回以上。

㋓在宅患者訪問看護・指導料（同一建物居住者訪問看護・指導料）に掲げる在宅ターミナルケア加算の前年度の算定回数が計 4 回以上。

㋔退院時共同指導料 1 または 2 の前年度の算定回数が計 25 回以上。

㋕開放型病院共同指導料（Ⅰ）または（Ⅱ）の前年度の算定回数が計 40 回以上。

112 週4日以上の訪問が可能な利用者

Q 訪問看護基本療養費の算定において，特別訪問看護指示書の交付がなくても，回数制限なく（週４日以上）訪問できるのは，どのような対象者ですか？

A 特掲診療料の施設基準等別表第７の利用者と特掲診療料の施設基準等別表第８の利用者です。

別表第7，別表第８に該当する者は，その利用者が該当するすべての疾病等について，該当するコード（448 頁参照）を訪問看護療養費明細書の「心身の状態」の「該当する疾病等」として記載します。

基準告示第２の１に規定する疾病等の利用者

特掲診療料の施設基準等別表第7に掲げる疾病等の者※1
末期の悪性腫瘍，多発性硬化症，重症筋無力症，スモン，筋萎縮性側索硬化症，脊髄小脳変性症，ハンチントン病，進行性筋ジストロフィー症，パーキンソン病関連疾患（進行性核上性麻痺，大脳皮質基底核変性症，パーキンソン病（ホーエン・ヤールの重症度分類がステージ３以上であって生活機能障害度がⅡ度またはⅢ度のものに限る。）），多系統萎縮症（線条体黒質変性症，オリーブ橋小脳萎縮症，シャイ・ドレーガー症候群），プリオン病，亜急性硬化性全脳炎，ライソゾーム病，副腎白質ジストロフィー，脊髄性筋萎縮症，球脊髄性筋萎縮症，慢性炎症性脱髄性多発神経炎，後天性免疫不全症候群，頸髄損傷または人工呼吸器を使用している状態の者
特掲診療料の施設基準等別表第8に掲げる者※2
一．在宅麻薬等注射指導管理，在宅腫瘍化学療法注射指導管理または在宅強心剤持続投与指導管理※3もしくは在宅気管切開患者指導管理を受けている状態にある者または気管カニューレもしくは留置カテーテルを使用している状態にある者 二．在宅自己腹膜灌流指導管理，在宅血液透析指導管理，在宅酸素療法指導管理，在宅中心静脈栄養法指導管理，在宅成分栄養経管栄養法指導管理，在宅自己導尿指導管理，在宅人工呼吸指導管理，在宅持続陽圧呼吸療法指導管理，在宅自己疼痛管理指導管理または在宅肺高血圧症患者指導管理を受けている状態にある者 三．人工肛門または人工膀胱を設置している状態にある者 四．真皮を越える褥瘡の状態にある者 五．在宅患者訪問点滴注射管理指導料を算定している者

※1　厚生労働大臣が定める疾病等の者
※2　特別管理加算の対象者
※3　令和６年度診療報酬改定により，在宅悪性腫瘍等指導管理は，在宅麻薬等注射指導管理，在宅腫瘍化学療法注射指導管理へ名称変更，新設された在宅強心剤持続投与指導管理が追加

報酬

113 週4日目以降の訪問看護基本療養費の算定方法

Q 理学療法士等の訪問看護については，週４日目以降も訪問看護基本療養費の額は変わりませんが，同一週に看護師と理学療法士の訪問看護がある場合はどのように算定するのですか？

以下のような考え方になります。
理学療法士等については週４日目以降も 5,550 円です。

理学療法士：ＰＴ　看護師：ＮＳ　日曜日が起算日

日曜日	月曜日	火曜日	水曜日	木曜日	金曜日	土曜日
ＰＴ	ＰＴ	ＰＴ	ＰＴ	ＮＳ	ＮＳ	ＰＴ
5,550円	5,550円	5,550円	5,550円	6,550円	6,550円	5,550円

114 基本療養費（Ⅱ）の算定

Q 訪問看護基本療養費（Ⅱ）は，「同一建物居住者」である利用者について算定する基本療養費ですが，どのような仕組みになっているのですか？

A 同一日に同一建物居住者が２人の場合と３人以上である場合とで報酬が分かれています。２人の場合は訪問看護基本療養費（Ⅱ）の算定ではありますが，減額にはならず訪問看護基本療養費（Ⅰ）と同額です。３人以上の場合には次頁の表の通り，減額になります。

算定する際は以下の点に注意しましょう。

①加算等については，訪問看護基本療養費（Ⅰ）と同様です。

②この同一建物とは，マンションなどの集合住宅や一戸建ての住宅も含まれます。

③訪問する看護師が異なる場合や訪問時間が午前と午後に分かれている場合でも，同一の訪問看護ステーション毎に考えますので，同一日に同一建物に居住する３人以上の利用者に訪問した場合は，３人とも減額された報酬の算定となります。２人の場合は訪問看護基本療養費（Ⅰ）と同額です。

④他の訪問看護ステーションと重なる場合や，介護保険の利用者と重なる場合は，該当しません（同一建物居住者としてカウントしない）。

⑤緊急訪問により結果的に３人になった場合は，２人の場合の報酬の算定が可能です。緊急に行われた訪問看護は，同日にすでに行われた訪問看護や予定されている訪問看護に影響を及ぼさないと考えます。緊急訪問看護を行った場合には，その理由について訪問看護療養費明細書の特記事項に記載します。

訪問看護基本療養費（Ⅱ）(同一建物居住者への訪問看護)			
保健師, 助産師, 看護師	同一日２人	週３日目まで：5,550円／日	週４日目以降：6,550円／日
	同一日３人以上	週３日目まで：2,780円／日	週４日目以降：3,280円／日
准看護師	同一日２人	週３日目まで：5,050円／日	週４日目以降：6,050円／日
	同一日３人以上	週３日目まで：2,530円／日	週４日目以降：3,030円／日
理学療法士, 作業療法士, 言語聴覚士	同一日２人	5,550円／日	
	同一日３人以上	2,780円／日	

※精神科訪問看護基本療養費（Ⅲ）も同様の考え方になります。

115 基本療養費（I）と（II）の算定の考え方

Q あるマンションに当訪問看護ステーションの利用者が4人住んでいます。表のような訪問看護を行った場合，訪問看護基本療養費（I）と（II）はどのような算定になりますか？

以下の通りになります。

同一マンションに住むAさん，Bさん，Cさん，Dさんに看護師が訪問した場合

	日	月	火	水	木	金	土
	1人	3人	3人 （うち1人は介護保険）	3人 （うち1人は緊急訪問）	3人 （うち1人は介護保険）	3人	1人
Aさん 医療保険 がん末期	定期訪問	定期訪問	定期訪問	定期訪問 4日目以降→	定期訪問→	定期訪問→	定期訪問
	（I） 5,550円	（II） 3人以上 2,780円	（II） 2人 5,550円	（II） 2人 6,550円	（II） 2人 6,550円	（II） 3人 3,280円	（I） 6,550円
Bさん 医療保険 呼吸器使用		定期訪問	定期訪問	定期訪問	定期訪問 4日目以降→	定期訪問	
		（II） 3人以上 2,780円	（II） 2人 5,550円	（II） 2人 5,550円	（II） 2人 6,550円	（II） 3人 3,280円	
Cさん 医療保険		定期訪問		緊急訪問		定期訪問	
		（II） 3人以上 2,780円		（I） 5,550円		（II） 3人以上 2,780円	
Dさん 介護保険			定期訪問		定期訪問		
			訪問看護3 823単位		訪問看護3 821単位		

Column

精神疾患の利用者と同一建物居住者に該当する場合

訪問看護基本療養費を算定している利用者2人と精神科訪問看護基本療養費を算定している利用者1人が同一建物に住んでおり，同一日に同一の訪問看護ステーションから訪問看護を行った場合は，それぞれ同一建物居住者の3人以上の場合の報酬を算定します。

報酬

116 専門の研修を受けた看護師の同行訪問

Q 専門の研修を受けた看護師の同行訪問を評価した訪問看護基本療養費がありますが，具体的にはどのような場合に算定できるのでしょうか？　また，算定に当たって届出は必要ですか？

A 緩和ケア，褥瘡ケアまたは人工肛門ケアおよび人工膀胱ケアに係る専門の研修を受けた訪問看護ステーションまたは医療機関の看護師が，以下の算定対象者に対して他の訪問看護ステーションの看護師等または利用者の在宅療養を担う医療機関の看護師等と共同して同一日に訪問看護を行った場合に算定できるものです。当該専門の研修を受けた看護師が所属する訪問看護ステーションまたは医療機関において月に１回を限度として算定します。

算定に当たっては，緩和ケア，褥瘡ケアまたは人工肛門ケアおよび人工膀胱ケアに係る専門の研修を受けた看護師が配置されていることを，地方厚生（支）局に対して届出する必要があります。

〈算定対象者〉

- 悪性腫瘍の鎮痛療法もしくは化学療法を行っている利用者
- 真皮を越える褥瘡の状態にある利用者（在宅患者訪問褥瘡管理指導料を算定する場合にあっては真皮までの状態の利用者）
- 人工肛門もしくは人工膀胱周囲の皮膚にびらん等の皮膚障害が継続または反復して生じている状態（112頁コラム参照）にある利用者または，人工肛門もしくは人工膀胱のその他の合併症（ストーマ陥凹，ストーマ脱出，傍ストーマヘルニア，ストーマ粘膜皮膚離開等）を有する利用者

○悪性腫瘍の利用者に対する緩和ケア，褥瘡ケアまたは人工肛門ケアおよび人工膀胱ケアに係る専門の研修を受けた看護師による訪問看護（同一建物居住者の場合も同額）

訪問看護ステーション：12,850円

医療機関：1,285点

※訪問看護管理療養費は算定できません。

制度

117 緩和ケア等に係る専門の研修とは?

Q 緩和ケア，褥瘡ケア，人工肛門ケアおよび人工膀胱ケアに係る専門の研修を受けた看護師とは，どのような看護師ですか？決められた規定があるのですか？

A ここでいう専門の研修とは以下のいずれの要件も満たす研修です。

①緩和ケアに係る専門の研修
(ア) 国または医療関係団体等が主催する研修であること（600時間以上の研修期間で，修了証が交付されるもの）。 (イ) 緩和ケアのための専門的な知識・技術を有する看護師の養成を目的とした研修であること。 (ウ) 講義および演習により，次の内容を含むものであること。 ㋑ホスピスケア・疼痛緩和ケア総論および制度等の概要 ㋺悪性腫瘍または後天性免疫不全症候群のプロセスとその治療 ㋩悪性腫瘍または後天性免疫不全症候群患者の心理過程 ㊁緩和ケアのためのアセスメント並びに症状緩和のための支援方法 ㋭セルフケアへの支援および家族支援の方法 ㋬ホスピスおよび疼痛緩和のための組織的取組とチームアプローチ ㋣ホスピスケア・緩和ケアにおけるリーダーシップとストレスマネジメント ㋠コンサルテーション方法 ㋷ケアの質を保つためのデータ収集・分析等について ㋦実習により，事例に基づくアセスメントとホスピスケア・緩和ケアの実践
[要件を満たす看護師] 緩和ケア（がん性疼痛看護），乳がん看護，がん放射線療法看護，がん薬物療法看護（がん化学療法看護）の認定看護師またはがん看護の専門看護師
②褥瘡ケアに係る専門の研修
((ア)または(イ)) + (ウ) (ア) 国または医療関係団体等が主催する研修であって，必要な褥瘡等の創傷ケア知識・技術が習得できる600時間以上の研修期間で，修了証が交付されるもの (イ) 保健師助産師看護師法第37条の2第2項第5号に規定する指定研修機関において行われる褥瘡等の創傷ケアに係る研修 (ウ) 講義および演習等により，褥瘡予防管理のためのリスクマネジメント並びにケアに関する知識・技術の習得，コンサルテーション方法，質保証の方法等を具体例に基づいて実施する研修
[要件を満たす看護師] 皮膚・排泄ケアの認定看護師，特定行為研修修了者（創傷管理関連）
③人工肛門ケアおよび人工膀胱ケアに係る専門の研修
(ア) 国または医療関係団体等が主催する研修であって，必要な人工肛門および人工膀胱のケアに関する知識・技術が習得できる600時間以上の研修期間で，修了証が交付されるもの (イ) 講義および演習等により，人工肛門および人工膀胱管理のための皮膚障害に関するアセスメント並びにケアに関する知識・技術の習得，コンサルテーション方法，質保証の方法等を具体例に基づいて実施する研修
[要件を満たす看護師] 皮膚・排泄ケアの認定看護師

報酬

118 専門の研修を受けた看護師の同行訪問の指示は?

Q 当訪問看護ステーションには，緩和ケアの認定看護師が在籍し，地方厚生局への届出も済んでいます。このたび，近くの訪問看護ステーションから同行訪問の相談を受けました。訪問するに当たって，主治医の指示書はどうしたらよいですか？

A この専門の研修を受けた看護師による訪問看護も主治医の指示に基づき，訪問看護計画を立てて行われます。ただ，この場合の指示とは，他の（相談元）訪問看護ステーションに対するものであり，その指示に基づき共同して行われます。その際には，共同して訪問看護を行った看護師もしくは准看護師とともに，訪問看護報告書等により主治医へ報告または相談する必要があります。

Column

人工肛門もしくは人工膀胱周囲の皮膚にびらん等の皮膚障害が継続または反復して生じている状態とは?

この状態に該当しているかどうかは，ストーマ周囲皮膚障害の重症度スケールである ABCD-Stoma® を用います。

A（近接部），B（皮膚保護剤部），C（皮膚保護剤外部）の 3 つの部位のうち 1 部位でも，びらん，水疱・膿疱または潰瘍・組織増大の状態が 1 週間以上継続している，もしくは 2 か月以内に反復して生じている状態をいいます。

報酬

119 外泊日の訪問看護

Q 入院している医療機関からの外泊日に訪問看護を提供した場合は，訪問看護療養費の算定はどのようになりますか？ また，対象になるのはどのような場合ですか？

A 在宅療養に備えて一時的に外泊している者へ，訪問看護指示書と訪問看護計画書に基づき訪問看護を行った場合には，訪問看護基本療養費（Ⅲ）（精神科訪問看護基本療養費では（Ⅳ））を算定します。この場合，訪問看護管理療養費は算定できません。また，特別地域訪問看護加算を除き，加算も設定されていません。

○訪問看護基本療養費（Ⅲ），精神科訪問看護基本療養費（Ⅳ）：8,500円

対象となるのは，次の者です。

①厚生労働大臣が定める疾病等の者（105頁別表第7参照）
②特別管理加算の対象者（105頁別表第8参照）
③その他在宅療養に備えた一時的な外泊に当たり，訪問看護が必要であると認められた者

原則入院中に1回限りの算定ですが，上記①，②は2回まで算定できます。ここでいう「外泊」とは1泊2日以上のことを指しますが，何泊外泊しても算定は入院中1回（①，②は2回まで可）です。

※医療機関の看護師等が外泊日の訪問看護を行う場合は，退院前訪問指導料（159頁参照）となります。

報酬

120 要介護者等の外泊の場合は?

Q 外泊日に訪問看護が必要な患者がいます。要介護4の利用者ですが，医療保険の訪問看護基本療養費（Ⅲ）を算定できますか？

A 要介護（または要支援）者であってもNo.119の①～③の条件のいずれかを満たしていれば算定可能です。

121 特別訪問看護指示開始日・終了日

Q 特別訪問看護指示期間は，週４日以上の訪問看護の算定が可能ですが，特別訪問看護指示開始日及び終了日の属する週の算定はどうなるのでしょうか？

A 特別訪問看護指示開始日および終了日の属する週においては，特別訪問看護指示に係る訪問日を除いて，週３日を限度として算定可能です。

また，「週４日目以降」の療養費算定の考え方は，特別訪問看護指示期間内に限らず，日曜日を起算として週４日目以降に該当するかどうかによります（下表参照）。

訪問看護基本療養費（Ⅰ）の場合

日曜日	月曜日	火曜日	水曜日	木曜日	金曜日	土曜日
	○ 5,550円	○ 5,550円	○ 5,550円	特別訪問看護指示開始日 △ 6,550円	△ 6,550円	△ 6,550円
△ 5,550円	△ 5,550円	△ 5,550円	△ 6,550円	△ 6,550円	△ 6,550円	△ 6,550円
△ 5,550円	△ 5,550円	△ 5,550円	特別訪問看護指示終了日 △ 6,550円	○ 6,550円	○ 6,550円	○ 6,550円

○：訪問日　△：特別訪問看護指示による訪問日（看護師の場合）

※特別訪問看護指示書が交付された利用者については，一時的に頻回な訪問看護が必要な理由を記録書に記載します。また，特別訪問看護指示書が連続して交付されている利用者については，その旨を訪問看護療養費明細書に記載します。

※介護保険の訪問看護の利用者の場合は，特別訪問看護指示期間外は介護保険の訪問看護費の算定です。

※理学療法士等の場合は，週４日目以降も基本療養費の額は変わりません。

122 1日2回訪問したが，2回分算定できる?

Q 看護上必要があり，1日に2回訪問しました。この場合，訪問看護基本療養費（I）を2回算定できるのでしょうか？

A 訪問看護基本療養費（I）は1日単位で支給されるもので，1日に2回算定することはできません。

厚生労働大臣が定める疾病等の者（105頁別表第7参照），特別管理加算の対象者（105頁別表第8参照）もしくは，特別訪問看護指示書が交付された場合については，難病等複数回訪問加算を算定することができます。効率的な訪問が可能な同一建物居住者3人以上に対して同一日に複数回の訪問看護を行った場合は，減額になります。算定に当たり訪問と訪問の間隔をどれくらいあけなければいけないという決まりはありません（介護保険については6頁参照）。

難病等複数回訪問加算

次に掲げる区分に従い1日につき，いずれかを所定額に加算する。
イ）1日に2回の場合
（1）同一建物内1人または2人　4,500円
（2）同一建物内3人以上　4,000円
ロ）1日に3回以上の場合
（1）同一建物内1人または2人　8,000円
（2）同一建物内3人以上　7,200円

〈算定要件〉
同一建物内において難病等複数回訪問加算または精神科複数回訪問加算（1日当たりの回数の区分が同じ場合に限る）を同一日に算定する利用者の人数に応じて算定。

※同一建物居住者訪問看護・指導料の当該加算についても同様。

123 異なる職種の難病等複数回訪問加算

Q 特別訪問看護指示期間中に1日3回訪問しました。1回目と3回目は看護師，2回目は准看護師が訪問しています。難病等複数回訪問加算の算定はどうなるのでしょうか？

A 難病等複数回訪問加算において，2回目，3回目以上の加算は，職種にかかわらず同一になります。よって，1回目に訪問した職種の訪問看護基本療養費（Ⅰ）に加算されることになります。

また，当該加算は理学療法士等の訪問についても同様です。

※訪問看護基本療養費（Ⅱ）についても，同様の考え方となります。

124 精神科複数回訪問加算の算定要件

Q 精神科複数回訪問加算は，精神疾患の利用者に同一日に複数回の訪問看護を行った場合に算定できるのですか？

A 当該加算は，精神疾患の利用者であれば，どなたでも算定できるわけではありません。精神科在宅患者支援管理料（165 頁参照）を算定している利用者であって，主治医が複数回の訪問看護が必要であると認めた場合に限られます。

精神科複数回訪問加算についても，難病等複数回訪問加算と同様に同一建物居住者 3 人以上に訪問看護を行った場合は，減額となります。

また，当該加算を算定するに当たっては，以下の基準を満たし，地方厚生（支）局へ届出をする必要があります。

精神科複数回訪問加算

次に掲げる区分に従い1日につき，いずれかを所定額に加算する。
イ）1日に2回の場合
（1）同一建物内1人または2人　4,500円
（2）同一建物内3人以上　4,000円
ロ）1日に3回以上の場合
（1）同一建物内1人または2人　8,000円
（2）同一建物内3人以上　7,200円

〈算定要件〉
同一建物内において精神科複数回訪問加算または難病等複数回訪問加算（1日当たりの回数の区分が同じ場合に限る）を同一日に算定する利用者の人数に応じて算定。

※精神科訪問看護・指導料の当該加算についても同様。

〈届出基準〉

①精神科訪問看護基本療養費の届出を行っている訪問看護ステーションであること。

② 24 時間対応体制加算の届出を行っている訪問看護ステーションであること。

125 同一建物居住者に対する複数回の訪問看護

Q 難病等複数回訪問加算および精神科複数回訪問加算について，同一建物居住者に複数回の訪問看護を行った場合，具体的にはどのように算定するのですか？

A 1日当たりの回数の区分が同じ場合に，合算した人数に応じて，同一建物居住者に係る区分により算定します。精神科訪問看護基本療養費の算定対象者もあわせてカウントします。

具体的には次の表のように算定します。

同一建物居住者に同一日に看護師が訪問した場合

全員同じ回数のケース

Aさん	Bさん	Cさん
3回	3回	3回
Aさん・Bさん・Cさん 訪問看護基本療養費（Ⅱ）同一日３人以上：2,780円（週４日目以降：3,280円） ＋ 難病等複数回訪問加算／１日３回以上／同一建物内３人以上：7,200円		

１人だけ違う回数のケース

Aさん	Bさん	Cさん
3回	3回	2回
Aさん・Bさん・Cさん 訪問看護基本療養費（Ⅱ）同一日３人以上：2,780円（週４日目以降：3,280円） ＋ Aさん・Bさん 難病等複数回訪問加算／１日３回以上／同一建物内１人または２人：8,000円 Cさん　難病等複数回訪問加算／１日２回／同一建物内１人または２人：4,500円		

Cさんが精神科訪問看護の対象者の場合

Aさん	Bさん	Cさん（精神科訪問看護）※30分以上
3回	3回	3回
Aさん・Bさん 訪問看護基本療養費（Ⅱ）同一日３人以上：2,780円（週４日目以降：3,280円） Cさん 精神科訪問看護基本療養費（Ⅲ）同一日３人以上：2,780円（週４日目以降：3,280円） ＋ Aさん・Bさん　難病等複数回訪問加算／１日３回以上／同一建物内３人以上：7,200円 Cさん　精神科複数回訪問加算／１日３回以上／同一建物内３人以上：7,200円		

126 特別地域訪問看護加算の算定

Q 過疎地域等に訪問看護ステーションがある場合は，特別地域訪問看護加算が算定できますか？　具体的にどのような場合に算定できるのでしょうか？

A 以下に示す過疎地域等に訪問看護ステーションがあり，最も合理的な通常の経路および方法で片道1時間以上を要する利用者の場合，特別地域訪問看護加算として所定額（訪問看護基本療養費，精神科訪問看護基本療養費）の50／100の額を加算します。

訪問看護ステーションが過疎地域等に所在しない場合についても，訪問する利用者の居宅が過疎地域等に所在する場合は，特別地域訪問看護加算の算定が可能です。

〈該当する地域〉

①離島振興法の規定により離島振興対策実施地域として指定された離島の地域
②奄美群島振興開発特別措置法に規定する奄美群島の地域
③山村振興法により振興山村として指定された山村の地域
④小笠原諸島振興開発特別措置法に規定する小笠原諸島の地域
⑤沖縄振興特別措置法に規定する離島
⑥過疎地域の持続的発展の支援に関する特別措置法に規定する過疎地域

特別地域訪問看護加算は，医療機関の訪問看護（在宅患者訪問看護・指導料，同一建物居住者訪問看護・指導料，精神科訪問看護・指導料）にも同様に設定されています。

127 緊急訪問看護加算とは?

Q 緊急訪問看護加算は，24 時間対応体制加算を算定していても算定できる加算でしょうか？

A 算定することはできます。「24 時間対応体制加算」は，訪問看護ステーションの 1 月の体制に対する評価であって，利用者の同意を得て月に 1 回算定するものです（146 頁参照）。

「緊急訪問看護加算」は，定期的に行う訪問看護以外であって，利用者やその家族等の求めに応じて，診療所または在宅療養支援病院（124 頁コラム参照）の医師の指示により緊急訪問看護を行った場合に，1 日につき 1 回限り，訪問看護基本療養費（Ⅰ）または（Ⅱ）の加算として算定するものです。指示を行った主治医は，指示内容をカルテへ記載します。令和 6 年度診療報酬改定により，利用者またはその家族等からの電話等による緊急の求めに応じて，主治医の指示により，緊急に訪問看護を実施したその日時，内容及び対応状況を訪問看護記録書に記録することが新たな要件として追加され，当該加算を算定する場合には，訪問看護療養費明細書に算定する理由を記載することとなりました。当該加算は，診療所または在宅療養支援病院が，24 時間往診および訪問看護により対応できる体制を確保し，当該医療機関における 24 時間連絡体制や緊急時の注意事項等並びに往診や訪問看護の担当者氏名等を，当該利用者に対して文書で提供している場合に限り算定します。

令和 6 年度診療報酬改定により，下記のように 2 段階の評価となりました。

(精神科) 緊急訪問看護加算

改定前	改定後
訪問看護ステーション 2,650円／日（医療機関　265点／日）	訪問看護ステーション 月14日目まで：2,650円（医療機関　265点） 月15日目以降：2,000円（医療機関　200点）

128 緊急訪問看護加算における医師の指示

Q 緊急訪問看護加算の算定に当たって，主治医以外の指示で計画外の訪問看護をしても算定できないでしょうか？

A 緊急訪問看護加算は，利用者またはその家族等の緊急の求めに応じて，主治医の指示により，計画外の訪問看護を行った場合に算定できるものです。ただし，主治医の属する医療機関（在宅療養支援診療所および在宅療養支援病院以外）が，他の医療機関と連携して 24 時間の往診体制および連絡体制を構築し，当該利用者に対して在宅時医学総合管理料の在宅療養移行加算 1（次頁コラム参照）を算定している場合，主治医が対応していない夜間等においては，連携先の医療機関の医師の指示により訪問看護ステーションの看護師等が緊急に訪問看護を行った場合においても算定できます。

Column

在宅療養移行加算とは?

令和6年度診療報酬改定により，在宅時医学総合管理料の在宅療養移行加算1，2の評価が以下のように見直されました。

【算定要件の概要】

医療機関（在宅療養支援診療所及び在宅療養支援病院を除く）の外来を4回以上受診した後に，訪問診療に移行した患者に対して，当該医療機関が訪問診療を実施した場合に，以下により算定する。

○在宅療養移行加算１（316 点）については，以下のすべての要件を，在宅療養移行加算２（216 点）については，以下のイ）からハ）を満たして訪問診療を実施した場合に算定する。

イ）当該医療機関単独または連携する他の医療機関の協力により，24 時間の往診体制および 24 時間の連絡体制を有していること。

ロ）訪問看護が必要な患者に対し，当該保険医療機関，連携する他の医療機関または連携する訪問看護ステーションが訪問看護を提供する体制を確保している。

ハ）当該医療機関または連携する医療機関の連絡担当者の氏名，診療時間内及び診療時間外の連絡先電話番号等，緊急時の注意事項等並びに往診担当医の氏名等について，患者または患者の家族に文書により提供し，説明していること。

ニ）当該医療機関が保有する当該患者の診療情報および患者の病状の急変時の対応方針について，当該医療機関と連携する医療機関との月に1回程度の定期的なカンファレンスにより当該連携医療機関に適切に提供していること。ただし，当該情報についてICT等を活用して連携する医療機関が常に確認できる体制を確保している場合はこの限りでない。

○在宅療養移行加算３（216 点）については，以下のすべての要件を，在宅療養移行加算４（116 点）については以下のイ）からニ）を満たして訪問診療を実施した場合に算定する。

イ）往診が必要な患者に対し，当該医療機関または連携する他の医療機関が往診を提供する体制を有していること。

ロ）当該医療機関単独または連携する他の医療機関の協力により，24 時間の連絡体制を有していること。

ハ）訪問看護が必要な患者に対し，当該医療機関，連携する他の医療機関，連携する訪問看護ステーションが訪問看護を提供する体制を確保していること。

ニ）当該医療機関または連携する他の医療機関の診療時間内および診療時間外の連絡先電話番号等，緊急時の注意事項等について，患者または患者の家族に文書により提供し，説明していること。

ホ）当該医療機関が保有する当該患者の診療情報および患者の病状の急変時の対応方針について，当該医療機関と連携する他の医療機関との月1回程度の定期的なカンファレンスにより連携する他の医療機関に適切に提供していること。ただし，当該情報についてICT等を活用して連携する他の医療機関が常に確認できる体制を確保している場合はこの限りでない。

129 長時間の訪問に対する加算

Q 長時間訪問看護加算は，どのような利用者に算定できるのですか？ また，長時間とは何分のことをいうのですか？

長時間訪問看護加算が算定できる対象者は，以下の①～④のような利用者になります。

〈算定対象者〉

① 15 歳未満の超重症児または準超重症児（週 3 日限り）

② 15 歳未満の小児であって特別管理加算の対象者（105 頁別表第 8 参照）（週 3 日限り）

③特別管理加算の対象者（105 頁別表第 8 参照）（週 1 日限り）

④（精神科）特別訪問看護指示書に係る訪問看護を受けている者（週 1 日限り）

算定できる時間は，1 回の訪問看護が 90 分を超えた場合です。

加算の額は以下の通りです。

○長時間（精神科）訪問看護加算（訪問看護ステーション）：5,200 円

○長時間（精神科）訪問看護・指導加算（医療機関）：520 点

※長時間訪問看護加算で算定した日は，訪問看護ステーションが設定した長時間看護の差額費用である「その他の利用料」を利用者から徴収できません。

※週 1 日限りの算定対象者に 2 か所の訪問看護ステーションが関わっていた場合，同一週においてはどちらか一方のみの算定となります。ただし，各週で算定する訪問看護ステーションが異なることは差し支えありません。

制度

130 超重症児・準超重症児とは?

Q 長時間訪問看護加算の対象者である「超重症児・準超重症児」とはどのような状態が該当するのですか？

A ここでいう「超重症児・準超重症児」とは,「基本診療料の施設基準等及びその届出に関する手続きの取扱いについて」(令和6年3月5日保医発0305第5号)の別添6の別紙14の超重症児(者)・準超重症児(者)判定基準による判定スコアが10以上の者※です(347頁の表参照)。この判断は,原則主治医が行い,訪問看護指示書の「病状・治療状態」欄等にわかるように明記します。ただし,訪問看護ステーションの看護師等(准看護師除く)が判定基準に基づき判定を行い,その結果を訪問看護報告書に記載して主治医に報告・確認を行う形でも差し支えありません。なお,「超重症児・準超重症児」に該当する場合は,訪問看護療養費明細書の「心身の状態」の「該当する疾病等」として,コード番号(超重症児：91,準超重症児：92,448頁参照)を記載します。

※10～24点＝準超重症児(者),25点以上＝超重症児(者)

Column

在宅療養支援診療所，在宅療養支援病院とは?

在宅療養支援診療所は，地域における患者の在宅療養の提供に当たって，中心的な役割を担います。患者からの連絡を一元的に受けるとともに，患者の診療情報を集約する等の機能を果たす役目があります。このため，24時間連絡を受ける体制，24時間往診が可能な体制，24時間訪問看護の提供が可能な体制等を確保しなければなりません。これらの体制は他の医療機関等と連携して確保することも可能です。

また，3名以上の常勤医師を配置し，緊急往診や在宅看取りなどの実績要件や超・準超重症児の医学管理の実績要件を満たしている場合などはより高い評価がなされています。

在宅療養支援病院の場合も在宅療養支援診療所と同様な評価がなされています。ただし，許可病床数が200床（医療資源の少ない地域は280床）未満の病院や当該病院を中心とした半径4km以内に診療所が存在しないなどの要件があります。

報酬

131 乳幼児加算

Q 乳幼児加算はどのような場合に算定できますか？　算定できる病名が決まっていますか？

A 乳幼児加算は，6歳未満の乳幼児に対して訪問看護を行った場合に，1日につき1回限り算定できます。令和6年度診療報酬改定により以下の表のように評価が見直されました。病名は特に限定されていません。

乳幼児加算：1,500円／日（医療機関：150点）

改定前	改定後
1,500円／日	・1,300円 ・以下の①～③については1,800円 ①超重症児又は準超重症児 ②別表第7に掲げる疾病等の者（105頁別表第7参照） ③別表第8に掲げる者（105頁別表第8参照）

報酬

132 複数名訪問看護加算とは?

Q 訪問看護ステーションにおいて複数名訪問看護加算を算定する場合，どの職種でも加算額は変わらないのでしょうか？　また，必要があれば何回でも算定できますか？

A 当該加算は，同行する職種により加算額が異なり，それぞれにおいて回数制限があります。「その他職員」が同行する場合においては，看護補助者だけでなく看護師等が同行する場合も算定可能です。加算の額については次頁の表の通りです。同時に複数の看護師等による訪問看護を行う場合は，1人以上は看護職員（保健師，助産師，看護師，准看護師）である必要があります。

看護補助者の要件については，No.018を参照してください。

複数名訪問看護加算

1日につきいずれかを加算
イまたはロの場合は週1日，ハの場合は週3日を限度として算定
イ）他の看護師等（准看護師を除く）と同時に訪問看護を行う場合
（1）同一建物内1人または2人　4,500円
（2）同一建物内3人以上　4,000円
ロ）他の准看護師と同時に訪問看護を行う場合
（1）同一建物内1人または2人　3,800円
（2）同一建物内3人以上　3,400円
ハ）その他職員と同時に訪問看護を行う場合（別に厚生労働大臣が定める場合を除く）
（1）同一建物内1人または2人　3,000円
（2）同一建物内3人以上　2,700円
ニ）その他職員と同時に訪問看護を行う場合（別に厚生労働大臣が定める場合に限る）
（1）1日に1回の場合
① 同一建物内1人または2人　3,000円
② 同一建物内3人以上　2,700円
（2）1日に2回の場合
① 同一建物内1人または2人　6,000円
② 同一建物内3人以上　5,400円
（3）1日に3回以上の場合
① 同一建物内1人または2人　10,000円
② 同一建物内3人以上　9,000円

〈算定要件〉
同一建物内において複数名訪問看護加算または複数名精神科訪問看護加算（同時に訪問看護を実施する職種および1日当たりの回数の区分が同じ場合に限る）を同一日に算定する利用者の人数に応じて算定。

※「別に厚生労働大臣が定める場合」とは，厚生労働大臣が定める疾病等の者（105頁別表第7参照），特別管理加算の対象者（105頁別表第8参照），特別訪問看護指示に係る訪問看護を受けている者
※同一建物居住者訪問看護・指導料の複数名訪問看護・指導加算についても同様。

133 複数名訪問看護加算の対象者

複数名訪問看護加算が算定できるのはどのような利用者ですか？

複数名訪問看護加算が算定できる対象者は以下の①～⑤の通りです。

〈算定対象者〉

1人の看護師等では訪問看護が困難な利用者であって，次のいずれかに該当する場合です。

①厚生労働大臣が定める疾病等の者（105頁別表第7参照）
②特別管理加算の対象者（105頁別表第8参照）
③特別訪問看護指示書による訪問看護を受けている者
④暴力行為，著しい迷惑行為，器物破損行為等が認められる者
⑤利用者の身体的理由により1人の看護師等による訪問看護が困難と認められる者（その他職員の場合に限る）
⑥その他利用者の状況等から判断して①～⑤のいずれかに準ずると認められる者（その他職員の場合に限る）

算定に当たっては，利用者またはその家族の同意を得る必要があります。この同意は口頭でもよいですが，同意を得た旨を記録しておきましょう。

134 その他職員との同行訪問

Q その他職員が同行する場合の複数名訪問看護加算について，看護師等が同行する場合も算定可能ですが，具体的な算定方法はどのようになるのですか？

A 具体的な算定例を以下に示します。

ケース 1

〈週 4 日以上訪問看護が可能な利用者に看護師が週 4 日同行した場合〉

看護師等が同行する場合の複数名訪問看護加算 (4,500 円) は週 1 回限りの算定のため，残りの 3 日はその他職員が同行する場合の複数名訪問看護加算（3,000 円）で算定します。

週 1 日：看護職員＋看護師：4,500 円

週 3 日：看護職員＋その他職員：3,000 円× 3 日

ケース 2

〈利用者の身体的理由により 1 人の看護師等による訪問看護が困難と認められる者へ看護師が同行した場合〉

利用者の身体的理由で複数名訪問する場合は，その他職員が同行する場合の複数名訪問看護加算でのみ算定可能なため，その他職員の区分の 3,000 円の算定となります。

看護職員＋その他職員：3,000 円

報酬

135 複数名精神科訪問看護加算の算定要件

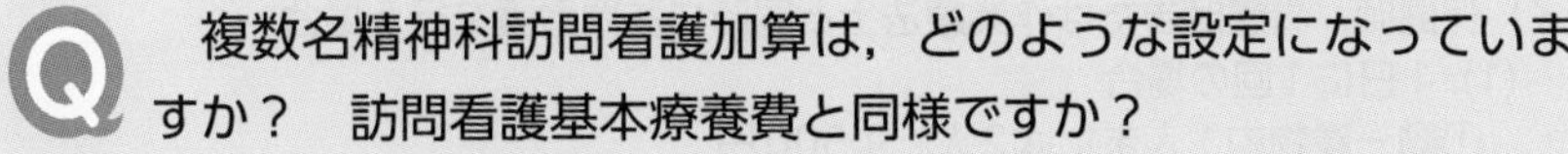

Q 複数名精神科訪問看護加算は，どのような設定になっていますか？　訪問看護基本療養費と同様ですか？

A 訪問看護基本療養費の複数名訪問看護加算とは，算定方法が違います。加算の額については次頁の通りです。

なお，算定にあたっては，医師が複数名訪問の必要性があると認め，精神科（特別）訪問看護指示書へ，その旨および理由を記載することが要件となります（384・385 頁様式参照）。

複数名精神科訪問看護加算（30 分未満の場合を除く）

1日につき，いずれかを加算
ハの場合は週1日を限度として算定
イ）保健師，看護師または作業療法士と同時に訪問看護を行う場合
（1）1日に1回の場合
①同一建物内1人または2人　4,500円
②同一建物内3人以上　4,000円
（2）1日に2回の場合
①同一建物内1人または2人　9,000円
②同一建物内3人以上　8,100円
（3）1日に3回以上の場合
①同一建物内1人または2人　14,500円
②同一建物内3人以上　13,000円
ロ）准看護師と同時に訪問看護を行う場合
（1）1日1回の場合
①同一建物内1人または2人　3,800円
②同一建物内3人以上　3,400円
（2）1日2回の場合
①同一建物内1人または2人　7,600円
②同一建物内3人以上　6,800円
（3）1日に3回以上の場合
①同一建物内1人または2人　12,400円
②同一建物内3人以上　11,200円
ハ）看護補助者または精神保健福祉士と同時に訪問看護を行う場合
①同一建物内1人または2人　3,000円
②同一建物内3人以上　2,700円

〈算定要件〉
同一建物内において複数名精神科訪問看護加算または複数名訪問看護加算（同時に訪問看護を実施する職種および1日当たりの回数の区分が同じ場合に限る）を同一日に算定する利用者の人数に応じて算定。

※医療機関の精神科訪問看護の場合も同様に設定されていますが，医療機関においては，精神保健福祉士も，保健師，看護師，作業療法士と同様に1人で訪問できます。
※1人は保健師または看護師であること。

136 同一建物居住者に対する複数名の訪問看護

Q 複数名訪問看護加算および複数名精神科訪問看護加算について，同一建物居住者の複数名に訪問看護を行った場合，具体的にはどのように算定するのですか？

A 1日当たりの訪問する職種および回数の区分が同じ場合に，合算した人数に応じて，同一建物居住者に係る区分により算定します。精神科訪問看護基本療養費の算定対象者もあわせてカウントします。

具体的には次の表のように算定します。

〈同一建物居住者に同一日に同一訪問看護ステーションが複数名の訪問看護を行った場合〉

全員同行する職種が同じ場合

Aさん	Bさん	Cさん
看護師＋理学療法士	看護師＋理学療法士	看護師＋理学療法士
Aさん・Bさん・Cさん 訪問看護基本療養費（Ⅱ）同一日3人以上:2,780円（週4日目以降:3,280円） ＋ 複数名訪問看護加算／看護師等（※）と同時／同一建物内３人以上：4,000円		

１人だけ同行する職種が違う場合

Aさん	Bさん	Cさん
看護師＋理学療法士	看護師＋理学療法士	看護師＋看護補助者
Aさん・Bさん・Cさん 訪問看護基本療養費（Ⅱ）同一日3人以上:2,780円（週4日目以降:3,280円） ＋ Aさん・Bさん 複数名訪問看護加算／看護師等（※）と同時／同一建物内２人：4,500円 Cさん 複数名訪問看護加算／その他職員と同時／同一建物内１人：3,000円		

Cさんが精神科訪問看護の対象者の場合

Aさん	Bさん	Cさん（精神科訪問看護）※30分以上
看護師＋理学療法士	看護師＋理学療法士	看護師＋作業療法士
Aさん・Bさん 訪問看護基本療養費（Ⅱ）同一日3人以上：2,780円（週4日目以降：3,280円） Cさん 精神科訪問看護基本療養費（Ⅲ）同一日３人以上:2,780円（週４日目以降:3,280円） ＋ Aさん・Bさん 複数名訪問看護加算／看護師等（※）と同時／同一建物内３人以上：4,000円 Cさん 複数名精神科訪問看護加算／保健師，看護師，作業療法士と同時／同一建物内３人以上：4,000円		

※保健師，助産師，看護師，理学療法士，作業療法士，言語聴覚士が含まれます。

報酬

137 夜間・早朝訪問看護加算，深夜訪問看護加算

Q 夜間・早朝訪問看護加算，深夜訪問看護加算はどのような時間帯で区分けされているのですか？　また，当該加算を算定せずに訪問看護ステーションで定める営業時間以外の差額料金を徴収することはできますか？

A 当該加算は以下のような時間帯で区分けされています。

○夜間・早朝訪問看護加算：2,100円（医療機関210点）

（夜間：午後6時～午後10時まで）

（早朝：午前6時～午前8時まで）

○深夜訪問看護加算：4,200円（医療機関420点）

（深夜：午後10時～午前6時）

（精神科）訪問看護基本療養費の加算としてこれらの時間帯の訪問看護が評価されていますので，当該加算を算定せずに，営業時間以外の差額料金を徴収することはできません。

夜間・早朝訪問看護加算および深夜訪問看護加算はそれぞれ1日1回ずつの計2回まで算定可能です。

報酬

138 夜間・早朝訪問看護加算，深夜訪問看護加算を算定できる場合

Q 夜間・早朝訪問看護加算，深夜訪問看護加算は，24時間対応体制加算を算定している利用者の場合のみ算定が可能ですか？　また，緊急時訪問であっても算定できますか？

A 24時間対応体制加算を算定しているかどうかは要件ではありません。利用者や家族等の求めに応じて当該時間に訪問看護を行った場合に算定できるもので，緊急か計画的かは問われていません。しかし，訪問看護ステーションの都合で当該時間に訪問看護を行った場合は，加算の対象にはなりません。

139 訪問看護管理療養費

Q 訪問看護管理療養費の算定にあたっては，どのようなことを行う必要がありますか？ 報酬額は一律ですか？

A 訪問看護ステーションにおいて，訪問看護を行うにつき安全な提供体制が整備されており，利用者に係る（精神科）訪問看護計画書および（精神科）訪問看護報告書を主治医に書面または電子的な方法により提出するとともに，主治医との連携確保や訪問看護計画の見直し等を含め，利用者に係る訪問看護の実施に関する休日・祝日等も含めた計画的な管理を継続して行った場合に算定するものです。

令和６年度診療報酬改定により，適切な感染管理の観点やオンライン請求が開始されることを踏まえ，初日の報酬額が引き上げられました。また，２日目以降については，訪問看護ステーションの機能に応じた評価に見直されました。

訪問看護管理療養費：月の初日の訪問の場合		
	改定前	改定後
機能強化型１	12,830円	13,230円
機能強化型２	9,800円	10,030円
機能強化型３	8,470円	8,700円
機能強化型以外	7,440円	7,670円

訪問看護管理療養費：２日目以降の訪問の場合	
改定前	改定後
3,000円／日	訪問看護管理療養費１：3,000円／日（新設）
	訪問看護管理療養費２：2,500円／日（新設）

140 訪問看護管理療養費――2日目以降

Q 令和６年度診療報酬改定により，訪問看護管理療養費の２日目以降の額について，一律 3,000 円から２段階の評価に見直されましたが，算定要件を教えてください。

A 訪問看護ステーションの機能に応じて，訪問看護管理療養費１と２に区分されました。算定にあたっては，地方厚生（支）局へ届出（421・422 頁参照）を行いますが，令和６年３月 31 日時点における指定訪問看護事業者については令和６年９月 30 日までの間に限り，届出をした上で訪問看護管理療養費１の基準に該当するものとみなされます。

○訪問看護管理療養費１：3,000円（新設）
当該訪問看護ステーションの利用者のうち，同一建物居住者※であるものの占める割合が７割未満であって，次の（ア）または（イ）に該当するものであること。 （ア） 厚生労働大臣が定める疾病等の利用者（105頁別表第７参照）及び特別管理加算の対象者（105頁別表第８参照）の合計が月に４人以上いること。ただし，特別地域に居住する利用者に対して訪問看護を実施している訪問看護ステーションにあっては月に２人以上いること。 （イ） 精神科訪問看護基本療養費を算定する利用者のうち，ＧＡＦ尺度による判定が 40 以下の利用者が月に５人以上いること。
○訪問看護管理療養費２：2,500円（新設）
当該訪問看護ステーションの利用者のうち，同一建物居住者であるものが占める割合が７割以上であることまたは当該割合が７割未満であって訪問看護管理療養費１のアもしくはイのいずれにも該当しないこと。 届出にあたっては，直近１年間の割合，人数で判断します（アおよびイの基準については，暦月で３月を超えない期間の１人以内の一時的な変動があった場合は変更の届出を行う必要はないです）。 また，ここでいう利用者とは，介護保険のみの利用者は含まれません。

※「同一建物居住者」とは，訪問看護基本療養費（Ⅱ）または精神科訪問看護基本療養費（Ⅲ）を算定した利用者

141 訪問看護管理療養費の算定要件
――理学療法士等の訪問看護

Q 当訪問看護ステーションの理学療法士等（理学療法士，作業療法士，言語聴覚士）が訪問する場合，必ず当訪問看護ステーションの看護職員が訪問しないといけないですか？　他の訪問看護ステーションから看護職員の訪問看護が入っていれば，当訪問看護ステーションから看護職員が訪問しなくてもよいですか？

A 別の訪問看護ステーションから看護職員が訪問していても，理学療法士等が訪問する訪問看護ステーションからも看護職員の訪問は必要です。

訪問看護管理療養費の算定要件として，理学療法士等が訪問看護を提供している利用者について，以下の内容が定められています。

①訪問看護計画書・訪問看護報告書は，理学療法士等が提供する内容についても一体的に含むものとして，看護職員（准看護師を除く）と理学療法士等が連携し作成する。

②訪問看護計画書・訪問看護報告書の作成にあたっては，訪問看護の利用開始時および利用者の状態の変化等に合わせ，看護職員による定期的な訪問により，利用者の病状およびその変化に応じた適切な評価を行う。

③訪問看護計画書には訪問看護を提供する予定の職種について，訪問看護報告書には訪問看護を提供した職種について記載する。訪問予定の職種と実際に訪問を行う職種とが異っても差し支えないが利用者への十分な説明に努めること（389・390 頁参照）。

ここでいう「看護職員による定期的な訪問」とは，利用者の心身状態や家族等の環境の変化があった場合や主治医から交付される訪問看護指示書の内容に変更があった場合等に訪問することをいいます。なお，当該訪問看護ステーションの看護職員による訪問については，利用者の状態の評価のみを行った場合においては，訪問看護療養費は算定できません。訪問看護療養費を算定しない場合には，訪問日，訪問内容等を記録します。

142 訪問看護管理療養費の算定要件 ──在宅における褥瘡対策

Q 訪問看護管理療養費の算定に当たって，訪問看護を行うにつき「安全な提供体制の整備」が求められています。その中の1つとして，訪問看護の利用者に対する褥瘡のリスク評価の実施がありますが，具体的にはどのようなことを行えばよいのでしょうか？

A 在宅における褥瘡対策を推進するため，以下のことが求められています。

「日常生活の自立度が低い利用者につき，褥瘡に関する危険因子の評価を行い，褥瘡に関する危険因子のある利用者および既に褥瘡を有する利用者については，適切な褥瘡対策の看護計画を作成，実施および評価を行うこと。なお，褥瘡アセスメントの記録については，参考様式（褥瘡対策に関する看護計画書）を踏まえて記録すること」。

褥瘡アセスメントの記録は，参考様式（397頁参照）通りでなくても，必要な内容が訪問看護記録に記載されていればよいです。

また，8月1日（令和6年度診療報酬改定により7月1日より変更）には，褥瘡対策の実施状況を「訪問看護基本療養費等に関する実施状況報告書」の中で報告することになっています。

Column

安全な提供体制の整備とは?

訪問看護管理療養費の算定にあたっては，訪問看護ステーションにおいて訪問看護を行うにつき安全な提供体制の整備がされていることが必要です。この「安全な提供体制の整備」には，上記の褥瘡対策のほかに，以下の要件があります。

- 安全管理に関する基本的な考え方，事故発生時の対応方法等が文書化されていること。
- 訪問先等で発生した事故，インシデント等が報告され，その分析を通した改善策が実施される体制が整備されていること。
- 災害等が発生した場合においても，訪問看護の提供を中断させない，または中断しても可能な限り短い期間で復旧させ，利用者に対する訪問看護の提供を継続的に実施できるよう業務継続計画を策定し必要な措置を講じていること（令和6年度診療報酬改定により追加)。

143 機能強化型訪問看護ステーションの評価

Q 在宅医療を推進するため，一定の要件を満たした訪問看護ステーションが機能強化型訪問看護ステーションとして評価されていますが，具体的にはどのように評価されているのでしょうか？

A 24時間対応，ターミナルケア，重症度の高い患者や超重症児等の小児の受け入れ，また，居宅介護支援事業所の設置等といった，機能の高い訪問看護ステーションが機能強化型1と機能強化型2として評価されています。また，医療機関に勤務する看護職員の訪問看護への参画や地域の訪問看護に関わる人材育成，重症の在宅療養患者の訪問看護の提供といった地域における訪問看護の提供体制の確保に資する一定の役割を担う訪問看護ステーションは，機能強化型3として評価されています。

機能強化型訪問看護ステーションは，従来型の訪問看護ステーションに比べ，月の初日の訪問看護管理療養費が以下の通り高い評価となっています（令和6年度の改定により，すべてにおいて評価が引き上げられています）。

○機能強化型訪問看護管理療養費1：13,230円（改定前12,830円）
○機能強化型訪問看護管理療養費2：10,030円（改定前9,800円）
○機能強化型訪問看護管理療養費3：8,700円（改定前8,470円）
○機能強化型以外：7,670円（改定前7,440円）

算定要件については次頁を参照してください。

報酬

144 機能強化型訪問看護管理療養費の算定要件

Q 機能強化型訪問看護管理療養費 1，2，3 の算定要件はどのようになっていますか？

A 令和 6 年度診療報酬改定により，機能強化型訪問看護管理療養費 1 において，専門の研修を受けた看護師の配置について，配置が望ましいではなく，配置していることが必須となりました。ただし，令和 6 年 3 月 31 日において現に機能強化型訪問看護管理療養費 1 の届出を行っている訪問看護ステーションについては，令和 8 年 5 月 31 日までの間に限り，専門の研修を受けた看護師の配置に係る基準に該当するものとみなされます。

専門の研修とは，以下の通りです。

①日本看護協会の認定看護師教育課程

②日本看護協会が認定している看護系大学院の専門看護師教育課程

③日本精神科看護協会の精神科認定看護師教育課程

④特定行為に係る看護師の研修制度により厚生労働大臣が指定する指定研修機関において行われる研修

なお，①，②及び④については，それぞれいずれの分野及び区分（領域別パッケージ研修を含む）の研修を受けた場合であっても差し支えありません。

	機能強化型 1	機能強化型 2	機能強化型 3
月の初日	13,230円	10,030円	8,700円
・常勤看護職員の数（サテライトの看護職員含む）※1	7 人以上 ただし，当該職員数のうち 1 人については，非常勤看護職員の実労働時間を常勤換算し算入することができる。	5 人以上 （ただし書きは機能強化型 1・2 共通）	4 人以上
・看護職員の割合	看護師等のうち 6 割以上が看護職員（常勤換算した看護職員の数÷常勤換算した看護師等の数）		

• 24時間対応体制加算の届出	必要	必要	必要 訪問看護ステーションと同一開設者である保険医療機関が同一敷地内に設置されている場合は，営業時間外の利用者またはその家族等からの電話等による看護に関する相談への対応は，当該保険医療機関の看護師が行うことができる。
• 次の①～③のいずれかを満たすこと（1，2の場合）			• 別表第7の利用者，別表第8に該当する者または精神科重症患者支援管理連携加算を算定する利用者が月に10人以上いることまたは複数の訪問看護ステーションで共同して訪問看護を提供する利用者が月に10人以上いること。
①ターミナルケア件数（※2）の合計	20以上／前年度	15以上／前年度	
②ターミナルケア件数の合計，かつ，15歳未満の超・準超重症児の利用者数の合計	ターミナルケア件数の合計：15以上／前年度 かつ，超・準超重症児の利用者数を合計した数：常時4人以上	ターミナルケア件数の合計：10以上／前年度 かつ，超・準超重症児の利用者数を合計した数：常時3人以上	
③15歳未満の超・準超重症児の利用者数の合計	常時6人以上	常時5人以上	
• 別表第7の利用者数	10人以上／月	7人以上／月	
• 休日，祝日等も含め計画的な訪問看護を行うこと。また，営業日以外であっても，24時間365日訪問看護を必要とする利用者に対して，訪問看護を提供できる体制を確保し，対応すること。			
• 次のいずれかを満たすこと（1，2の場合） ①訪問看護ステーションと居宅介護支援事業所が同一敷地内に設置され，かつ，当該訪問看護ステーションの介護（または介護予防）サービス計画の作成が必要な利用者（介護保険の訪問看護の利用者を含む）のうち，例えば，特に医療的な管理が必要な利用者1割程度について，当該居宅介護支援事業所により介護（または介護予防）サービス計画を作成していること。 ②訪問看護ステーションと特定相談支援事業所または障害児相談支援事業所が同一敷地内に設置され，かつ，当該訪問看護ステーションのサービス等利用計画または障害児支援利用計画の作成が必要な利用者のうち1割程度について，当該特定相談支援事業所または障害児相談支援事業所によりサービス等利用計画または障害児支援利用計画を作成していること。			

•（1，2の場合） ○直近1年間に，人材育成のための研修等を実施していること。人材育成のための研修等については，看護学生を対象とした講義もしくは実習の受け入れまたは病院もしくは地域において在宅療養を支援する医療従事者等の知識および技術等の習得を目的とした研修等，在宅医療の推進に資するものであること。 ○直近1年間に，地域の保険医療機関，訪問看護ステーションまたは住民等に対して，訪問看護に関する情報提供または相談に応じている実績があること。
•（3の場合）直近3月において＊における地域の保険医療機関以外の保険医療機関と共同して実施した退院時の共同指導による退院時共同指導加算の算定の実績があること。
•（3の場合）同一敷地内に訪問看護ステーションと同一開設者の保険医療機関が設置されている場合は，直近3月において当該保険医療機関以外の医師を主治医とする利用者（介護保険の訪問看護の利用者も含む）の割合が訪問看護ステーションの利用者の1割以上であること。
•（3の場合）直近1年間に当該訪問看護ステーションにおいて，地域の保険医療機関の看護職員による指定訪問看護の提供を行う従業者としての一定期間の勤務について実績があること（＊）。
•（3の場合）直近1年間に地域の保険医療機関や訪問看護ステーションを対象とした研修を年に2回以上実施していること。
•（3の場合）直近1年間に地域の訪問看護ステーションまたは住民等に対して，訪問看護に関する情報提供を行うとともに，地域の訪問看護ステーションまたは住民等からの相談に応じている実績があること。
専門の研修（①または②）を受けた看護師の配置：（1の場合）配置，（2，3の場合）配置が望ましい。 当該看護師は，当該訪問看護ステーション，地域の訪問看護ステーションまたは地域の医療機関等に対して，当該看護師の有する専門的な知識および技術に応じて，質の高い在宅医療や訪問看護の提供の推進に資する研修等を実施していることが望ましい。 ①国または医療関係団体等が主催する600時間以上の研修（修了証が交付されるものに限る。） ②保健師助産師看護師法第37条の2第2項第5号に規定する指定研修機関において行われる研修

※1：1，2において，訪問看護ステーションの同一敷地内に療養通所介護事業所，児童発達支援を行う事業所，放課後等デイサービスを行う事業所としての指定を受けており，当該訪問看護ステーションと開設者が同じである事業所が設置されている場合は，当該事業所の常勤職員のうち1人までまたは，非常勤職員のうち常勤換算した1人までを当該訪問看護ステーションの職員数に含めることが可能。

※2：ターミナルケア件数とは，a～dの合計数：a訪問看護ターミナルケア療養費（医療保険）の算定件数，bターミナルケア加算（介護保険）の算定件数，c在宅で死亡した利用者のうち当該訪問看護ステーションと共同で訪問看護を行った保険医療機関において在宅がん医療総合診療料を算定していた利用者数，d6月以上の訪問看護を行った利用者であって，あらかじめ聴取した利用者およびその家族等の意向に基づき，7日以内の入院を経て連携する医療機関で死亡した利用者数。

145 機能強化型訪問看護管理療養費1，2 ——ターミナル件数

Q ターミナルケア件数に「6月以上の訪問看護を行った利用者であって，あらかじめ聴取した利用者・家族の意向に基づき，7日以内の入院を経て連携する保険医療機関の病床で死亡した利用者数」も含めることができますが，具体的にはどのような利用者でしょうか？

A 以下の点を確認してください。

①6月以上の訪問看護とは

入院した日が属する月(当該月を含まない)から遡って6月の期間です。

たとえば，4月10日に入院した場合は，前年の10月以前からの期間となります。また，定期的な訪問看護が10月中のいずれかの日より開始されていればよいです。

②7日以内の入院とは

入院日は含まず，死亡日は含みます。たとえば，4月1日に入院し4月8日に死亡した利用者は対象になります。

③連携する保険医療機関とは

利用者に対して死亡直近6月間において訪問診療を実施している機能強化型在宅療養支援診療所または機能強化型在宅療養支援病院をいいます。

146 機能強化型訪問看護管理療養費3
——24時間対応

Q 機能強化型訪問看護ステーション3における24時間対応については，訪問看護ステーションと同一開設者である医療機関が同一敷地内に設置されている場合は，営業時間外の利用者またはその家族等からの電話等による看護に関する相談への対応は，当該医療機関の看護師が行うことができることになっていますが，具体的な対応方法はどのようにしたらよいですか？

A 訪問看護ステーションの看護職員（准看護師を除く）は，訪問看護を受けようとする利用者に対して，併設している医療機関の看護師と連携し営業時間外の電話等に対応する体制にある旨を説明し，利用者の同意を得ます。また，当該利用者の訪問看護に関する情報を当該医療機関の看護師と共有することについても利用者の同意を得ます。

なお，当該医療機関の看護師が電話等の対応をした結果，主治医の指示により緊急時訪問看護を行う必要がある場合は，訪問看護ステーションの看護師等が実施します。

そのため，営業時間外の電話対応等を併設する医療機関の看護師が行う場合は，当該医療機関の看護師が訪問看護ステーションの看護師等に常に連絡がとれる体制を確保しているとともに，日頃より訪問看護ステーションと当該医療機関の連携に努めます。

なお，併設する医療機関の看護師とは，外来勤務の看護師や看護部長，管理当直師長等も可能です。

147 機能強化型訪問看護管理療養費
——算定要件の変動

Q 機能強化型訪問看護管理療養費の届出を行った後に，届出内容に変更があった場合の取り扱いはどうなりますか？

A 届出受理後において，届出内容と異なった事情が生じた場合には，訪問看護ステーションは遅滞なく変更の届出をするようにします。ただし，以下のような場合は，変更の届出をする必要はありません。

〈機能強化型訪問看護管理療養費 1・2〉

- 非常勤職員に関する基準については，当該基準を満たしている間は，非常勤職員の人数および実労働時間等が変更になった場合であっても，変更の届出は必要ありません。
- 超重症児および準超重症児の利用者数を合計した数については，暦月で3月を超えない期間の1人以内の一時的な変動があった場合であっても，変更の届出は必要ありません。

〈機能強化型訪問看護管理療養費 1・2・3〉

- 機能強化型訪問看護管理療養費に係る届出に記載した看護職員数等について，当該届出基準に影響がない範囲で変更が生じた場合には届出は不要です。
- 看護職員の割合の基準については，暦月で3月を超えない期間の1割以内の一時的な変動があった場合であっても，変更の届出は必要ありません。

148 基本療養費・管理療養費の算定

Q 訪問看護基本療養費（Ⅰ）・訪問看護管理療養費の基本的な算定の考え方を教えてください。また，厚生労働大臣が定める疾病等の利用者など，週４日目以降の訪問や，難病等複数回訪問加算が発生する場合の算定はどうなりますか？

A 訪問看護基本療養費（Ⅰ）・訪問看護管理療養費等の報酬は以下のようになっています。

訪問看護基本療養費（Ⅰ）

- 保健師，助産師，看護師：　週３日目まで　5,550円
　週４日目以降　6,550円
- 准看護師：　週３日目まで　5,050円
　週４日目以降　6,050円
- 理学療養士，作業療法士，言語聴覚士：　5,550円

訪問看護管理療養費：初日

①　機能強化型訪問看護管理療養費１　13,230円
②　機能強化型訪問看護管理療養費２　10,030円
③　機能強化型訪問看護管理療養費３　8,700円
④　①から③まで以外（従来型）　7,670円
　：２日目以降　3,000円または2,500円

難病等複数回訪問加算（同一建物内１人）：　２回訪問　4,500円
　３回以上訪問　8,000円

１日に２回訪問した場合：訪問看護基本療養費（Ⅰ）　＋4,500円
１日に３回以上訪問した場合：訪問看護基本療養費（Ⅰ）　＋8,000円

起算日は日曜日となり，１日に２回訪問してもあくまでも１日とカウントします。

基準告示第２の１に規定する疾病等の利用者（105頁表参照）および特別訪問看護指示書による訪問の場合に，週４日目以降の訪問，難病等複数回訪問加算が発生します。算定例を次頁に具体的に示します。

訪問看護療養費の算定例（訪問看護管理療養費１の場合）

〈基準告示第２の１に規定する疾病等の利用者（同一建物内１人）に看護師が訪問した場合〉

日曜日	月曜日	火曜日	水曜日	木曜日	金曜日	土曜日
	1日 ● 5,550円 + 7,670円	2日	3日 ● 5,550円 + 3,000円	4日	5日 ● 5,550円 + 3,000円	6日
7日 ▲ 5,550円 + 3,000円 + 8,000円	8日 ◆ 5,550円 + 3,000円 + 8,000円	9日 ▲ 5,550円 + 3,000円 + 8,000円	10日 ◉ 6,550円 + 3,000円 + 4,500円	11日 ◉ 6,550円 + 3,000円 + 4,500円	12日 ● 6,550円 + 3,000円	13日 ● 6,550円 + 3,000円
14日 ● 5,550円 + 3,000円	15日 ◉ 5,550円 + 3,000円 + 4,500円	16日 ● 5,550円 + 3,000円	17日 ● 6,550円 + 3,000円	18日 ◉ 6,550円 + 3,000円 + 4,500円	19日 ● 6,550円 + 3,000円	20日 ● 6,550円 + 3,000円
21日	22日 ● 5,550円 + 3,000円	23日 ● 5,550円 + 3,000円	24日 ● 5,550円 + 3,000円	25日 ● 6,550円 + 3,000円	26日 ● 6,550円 + 3,000円	27日
28日	29日 ● 5,550円 + 3,000円	30日 ● 5,550円 + 3,000円	31日 ● 5,550円 + 3,000円			

●：１回訪問　◉：２回訪問　▲３回訪問　◆４回訪問

149 24時間対応体制

24時間対応体制加算は電話等の連絡のみの対応とすることでは算定できませんか？

A 24時間対応体制加算は，必要時の緊急時訪問看護に加えて，営業時間外における利用者や家族等との電話連絡および利用者またはその家族等への指導等による日々の状況の適切な管理といった対応やその体制整備を評価するものです。よって，電話対応だけでは要件を満たしません。

令和6年度診療報酬改定により，看護業務の負担軽減のための取り組みを行った場合の評価が新設され，以下のようになりました。

改定前	改定後
6,400円／月	イ．24時間対応体制における看護業務の負担軽減の取り組みを行っている場合：6,800円 ／月（新設） アまたはイを含む2項目以上を満たしていること。また，届出前1か月の実績を有していること。 (ア) 夜間対応した翌日の勤務間隔の確保 (イ) 夜間対応に係る勤務の連続回数が2連続（2回）まで (ウ) 夜間対応後の暦日の休日確保 (エ) 夜間勤務のニーズを踏まえた勤務体制の工夫 (オ) ICT，AI，IoT等の活用による業務負担軽減 (カ) 電話等による連絡および相談を担当する者に対する支援体制の確保
	ロ．イ以外の場合：6,520円／月

24時間対応体制加算の算定に当たっては，以下の点に注意しましょう。

① 24時間対応体制に係る届出（408・409頁参照）を地方厚生（支）局へ行います。

②算定の際には，利用者の同意が必要です。また，訪問看護ステーションの名称，所在地，電話番号並びに時間外および緊急時の連絡方法を記載した文書を交付します。

③ 24時間対応体制加算は，1人の利用者に対して1つの訪問看護ステーションにおいてのみ算定できます。

報酬

150 24時間対応体制加算――夜間対応

Q 24時間対応体制加算イ（6,800円）の算定にあたって，夜間対応した場合の勤務の調整が必要になりますが，この夜間対応とは，オンコール当番を担当していることをいうのですか？

A ここでいう「夜間対応」とは，当該訪問看護ステーションの運営規程に定める営業日および営業時間以外における必要時の緊急時訪問看護や，利用者またはその家族等からの電話連絡を受けて当該者への指導を行った場合であって，単に勤務時間割表において営業日および営業時間外の対応が割り振られているが夜間対応がなかった場合等は該当しません。なお，電話連絡については，訪問日時の変更や利用者負担額の支払いに関する問い合わせ等の事務的な内容の電話連絡は夜間対応には含まれません。

報酬

151 24時間対応体制加算――翌日の勤務間隔

Q 24時間対応体制加算イ（6,800円）の算定にあたり，「夜間対応した翌日の勤務間隔の確保」という要件があります。当訪問看護ステーションは，18時以降が営業時間外となっています。18時～19時に緊急時訪問看護があり，それ以降夜間対応がなかった場合，翌日は通常通りの勤務でもよいですか？

A 夜間対応が日付を越えずに終了した場合であっても，対応が終了した時間にかかわらず，営業時間外の業務を開始した日の翌日は勤務間隔の調整を行う必要があります。なお，勤務間隔確保については，「労働時間等見直しガイドライン」（労働時間等設定改善指針）を参考に，従業者の通勤時間，交替制勤務等の勤務形態や勤務実態等を十分に考慮し，仕事と生活の両立が可能な実行性ある休息が確保されるよう配慮する必要があります。

152 24時間対応体制加算の対応

24 時間対応体制における相談対応の体制を教えてください。

A 24 時間対応体制加算の算定にあたっては，営業日以外の日および営業時間以外の時間において，利用者や家族等からの電話等による連絡および相談が直接受けられる体制が整備されていることが必要です。24 時間対応体制加算の趣旨に鑑み，直接連絡のとれる連絡先は複数とします。当該訪問看護ステーション以外の施設または従事者を経由するような連絡相談体制や，訪問看護ステーション以外の者が所有する電話を連絡先とすることは認められません（機能強化型訪問看護管理療養費 3 の場合を除く（142 頁参照））。

24 時間対応体制に係る連絡相談を担当する者は，原則として，当該訪問看護ステーションの保健師，看護師とし，勤務体制等を明確にします。ただし，令和 6 年度診療報酬改定により，次（ア～カ）のいずれにも該当し，24 時間対応体制に係る連絡相談に支障がない体制を構築している場合には，24 時間対応体制に係る連絡相談を担当する者について，当該訪問看護ステーションの保健師または看護師以外の職員（以下「看護師等以外の職員」）でも差し支えないとなりました。

(ア) 看護師等以外の職員が利用者またはその家族等からの電話等による連絡および相談に対応する際のマニュアルが整備されていること。
(イ) 緊急の訪問看護の必要性の判断を保健師または看護師が速やかに行える連絡体制および緊急の訪問看護が可能な体制が整備されていること。
(ウ) 当該訪問看護ステーションの管理者は，連絡相談を担当する看護師等以外の職員の勤務体制および勤務状況を明らかにすること。
(エ) 看護師等以外の職員は，電話等により連絡および相談を受けた際に，保健師または看護師へ報告すること。報告を受けた保健師または看護師は，当該報告内容等を訪問看護記録書に記録すること。
(オ) アからエについて，利用者および家族等に説明し，同意を得ること。
(カ) 連絡相談を担当する看護師等以外の職員に関して地方厚生（支）局長に届け出ること。

153 24時間対応体制——看護師等以外の職員

Q 24時間対応にあたり，看護師等以外の職員が連絡相談を担当する場合には，マニュアルの整備が必要になりましたが，どのような内容にしたらよいですか？

A マニュアルには，以下の内容を定めます。

なお，①から③については，マニュアルに最低限記載すべき事項であり，訪問看護ステーションにおいて必要な事項を適宜記載します。

①連絡相談の内容に応じた電話対応の方法および流れ。

②利用者の体調や看護・ケアの方法など看護に関する意見を求められた場合の保健師または看護師への連絡方法，連絡相談に関する記録方法。

③保健師または看護師および看護師等以外の職員の情報共有方法等。

154 過疎地域等における24時間対応体制

Q 24時間対応体制加算は，本来，1か所の訪問看護ステーションでその体制を確保し届出することになっていますが，複数の訪問看護ステーションで連携して届出することも可能でしょうか？

A 過疎地域（特別地域訪問看護加算で定める地域，119頁参照）に所在する訪問看護ステーションと，医療を提供しているが，医療資源の少ない地域（447頁参照）に所在する訪問看護ステーションについては，2か所の訪問看護ステーションが連携することによって，24時間対応体制加算を届け出ることが可能です。

また，業務継続計画を策定した上で自然災害等の発生に備えた地域の相互支援ネットワークに参画している訪問看護ステーションにおいても，2か所の訪問看護ステーションの連携が認められています。

自然災害等の発生に備えた地域の相互支援ネットワークとは，次のいずれにも該当する場合です。

①都道府県，市町村または医療関係団体等（③において「都道府県等」という）が主催する事業であること。

②自然災害や感染症等の発生により業務継続が困難な事態を想定して整備された事業であること。

③都道府県等が当該事業の調整等を行う事務局を設置し，当該事業に参画する訪問看護ステーション等の連絡先を管理していること。

ただし，連携できるのは2か所までで，2か所ともそれらの地域に所在している必要があります（一方の訪問看護ステーションが特別地域に所在し，もう一方の訪問看護ステーションが医療資源の少ない地域に所在する場合や，もう一方が地域の相互支援ネットワークに参画している場合も可）。また，2か所それぞれで算定はできず，1か所の訪問看護ステーションが一括して算定します。

155 特別管理加算とは?

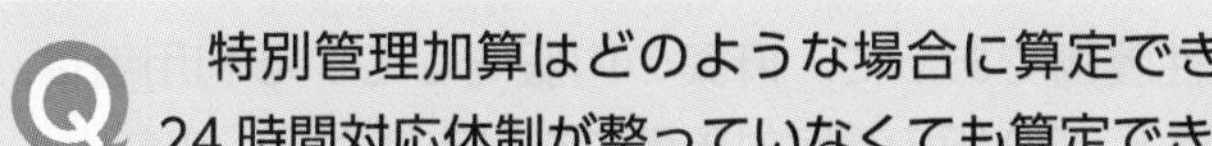

Q 特別管理加算はどのような場合に算定できますか？　また，24 時間対応体制が整っていなくても算定できますか？

A 特別管理加算は，特別な管理を必要とする利用者に対して，計画的な管理を行った場合に月に 1 回算定できます。利用者の状態によって 2,500 円／月と 5,000 円／月に分かれています。対象者は表の通りです。算定に当たっては，地方厚生（支）局へ届出をする必要があります。届出の要件として，24 時間対応体制加算を算定できる体制を整備していることが求められています。

特別管理加算と在宅移行管理加算の報酬

【特別管理加算】 5,000円／月 【在宅移行管理加算】 500点※1	• 在宅麻薬等注射指導管理，在宅腫瘍化学療法注射指導管理，在宅強心剤持続投与指導管理※2を受けている状態にある者 • 在宅気管切開患者指導管理を受けている状態にある者 • 気管カニューレを使用している状態にある者 • 留置カテーテルを使用している状態にある者
【特別管理加算】 2,500円 【在宅移行管理加算】 250点※1	• 在宅自己腹膜灌流指導管理を受けている状態にある者 • 在宅血液透析指導管理を受けている状態にある者 • 在宅酸素療法指導管理を受けている状態にある者 • 在宅中心静脈栄養法指導管理を受けている状態にある者 • 在宅成分栄養経管栄養法指導管理を受けている状態にある者 • 在宅自己導尿指導管理を受けている状態にある者 • 在宅人工呼吸指導管理を受けている状態にある者 • 在宅持続陽圧呼吸療法指導管理を受けている状態にある者 • 在宅自己疼痛管理指導管理を受けている状態にある者 • 在宅肺高血圧症患者指導管理を受けている状態にある者 • 人工肛門または人工膀胱を設置している状態にある者 • 真皮を越える褥瘡の状態にある者 ①NPUAP分類Ⅲ度またはⅣ度※3 ②DESIGN-R®分類D3，D4，D5※3 • 在宅患者訪問点滴注射管理指導料を算定している者

※1　在宅移行管理加算は，退院した月から起算して1月以内に限り算定できる。153頁コラム参照。
※2　令和6年度診療報酬改定により，在宅悪性腫瘍等患者指導管理料の名称変更，および，在宅強心剤持続投与指導管理料が新設されたことに伴い，特別管理加算の対象者が変更（下線部）になっています。
※3　NPUAP分類とDESIGN-R®分類については38頁コラム参照。

156 特別管理加算の算定対象①

Q 末期の悪性腫瘍であって，麻薬の内服をしている利用者は，特別管理加算 5,000 円の算定対象者になりますか？　また，人工呼吸器を使用している利用者は，特別管理加算 2,500 円と 5,000 円のどちらを算定すればよいですか？

A **〈末期の悪性腫瘍であって，麻薬を内服している利用者〉**

末期の悪性腫瘍であって，麻薬を内服しているという状態は，特別管理加算 5,000 円の「在宅麻薬等注射指導管理を受けている状態」には該当しません。当該指導管理の麻薬等の投与は，末期の悪性腫瘍または筋萎縮性側索硬化症もしくは筋ジストロフィーの患者であって，持続性の疼痛があり鎮痛剤の経口投与では疼痛が改善しない場合に，在宅において実施する注射による麻薬等の投与をいいます。なお，患者が末期であるかどうかは在宅での療養を行っている患者の診療を担う医師の判断によるものとなります。

〈人工呼吸器を使用している場合〉

「在宅人工呼吸指導管理」を受けている状態であれば，2,500 円／月の評価になりますが，気管カニューレを使用している状態であれば，5,000 円／月の評価になります。

157 特別管理加算の算定対象②

Q 特別管理加算の算定対象としてある,「在宅血液透析指導管理」「在宅自己疼痛管理指導管理」とは，どのようなことを指しているのでしょうか？ また，吸引をしているケースは算定対象者に該当しますか？

A 「在宅血液透析指導管理」の在宅血液透析とは，「維持血液透析を必要とし，かつ，安定した病状にあるものについて，在宅において実施する血液透析療法をいう」と診療報酬上，明記されています。通院し透析を受けているケースは，「在宅血液透析指導管理を受けている状態」には該当しません。

また，「在宅自己疼痛管理指導管理」とは，疼痛除去のため植込型脳・脊髄電気刺激装置を植え込んだ後に，在宅において，患者自らが送信器を用いて疼痛管理を行っている難治性慢性疼痛の患者に対して，在宅自己疼痛管理に関する指導管理を行うことと，上記同様明記されています。内服薬などにて疼痛コントロールをしているケースは，「在宅自己疼痛管理指導管理を受けている状態」には該当しません。

また，吸引をしているだけでは算定対象には該当しません。「気管カニューレを使用している状態」や「在宅気管切開患者指導管理を受けている状態」であれば，算定対象になります。

Column

在宅移行管理加算

医療保険において訪問看護ステーションの「特別管理加算」に当たるものが，医療機関の訪問看護の場合は「在宅移行管理加算」となります。訪問看護ステーションと違って，医療機関の訪問看護の場合，当該加算が算定できるのは「当該医療機関を退院した日から起算して 1 月以内の期間」という決まりがあります。また，算定に当たっては 24 時間対応できる体制の整備が要件です。

158 退院時共同指導加算とは?

退院時共同指導加算とは，どのような場合に算定できますか？

A 退院時共同指導加算は，在宅での療養生活へ円滑に移行するための支援を評価しています。医療機関に入院中または介護老人保健施設もしくは介護医療院に入所中で，退院（退所）後に訪問看護を受ける予定の利用者またはその家族等に対して，退院（退所）後の在宅療養についての指導を入院（入所）先の施設の医師や看護職員，その他の医療従事者と訪問看護ステーションの看護師等（准看護師除く）が共同で行った場合に算定します。行った指導の内容は文書で利用者または家族等に提供する必要があります。

○退院時共同指導加算：8,000 円

この加算は，退院（退所）日の翌日以降の初日の訪問看護が行われた場合に，訪問看護管理療養費の加算として算定します。月末に指導が行われた場合など指導を行った月が訪問看護開始の前月であっても算定は可能です。

厚生労働大臣が定める疾病等の者（105 頁別表第 7 参照）と特別管理加算の対象者（105 頁別表第 8 参照）は，1 回の退院時に 2 回（別々の日に指導した場合に限る）まで算定できます。

入院（入所）先の施設と訪問看護ステーションが特別の関係の場合でも算定が可能です。

159 ICT（情報通信機器）を活用した退院時共同指導

Q 退院時共同指導加算の算定に当たってカンファレンスを開催する場合にICTが活用できますか？

A 退院時共同指導は，リアルタイムでのコミュニケーション（以下「ビデオ通話」）が可能な機器を用いて共同指導した場合でも算定可能です。 利用者の個人情報をビデオ通話の画面上で共有する際は，利用者の同意を得なければなりません。また，医療機関の電子カルテなどを含む医療情報システムと共通のネットワーク上の端末において共同指導を実施する場合には，厚生労働省「医療情報システムの安全管理に関するガイドライン」に対応していることが必要です。

Column

電磁的方法

文書による提供等をすることとされている個々の利用者の訪問看護に関する情報等を，電磁的方法によって，利用者，医療機関，薬局，他の訪問看護事業者等に提供等する場合は，厚生労働省「医療情報システムの安全管理に関するガイドライン」を遵守し，安全な通信環境を確保するとともに，書面における署名または記名・押印に代わり，本ガイドラインに定められた電子署名（厚生労働省の定める準拠性監査基準を満たす保健医療福祉分野 PKI 認証局の発行する電子証明書を用いた電子署名，電子署名および認証業務に関する法律に規定する認定認証事業者または認証事業者の発行する電子証明書を用いた電子署名，電子署名等に係る地方公共団体情報システム機構の認証業務に関する法律に基づき，平成 16 年1月 29 日から開始されている公的個人認証サービスを用いた電子署名等）を施すこと。

160 特別管理指導加算とは?

Q 特別管理指導加算とは，どのような場合に算定できるのですか？

A 特別管理指導加算とは，退院時共同指導加算に対してさらに評価されるものといえます。特別管理加算の対象者に退院時共同指導を行った場合に，退院時共同指導加算とは別に特別管理指導加算として 2,000 円加算します。

報酬

161 2か所のステーションの退院時共同指導

Q 人工呼吸器を使用している利用者が退院します。退院後 2 か所の訪問看護ステーションで訪問看護を提供する予定です。入院先の病院において，入院先の医師と 2 か所のステーションが合同でカンファレンスを行い，利用者と家族に指導した場合，それぞれのステーションで退院時共同指導加算を算定できますか？

A 同一日に行われた場合は，それぞれのステーションで算定することはできません。

退院時共同指導加算は，原則 1 人の利用者に対して 1 か所のステーションのみで算定ができるものです。ただし，厚生労働大臣が定める疾病等の者または特別管理加算の対象者（105 頁参照）に 2 か所のステーションが退院時共同指導を行った場合は，あわせて 2 回まで算定できることになっています。よって，人工呼吸器の利用者はあわせて 2 回まで算定可能です。しかし，この場合，別の日にそれぞれが指導を行う必要があります。

162 退院支援指導加算とは?

Q 当訪問看護ステーションに退院日の訪問看護の依頼がありました。この場合，訪問看護療養費のほかに，退院支援指導加算が算定できるのですか？

A 退院支援指導加算とは，退院日に在宅において療養上必要な指導を行った場合の評価ですが，退院当日には訪問看護療養費は発生しません。退院日の翌日以降の初日の訪問看護実施時に，訪問看護管理療養費に加算します。なお，令和 6 年度診療報酬改定により，1 回の退院支援指導が 90 分を超えた場合だけでなく，複数回の退院支援指導の合計時間が 90 分を超えた場合も，退院支援指導加算 8,400 円が算定できるようになりました。

○退院支援指導加算：6,000 円
8,400 円（長時間の訪問を要する者に対して 1 回の退院支援指導の時間が 90 分を超えた場合・複数回の退院支援指導の合計時間 90 分を超えた場合（新設））

〈算定対象者〉

①厚生労働大臣が定める疾病等の者（105 頁別表第 7 参照）
②特別管理加算の対象者（105 頁別表第 8 参照）
③退院日の訪問看護が必要であると認められた者

〈長時間の訪問を要する者〉

長時間訪問看護加算の対象者
① 15 歳未満の超重症児または準超重症児
②特別管理加算の対象者（105 頁別表第 8 参照）
③（精神科）特別訪問看護指示書に係る訪問看護を受けている者

163 退院支援指導加算の算定日

Q 末期の悪性腫瘍の利用者が4月10日に退院し，退院日に訪問し必要なケアを行いましたが，翌日に亡くなり4月11日以降の訪問看護はありませんでした。この場合，4月10日の訪問分は算定できますか？

A 死亡日である4月11日に退院支援指導加算を算定できます。

このように，退院日の翌日以降初日の訪問看護が行われる前に死亡または再入院した場合には，死亡日または再入院日に退院支援指導加算のみ算定します。この場合は，訪問看護療養費明細書にある「特記事項」に「8　退支」を記載し，死亡日または再入院日を併せて記載します。訪問看護療養費は請求できません。

その他算定に当たっては，以下の点について注意が必要です。

- 訪問看護ステーションと特別の関係にある医療機関からの退院の場合も算定できます。
- 准看護師は担当できません。
- 退院時に訪問看護指示書の交付を受けていることが必要です（在宅における診療を担う主治医が退院後に指示書を交付した場合であっても，退院支援指導を実施する前に交付されていればよい）。
- 月末に退院し退院支援指導を行い，初回の訪問看護が翌月の場合も算定できます。

Column

介護保険の退院日の訪問看護

介護保険では，要件を満たせば退院当日より，訪問看護費を算定できます。詳しくは23頁を参照してください。

164 退院前訪問指導料とは?

Q 退院前訪問指導料とは，どのような場合に算定できるものですか？　訪問看護ステーションで算定できるのでしょうか？

A 退院前訪問指導料は，訪問看護ステーションで算定するものではなく，医療機関において算定するものです。

当該指導料は，入院期間が１月を超えると見込まれる患者の円滑な退院のため，医師または医師の指示を受けた医療機関の保健師，看護師，理学療法士，作業療法士等が患家を訪問し，当該患者やその家族等に対して，退院後の在宅での療養上の指導を行った場合に，当該入院中に１回（入院後早期に退院前訪問指導の必要があると認められる場合は２回）に限り算定することができます。当該指導料は，外泊時や退院日にも算定することが可能です。当該指導料は，退院して家庭に復帰する患者が算定対象であり，特別養護老人ホーム等医師または看護師等が配置されている施設に入所予定の患者は，算定対象外となります。

○退院前訪問指導料：580 点／回

報酬

165 退院後訪問指導料，訪問看護同行加算とは?

Q 退院前訪問指導料とは別に，退院後訪問指導料がありますが，どのような場合に算定できるのですか？

A 医療ニーズが高い患者が安心・安全に在宅療養に移行し，在宅療養を継続できるようにするために，患者が入院していた医療機関が退院直後において行う訪問指導を評価するものです。

入院医療機関の医師または医師の指示を受けた当該医療機関の保健師，助産師または看護師が患家，介護保険施設または指定障害者支援施設等（介護老人保健施設に入所中または医療機関に入院中の場合は除く）において，患者またはその家族等に対して，在宅での療養上必要な指導を行った場合に算定します。また，当該患者の在宅療養を担う訪問看護ステーションまたは他の医療機関の看護師等と同行して患家を訪問し，当該看護師等への技術移転または療養上必要な指導を行った場合には訪問看護同行加算を算定することができます。

○退院後訪問指導料：580 点（退院した日から起算して 1 月以内の期間に 5 回を限度　※退院日は除く）

○訪問看護同行加算：20 点（退院後 1 回限り）

〈算定対象者〉

①別表第 8（105 頁参照）に掲げる状態の患者

②認知症または認知症の症状を有し，日常生活を送る上で介助が必要な状態の患者

166 在宅患者連携指導加算とは?

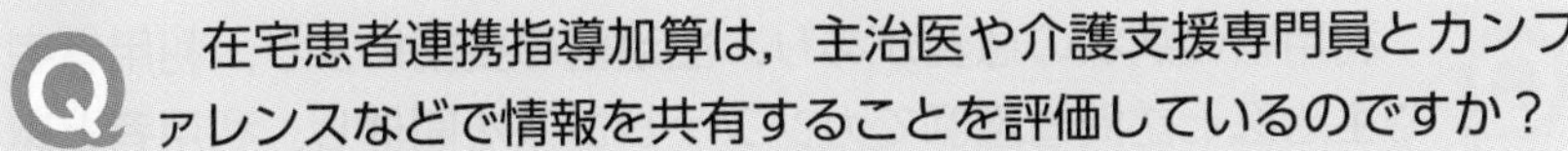

Q 在宅患者連携指導加算は，主治医や介護支援専門員とカンファレンスなどで情報を共有することを評価しているのですか？

A 単に関係者で情報を共有するだけでは算定できません。在宅患者連携指導加算は，医療関係職種間で月 2 回以上文書等（電子メール，ファクシミリでも可）により情報共有をし，その共有された情報を踏まえて療養上必要な指導を行った場合（准看護師は除く）に，月 1 回に限り算定できるものです。情報提供があった場合は，その内容，情報提供日，およびそれをもとに行った指導の内容の要点，指導日を訪問看護記録に記載します。

特別の関係の制限はありません。また，連携している複数の訪問看護ステーションそれぞれで算定が可能です。

○訪問看護ステーション　3,000 円／月

○医療機関　300 点／月

医療関係職種とは，訪問診療を実施している医療機関を含め，歯科訪問診療を実施している医療機関または訪問薬剤管理指導を実施している保険薬局です。

当該加算は，以下のような場合は算定できません。

①医療関係職種間の単なる情報交換のみの場合

②訪問看護指示書を交付している主治医との間のみで情報を共有し，訪問看護を提供した場合

③要介護（支援）者の場合

報酬

167 在宅患者緊急時等カンファレンス加算とは?

Q 利用者の病状の急変があり，主治医の要請により，利用者宅で主治医と訪問看護師でカンファレンスを開催し，利用者と家族に療養上必要な指導を行いました。この場合，在宅患者緊急時等カンファレンス加算の算定はできますか？

A 在宅患者緊急時等カンファレンス加算は，利用者の病状の急変や治療方針の変更があった場合に，在宅療養を担う医師の求めにより，関係する医療関係職種等が利用者宅に一堂に会してカンファレンスを行い，カンファレンスで共有した利用者の情報を踏まえ，利用者またはその家族に対して療養上必要な指導を行った場合に，月２回に限り算定できます。

○訪問看護ステーション　2,000円／回（月２回限り）
○医療機関　200点／回（月２回限り）

医療関係職種等とは，以下の通りですが，利用者の在宅療養を担っている医師と訪問看護ステーションの看護師等（准看護師除く）の２者でカンファレンスを行った場合であっても算定できます。

①利用者の在宅療養を担っている医師等
②歯科訪問診療を実施している歯科医師等
③訪問薬剤管理指導を実施している保険薬局の薬剤師
④介護支援専門員または相談支援専門員

カンファレンスが開催された場合は，参加した医療関係職種等の氏名，カンファレンスの要点，利用者に行った指導の内容およびカンファレンスの開催日を訪問看護記録に記載します。

特別の関係の制限はありません。また，連携している複数の訪問看護ステーションそれぞれで算定できます（訪問看護ステーションのみが参加したカンファレンスでは算定できません）。

なお，ICTを活用したカンファレンスは，１者以上が利用者宅に赴いていれば，その他の関係者はビデオ通話が可能な機器を用いて参加してもよいこととなっています（ビデオ通話の注意事項は，155頁参照）。

168 精神科重症患者支援管理連携加算とは?

Q 精神科重症患者支援管理連携加算とはどのような場合に算定できるのですか？　届出などは必要ですか？

A 精神科重症患者支援管理連携加算は，長期入院後の退院患者や入退院を繰り返す病状が不安定な患者に対して，医療機関において精神科在宅患者支援管理料２を算定している場合に，利用者の在宅療養を担う医療機関と連携して，支援計画等に基づき，定期的な訪問看護を行った場合に，以下に掲げる区分に従い，月１回限り算定します。ただし，医療機関と特別の関係がある場合は算定できません。算定に当たっては，届出基準を満たし，地方厚生（支）局へ届出が必要です（以下の表参照）。精神科在宅患者支援管理料２のイ，ロについては，165 ～ 167 頁を参照してください。

○精神科在宅患者支援管理料２のイを算定する利用者に定期的な訪問看護を行う場合：8,400 円／月

○精神科在宅患者支援管理料２のロを算定する利用者に定期的な訪問看護を行う場合：5,800 円／月

〈届出基準〉

①	精神科訪問看護基本療養費の届出を行っている訪問看護ステーションであること。
②	当該訪問看護ステーションが24時間対応体制加算の届出を行っていること，または精神科在宅患者支援管理料２を算定する利用者の主治医が属する保険医療機関が24時間の往診もしくは精神科訪問看護・指導を行うことができる体制を確保していること。

〈算定要件〉

①	精神科在宅患者支援管理料２のイを算定する利用者については，週２回以上の精神科訪問看護を実施，精神科在宅患者支援管理料２のロを算定する利用者については，月２回以上の精神科訪問看護を実施する。 医療機関が行う精神科訪問看護・指導（作業療法士または精神保健福祉士による場合に限る）を実施している場合は，その回数を要件となる訪問回数に含めても差し支えない。
②	医療機関と連携して設置する専任のチームに，保健師，看護師，作業療法士または精神保健福祉士のいずれか１名以上が参加していること。緊急時に円滑な対応ができるよう，連携する医療機関との定期的なカンファレンスの他，あらかじめ利用者またはその家族等の同意を得て，当該利用者の病状，治療計画，直近の診療内容等緊急対応に必要な診療情報について随時提供を受けていること。
③	当該加算のイの算定にあたっては，専任のチームによるカンファレンス（以下「チームカンファレンス」という）を週１回以上開催し，うち，２月に１回以上は保健所または精神保健福祉センター等と共同して会議（以下「共同カンファレンス」という）を開催する。ロについては，チームカンファレンスを月１回以上開催し，必要に応じて共同カンファレンスを行うこと。なお，連携する医療機関が保健所または精神保健福祉センター等に情報提供および報告を行っている場合においては，共同カンファレンスに係る要件を満たすものとして差し支えない。

Column

チームカンファレンス等開催時の留意点

チームカンファレンスおよび共同カンファレンスの開催に当たっては，以下の点に留意します。

①チームカンファレンスおよび共同カンファレンスにおいて，利用者についての診療情報の共有，支援計画の作成と見直し，具体的な支援内容，訪問日程の計画および支援の終了時期等について協議を行うこと。

②可能な限り，利用者またはその家族等が同席することが望ましい。

③支援計画の内容については，利用者またはその家族等へ文書による説明を行い，説明に用いた文書を交付すること。また，カンファレンスの要点および参加者の職種と署名を看護記録に記載し，説明に用いた文書の写しを添付すること。

④当該加算において，チームカンファレンスおよび共同カンファレンスは，ビデオ通話が可能な機器を用いて実施した場合でも算定可能である。

※ビデオ通話を活用する場合の注意事項は 155 頁参照

169 精神科在宅患者支援管理料とは?

Q 精神科在宅患者支援管理料とは，どのような報酬ですか？訪問看護ステーションが関わることがありますか？

A 精神科在宅患者支援管理料は，医療機関の精神科の医師等が，在宅で療養を行っている通院が困難な患者に対して，計画的な医学管理の下に，定期的な訪問診療・訪問看護を行っている場合に算定できます。

当該管理料は，医療機関が算定する報酬ですが，医療機関が訪問看護を行う場合と，当該医療機関とは別の連携する訪問看護ステーションが訪問看護を行う場合の報酬に分かれています。

報酬額は表の通りとなります。

精神科在宅患者支援管理料１ ・当該医療機関が訪問看護を提供（特別の関係の訪問看護ステーションと連携する場合を含む）	**イ　重症患者等のうち，集中的な支援を必要とする患者** ①単一建物診療患者１人　　：3,000点 ②単一建物診療患者２人以上：2,250点 **ロ　重症患者等** ①単一建物診療患者１人　　：2,500点 ②単一建物診療患者２人以上：1,875点
精神科在宅患者支援管理料２ ・連携する訪問看護ステーションが訪問看護を提供	**イ　重症患者等のうち，集中的な支援を必要とする患者** ①単一建物診療患者１人　　：2,467点 ②単一建物診療患者２人以上：1,850点 **ロ　重症患者等** ①単一建物診療患者１人　　：2,056点 ②単一建物診療患者２人以上：1,542点
精神科在宅患者支援管理料３	**１または２を算定した患者であって引き続き訪問診療が必要な患者** イ　単一建物診療患者１人　　：2,030点 ロ　単一建物診療患者２人以上：1,248点

170 精神科在宅患者支援管理料の算定要件

精神科在宅患者支援管理料はどのような場合に算定できるのですか？

当該管理料の算定対象者は次の表，算定要件は次頁の表の通りです。

令和６年度診療報酬改定により，精神障害者の地域定着を推進する観点から，算定対象患者に，在宅医療の提供に係る一定の基準を満たす患者および精神科地域包括ケア病棟入院料を算定する病棟から退院した患者が追加されました。

〈算定対象者〉

精神科を標榜する保険医療機関への通院が困難な者（精神症状により単独での通院が困難な者を含む）
○1および2のイについては，㋐および㋑に該当する患者または㋒に該当する患者
㋐1年以上の入院歴を有する者，措置入院または緊急措置入院を経て退院した患者であって，都道府県等が精神障害者の退院後支援に関する指針を踏まえて作成する退院後支援計画に関する計画に基づく支援期間にある患者または入退院を繰り返す者（入退院を繰り返す者については，直近の入院が，措置入院，緊急措置入院または医療保護入院であり，かつ当該直近の入院の入院日より起算して過去3月以内に措置入院，緊急措置入院または医療保護入院をしたことのある者に限る）。 ㋑統合失調症，統合失調症型障害もしくは妄想性障害，気分（感情）障害または重度認知症の状態で，退院時または算定時におけるGAF尺度による判定が40以下の者（重度認知症の状態とは，「「認知症高齢者の日常生活自立度判定基準」の活用について」におけるランクMに該当すること。ただし，重度の意識障害のある者（JCS（Japan Coma Scale）でⅡ－3（または30）以上またはGCS（Glasgow Coma Scale）で8点以下の状態にある者）を除く）。 ㋒「在宅医療における包括的支援マネジメント導入基準」において，コア項目を1つ以上満たす者または5点以上である者（新設）
○1および2のロについては，上記の㋐または㋑に該当する患者または以下の①～③すべてもしくは④に該当する患者
①ひきこもり状態または精神科の未受診もしくは受診中断等を理由とする行政機関等の保健師その他の職員による家庭訪問の対象者 ②行政機関等の要請を受け，精神科を標榜する医療機関の精神科医が訪問し診療を行った結果，計画的な医学管理が必要と判断された者 ③当該管理料を算定する日においてＧＡＦ尺度による判定が40以下の者 ④過去6月以内に精神科地域包括ケア病棟入院料を算定する病棟から退院した患者（新設）

○3については，㋐または㋑に該当する患者
㋐1のイまたは2のイを算定した患者であって，当該管理料の算定を開始した月から，6月を経過した患者。 ㋑1の口または2の口を前月に算定した患者であって，引き続き訪問診療が必要な患者。

〈算定要件〉

1および2のイ	以下のすべてを実施する場合に初回の算定日から起算して6月以内に限り，月に1回に限り算定すること。 ①算定患者ごとに，当該患者の診療等を担当する精神科医，看護師または保健師，精神保健福祉士および作業療法士の各1名以上からなる専任のチームを設置すること。 ②当該患者に対して月1回以上の訪問診療と週2回以上の精神科訪問看護および精神科訪問看護・指導（うち月2回以上は精神保健福祉士または作業療法士による訪問であること）を行うこと。原則として，①に規定する専任のチームに所属する精神科医等が訪問することとし，異なる従事者が行う場合には，あらかじめ患者または患者家族等に説明を行い，同意を得ること。 ③①に規定する専任のチームが週1回以上カンファレンス（以下「チームカンファレンス」という）を行うこと。うち，2月に1回以上は保健所または精神保健福祉センター等と共同して会議（以下「共同カンファレンス」という）を開催すること，または，患者の同意を得た上で，保健所もしくは精神保健福祉センター等にチームカンファレンスの結果を文書により情報提供の上，報告すること。なお，共同カンファレンスについては，ビデオ通話が可能な機器を用いて実施した場合でも算定可能である。
1および2の口	イの算定要件①に加え，以下のすべてを実施する場合に初回の算定日から起算して6月以内に限り，月に1回に限り算定すること。 ①当該患者に対して月1回以上の訪問診療と月2回以上の精神科訪問看護および精神科訪問看護・指導（うち月1回以上は精神保健福祉士または作業療法士による訪問であること）を行うこと。原則として，イの算定要件①に規定する専任のチームに所属する精神科医等が訪問することとし，異なる従事者が行う場合には，あらかじめ患者または患者家族等に説明を行い，同意を得ること。 ②イの算定要件①に規定する専任のチームが月1回以上チームカンファレンスを行い，患者の同意を得た上で，2月に1回以上保健所または精神保健福祉センター等にチームカンファレンスの結果を文書により情報提供すること。必要に応じて共同カンファレンスを行うこと。なお，ビデオ通話が可能な機器を用いて実施した場合でも算定可能である。
3	計画的な医学管理の下に月1回以上の訪問診療を実施するとともに，必要に応じ，急変時等に常時対応できる体制を整備すること。 1または2の初回の算定日から起算して2年に限り，月1回に限り算定する。

171 看護・介護職員連携強化加算とは?

Q 介護保険と同様に，医療保険にも看護・介護職員連携強化加算が設定されていますが，どのような場合に算定できるのですか？

A 医療保険の看護・介護職員連携強化加算についても，介護保険と同様に，訪問看護ステーションの看護師または准看護師が，口腔内の喀痰吸引，鼻腔内の喀痰吸引，気管カニューレ内部の喀痰吸引，胃ろうもしくは腸ろうによる経管栄養または経鼻経管栄養（以下，「喀痰吸引等」という）を必要とする利用者に対して，登録喀痰吸引等事業者または登録特定行為事業者（以下「登録喀痰吸引等事業者等」という）の介護職員等が実施する喀痰吸引等の業務が円滑に行われるよう支援を行う取り組みを評価するものです。算定要件は次の表を参照ください。

○看護・介護職員連携強化加算：2,500 円／月

〈算定要件〉

①	利用者の病状やその変化に合わせて，主治医の指示により，アおよびイの対応を行っている場合に算定する（この場合の主治医の指示は，必ずしも訪問看護指示書に明記する必要はありませんが，医師からの指示については訪問看護記録書に記録しておきます）。 ア　喀痰吸引等に係る計画書や報告書の作成および緊急時等の対応についての助言 イ　介護職員等に同行し，利用者の居宅において喀痰吸引等の業務の実施状況についての確認
②	24時間対応体制加算を届け出している場合に算定可能である。
③	当該加算は，次の場合には算定できない。 ア　介護職員等の喀痰吸引等に係る基礎的な技術取得や研修目的での同行訪問 イ　同一の利用者に，他の訪問看護ステーションまたは保険医療機関において，看護・介護職員連携強化加算を算定している場合
④	介護職員等と同行訪問を実施した日の属する月の初日の訪問看護の実施日に算定する（訪問看護療養費明細書にある「特記事項」に「9　連」を記載し介護職員等と同行訪問した日を併せて記載）。また，その内容を訪問看護記録書に記録すること。
⑤	登録喀痰吸引等事業者等が，利用者に対する安全なサービス提供体制整備や連携体制確保のために会議を行う場合は，当該会議に出席し連携する。また，その場合は，会議の内容を訪問看護記録書に記録すること。

172 専門性の高い看護師による専門的な管理

Q 専門性の高い看護師が行う訪問看護における専門的な管理として専門管理加算がありますが，どのような場合に算定できるのですか？

A 専門管理加算は，訪問看護ステーションの緩和ケア，褥瘡ケアもしくは人工肛門ケアおよび人工膀胱ケアに係る専門の研修を受けた看護師，または特定行為研修を修了した看護師が，定期的（1月に1回以上）に訪問看護を行うとともに，利用者に係る訪問看護の実施に関する計画的な管理を行った場合に月1回に限り，以下の区分に従い，訪問看護管理療養費に加算します。

○専門管理加算イ　2,500円／月

緩和ケア，褥瘡ケアまたは人工肛門ケアおよび人工膀胱ケアに係る専門の研修を受けた看護師が計画的な管理を行った場合

○専門管理加算ロ　2,500円／月

特定行為研修を修了した看護師が計画的な管理を行った場合

〈算定対象者〉

専門管理加算イ

悪性腫瘍の鎮痛療法もしくは化学療法を行っている利用者，真皮を越える褥瘡の状態にある利用者（在宅患者訪問褥瘡管理指導料を算定する場合にあっては真皮までの状態の利用者）または人工肛門もしくは人工膀胱周囲の皮膚にびらん等の皮膚障害が継続もしくは反復して生じている状態にある利用者もしくは人工肛門もしくは人工膀胱のその他の合併症を有する利用者

専門管理加算ロ

特定行為に係る手順書の交付対象となった利用者（手順書加算（197頁参照）を算定する利用者に限る）

※主治医から交付された手順書について，主治医と共に，利用者の状態に応じて手順書の妥当性を検討します。

報酬

173 専門管理加算を算定できる看護師とは?

Q 専門管理加算を算定するためにはどのような研修を受けた看護師が配置されていればよいですか？　算定に当たり届出は必要ですか？

A 以下のいずれかの研修を受けた看護師の配置が必要です。算定に当たっては，地方厚生（支）局へ届出（418 頁参照）が必要です。

○緩和ケア，褥瘡ケアまたは人工肛門ケアおよび人工膀胱ケアに係る専門の研修

- 緩和ケアに係る専門の研修（111 頁表の①参照）
- 褥瘡ケアに係る専門の研修（111 頁表の②㋐・㋒を参照）
- 人工肛門ケアおよび人工膀胱ケアに係る専門の研修（111 頁表の③参照）

○指定研修機関における特定行為のうち訪問看護において専門の管理を必要とするものに係る研修

特定行為のうち訪問看護において専門の管理を必要とするものとは，以下の（ア）から（キ）。

（ア）気管カニューレの交換
（イ）胃ろうカテーテルもしくは腸ろうカテーテルまたは胃ろうボタンの交換
（ウ）膀胱ろうカテーテルの交換
（エ）褥瘡または慢性創傷の治療における血流のない壊死組織の除去
（オ）創傷に対する陰圧閉鎖療法
（カ）持続点滴中の高カロリー輸液の投与量の調整
（キ）脱水症状に対する輸液による補正

〈該当する特定行為研修〉

①以下のいずれかの区分の研修

- 呼吸器（長期呼吸療法に係るもの）関連
- ろう孔管理関連
- 創傷管理関連
- 栄養および水分管理に係る薬剤投与関連

②在宅・慢性期領域パッケージ研修

174 訪問看護医療DX情報活用加算

Q 令和６年度診療報酬改定により新設された訪問看護医療ＤＸ情報活用加算とは，どのような場合に算定できるのですか？

A 当該加算は，訪問看護ステーションにおいて，利用者の同意を得て居宅同意取得型のオンライン資格確認等システムを通じて利用者の診療情報，薬剤情報や特定健診等情報を取得し，当該情報を活用して質の高い訪問看護を提供することを評価した新たな加算です。オンライン資格確認の体制があるだけでは算定できません。

算定にあたっては，次頁の要件を満たし，地方厚生（支）局へ届出（420頁参照）が必要です。

〈算定要件〉

次のいずれの要件も満たすものであること。

①オンライン請求を行っている訪問看護ステーションであること。
②オンライン資格確認を行う体制を有している訪問看護ステーションであること。なお，オンライン資格確認の導入に際しては，医療機関等向け総合ポータルサイトにおいて，運用開始日の登録を行うこと。
③居宅同意取得型のオンライン資格確認等システムの活用により，看護師等が利用者の診療情報等を取得及び活用できる体制を有していること。
④医療ＤＸ推進の体制に関する事項および質の高い訪問看護を実施するための十分な情報を取得・活用して訪問看護を行うことについて，当該訪問看護ステーションの見やすい場所に掲示していること。具体的には次に掲げる事項を掲示していること。
（ア）看護師等が居宅同意取得型のオンライン資格確認等システムにより取得した診療情報等を活用して訪問看護・指導を実施している訪問看護ステーションであること。
（イ）マイナ保険証の利用を促進する等，医療ＤＸを通じて質の高い医療を提供できるよう取り組んでいる訪問看護ステーションであること（令和7年9月30日まで掲示を行っているものとみなす）。
　掲示については、訪問看護ステーション内の事務室（利用申込みの受付、相談等に対応する場所）等にまとめて掲示しても差し支えないです。掲示内容については、以下のURL に示す様式を参考にしてください。これらのポスターは、「訪問看護医療ＤＸ情報活用加算」の掲示に関する施設基準を満たします。
https://www.mhlw.go.jp/stf/index_16745.html
⑤④の掲示事項について，原則として，ウェブサイトに掲載していること。自ら管理するホームページ等を有しない場合については，この限りではないこと（令和7年5月31日まで基準に該当するものとみなす）。

※オンライン請求・オンライン資格確認については，260～271頁をご参照ください。

175 訪問看護情報提供療養費の算定

Q 訪問看護情報提供療養費は 1，2，3 とありますが，どのように使い分けるのでしょうか？

A 訪問看護情報提供療養費は 1，2，3 と 3 種類あります。「1」は市町村や都道府県へ，「2」は学校等へ，「3」は医療機関等へ情報提供します。

送付先によって，情報提供書の様式（393 ～ 395 頁参照）は異なります。訪問看護情報提供療養費 1，2，3 の算定に当たっては，いずれにおいても利用者や家族の同意が必要となります。同意は口頭でもよいですが，同意を得たことを記録に残しておきましょう。

訪問看護情報提供療養費を算定した場合は，主治医に提出する訪問看護報告書に，その情報提供先と情報提供日を記入します。また，必要に応じて，情報提供内容についても報告します。

1，2，3 のそれぞれの算定要件については，174 ～ 178 頁を参照してください。算定要件を満たしていれば，1 人の利用者について，同月に，訪問看護情報提供療養費 1，2，3 を算定することは可能です。

○訪問看護情報提供療養費 1：1,500 円／月（別紙様式 1 または 2）
○訪問看護情報提供療養費 2：1,500 円／月（別紙様式 3）
○訪問看護情報提供療養費 3：1,500 円／月（別紙様式 4）

176 訪問看護情報提供療養費 1

Q 訪問看護情報提供療養費 1 は，どのような場合に訪問看護の情報を提供すると算定できるのでしょうか？

A 訪問看護情報提供療養費 1 は，訪問看護ステーションが利用者の同意を得て，利用者の居住地を管轄する市町村等または指定特定相談支援事業者もしくは指定障害児相談支援事業者（以下，指定特定相談支援事業者等）に対して，市町村等または指定特定相談支援事業者等からの求めに応じて，訪問看護の状況を示す文書を添えて，当該市町村等または指定特定相談支援事業者等が利用者に対して，健康教育，健康相談，機能訓練，訪問指導等の保健サービスまたはホームヘルプサービス（入浴，洗濯等のサービスも含む）等の福祉サービスを有効に提供するために必要な情報を提供した場合に，利用者 1 人につき月 1 回に限り算定します。

〈算定対象者〉

①厚生労働大臣が定める疾病等の者（105 頁別表第 7 参照）
②特別管理加算の対象者（105 頁別表第 8 参照）
③精神障害を有する者またはその家族等
④18 歳未満の児童

訪問看護を行った日から 2 週間以内に，別紙様式 1 または 2 の文書により，市町村等または指定特定相談支援事業者等に対して情報を提供します。

市町村等または指定特定相談支援事業者等の情報提供の依頼者および依頼日については，訪問看護記録書に記載し，市町村等または指定特定相談支援事業者等に対して提供した文書については，その写しを訪問看護記録書に添付しておきます。

算定時の注意点については，次頁の表を参照してください。

〈算定時の注意点〉

①	市町村等が指定訪問看護事業者である場合は，当該市町村等に居住する利用者には算定できません。また，訪問看護ステーションと特別の関係にある指定特定相談支援事業者等に対して情報提供を行った場合は算定できません。
②	1人の利用者に対し，1つの訪問看護ステーションにおいてのみ算定できます。
③	同一月において，介護保険の訪問看護を受けている場合には算定できません。

177 訪問看護情報提供療養費２

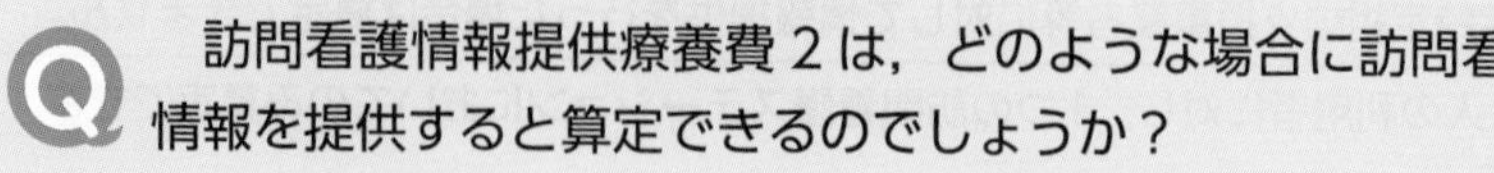

Q 訪問看護情報提供療養費２は，どのような場合に訪問看護の情報を提供すると算定できるのでしょうか？

A 訪問看護情報提供療養費２は，学校生活を安心して安全に送ることができるよう訪問看護ステーションと学校等の連携を推進する目的のものです。

〈情報提供先〉

保育所等（次頁コラム参照），幼稚園，小学校，中学校，義務教育学校，高等学校，中等教育学校，特別支援学校，高等専門学校，専修学校（以下「学校等」という）

〈算定対象者〉

① 18歳未満の超重症児・準超重症児
② 18歳未満の児童であって，厚生労働大臣が定める疾病等の者（105頁別表第7）
③ 18歳未満の児童であって，特別管理加算の対象者（105頁別表第8）

上記①～③の利用者について，訪問看護ステーションが利用者および家族等の同意を得て，当該学校等からの求めに応じて，医療的ケアの実施方法等の訪問看護の状況を示す文書を添えて，必要な情報を提供した場合に，利用者１人につき各年度１回に限り算定します。入園（入学）または転園（転学）等により，当該学校等に初めて在籍することになる月については，当該学校等につき月１回に限り別に算定できます。また，医療的ケアの実施方法等を変更した月についても月１回に限り算定が可能です。訪問看護を行った日から２週間以内に，別紙様式３の文書により，当該学校等に対して情報を提供します。

当該学校の情報提供の依頼者および依頼日については，訪問看護記録書に記載するとともに，当該学校に対して提供した文書については，その写しを訪問看護記録書に添付しておきましょう。

算定時の注意点は，次頁の表を参照してください。

〈算定時の注意点〉

①	当該情報を提供する訪問看護ステーションの開設主体が，利用者が在籍する学校の開設主体と同じである場合には算定できません。
②	1人の利用者に対し，1つの訪問看護ステーションにおいてのみ算定できます。
③	文書を提供する前6月の期間（文書を提供する日が属する月（当該月を含まない）から遡って6月の期間）において，定期的に当該利用者に訪問看護を行っている訪問看護ステーションが算定できます（例：4月15日提供の場合は前年10月から訪問看護開始）。
④	当該情報提供は当該学校等において利用者の医療的ケアの実施等に当たる看護職員と連携するためです。
⑤	18歳の誕生日を迎えた利用者について，医療的ケアの変更等により学校等からの求めに応じて情報提供を行う必要がある場合は，当該利用者が18歳に達する日以後最初の3月31日までは算定可能です。

Column

保育所等とは

「保育所等」には，児童福祉法に規定する保育所，家庭的保育事業を行う者，小規模保育事業を行う者および事業所内保育事業を行う者，就学前の子どもに関する教育，保育等の総合的な提供の推進に関する法律に規定する認定こども園が含まれます。

報酬

178 訪問看護情報提供療養費3

Q 訪問看護情報提供療養費3は，どのような場合に訪問看護の情報を提供すると算定できるのでしょうか？

A 利用者が医療機関，介護老人保健施設または介護医療院（以下「医療機関等」）に入院または入所し，在宅から医療機関等へ療養の場所を変更する場合に，訪問看護ステーションと医療機関等の実施する看護の有機的な連携を強化し，利用者が安心して療養生活を送ることができるよう，切れ目のない支援と継続した看護の実施を推進することを目的とするものです。

訪問看護情報提供療養費3は，医療機関等に入院または入所し，在宅から医療機関等へ療養の場所を変更する利用者について，訪問看護ステーションが利用者の同意を得て，訪問看護に係る情報を別紙様式4の文書により主治医に提供した場合に，利用者1人につき月1回に限り算定します。また，当該文書の写しを，求めに応じて，入院または入所先の医療機関等と共有します。訪問看護ステーションは，入院または入所時に医療機関等が適切に情報を活用することができるよう，速やかに情報提供を行い，主治医に対して提供した文書については，その写しを訪問看護記録書に添付しておきます。

〈算定時の注意点〉

①利用者が入院または入所する医療機関等が，訪問看護ステーションと特別の関係にある場合または主治医の所属する医療機関と同一の場合は算定できません（主治医の所属する医療機関と訪問看護ステーションが特別の関係にある場合においては算定可能です）。

②1人の利用者に対し，1つの訪問看護ステーションにおいてのみ算定できます。

179 訪問看護ターミナルケア療養費の算定要件

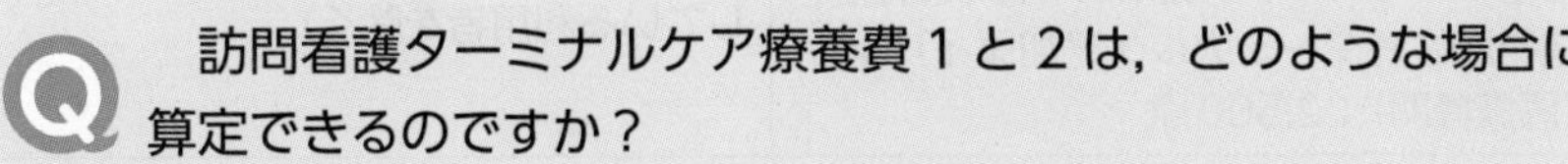

Q 訪問看護ターミナルケア療養費1と2は，どのような場合に算定できるのですか？

A 訪問看護ターミナルケア療養費の評価は次頁の表の通り2段階となっています。

訪問看護ターミナルケア療養費は，主治医との連携の下に，訪問看護ステーションの看護師等が在宅での終末期の看護の提供を行った場合を評価するものです。ターミナルケアの実施については，厚生労働省「人生の最終段階における医療・ケアの決定プロセスに関するガイドライン」等の内容を踏まえ，利用者およびその家族等と話し合いを行い，利用者本人の意思決定を基本に，他の関係者と連携の上，対応することとなっています。

算定に当たっては，在宅で死亡した利用者について，死亡日および死亡日前14日以内の計15日間に訪問看護基本療養費，精神科訪問看護基本療養費または退院支援指導加算のいずれかを合わせて2回以上算定していることが必要です。また，訪問看護におけるターミナルケアの支援体制（訪問看護ステーションの連絡担当者の氏名，連絡先電話番号，緊急時の注意事項等）について，利用者，家族等に対して説明した上でターミナルケアを行うことが必要です。

原則は在宅（または特別養護老人ホーム等）で死亡した場合に算定できますが，ターミナルケアを行った後，24時間以内に在宅以外で死亡した場合は算定が可能です。

1人の利用者に対して，他の訪問看護ステーションにおいて訪問看護ターミナルケア療養費を算定している場合，または医療機関において在宅患者訪問看護・指導料の在宅ターミナルケア加算もしくは同一建物居住者訪問看護・指導料の同一建物居住者ターミナルケア加算を算定している場合においては，算定できません。

訪問看護ターミナルケア療養費1 (訪問看護ステーション)：25,000円 在宅ターミナルケア加算イ（または同一建物居住者ターミナルケア加算イ） (医療機関)：2,500点	・在宅で死亡した利用者 ・特別養護老人ホーム等（※）で死亡した利用者（看取り介護加算等を算定している利用者を除く）
訪問看護ターミナルケア療養費2 (訪問看護ステーション)：10,000円 在宅ターミナルケア加算ロ（または同一建物居住者ターミナルケア加算ロ） (医療機関)：1,000点	特別養護老人ホーム等（※）で死亡した利用者（看取り介護加算等を算定している利用者の場合）

※特別養護老人ホーム等とは，特定施設，認知症対応型共同生活介護事業所，介護老人福祉施設

Column

看取り介護加算とは

看取り介護加算とは，医師が，一般的に認められている医学的知見に基づき回復の見込みがないと診断した利用者について，その旨を利用者またはその家族等に対して説明し，その後の療養および介護に関する方針についての合意を得た場合において，医師，看護職員，介護職員，生活相談員，介護支援専門員等が共同して，随時，利用者等に対して十分な説明を行い，療養および介護に関する合意を得ながら，利用者がその人らしく生き，その人らしい最期が迎えられるよう支援することを主眼として設けられた加算です。

180 遠隔死亡診断補助加算とは?

Q 訪問看護ターミナルケア療養費の加算である遠隔死亡診断補助加算とは，どのような場合に算定できるのですか？

A 連携する医療機関において，在宅患者訪問診療料の死亡診断加算を算定する利用者（特別地域（119 頁参照）に居住する利用者に限る）について，主治医の指示により，情報通信機器を用いた在宅での看取りに係る研修を受けた看護師が，厚生労働省「情報通信機器（ICT）を利用した死亡診断等ガイドライン」に基づき，主治医による情報通信機器を用いた死亡診断の補助を行った場合に算定するものです。

○遠隔死亡診断補助加算：1,500 円

なお, 情報通信機器を用いた在宅での看取りに係る研修（コラム参照）とは，厚生労働省「情報通信機器（ICT）を利用した死亡診断等ガイドライン」に基づく「法医学等に関する一定の教育」となっています。

算定にあたっては，地方厚生（支）局へ届出（419 頁参照）が必要になります。

※令和６年度診療報酬改定により，医療機関の訪問看護（在宅患者訪問看護・指導料，同一建物居住者訪問看護・指導料）においても，遠隔死亡診断補助加算（150点）が新設されました。

Column

「情報通信機器を用いた在宅での看取りに係る研修」とは?

具体的には, 厚生労働省「在宅看取りに関する研修事業」（平成 29 ～31年度）および「ICT を活用した在宅看取りに関する研修推進事業」（令和2年度～）により実施されている研修が該当します。

181 訪問看護ターミナルケア療養費の日数

Q 要介護５の利用者が終末期の状態となり，４月 20 日より特別訪問看護指示書が交付され，医療保険の訪問看護に切り替わりました。ところが，４月 20 日に医療保険で訪問看護を行い，その翌日に亡くなりました。死亡日を含む計 15 日間に介護保険では２日以上訪問看護は行っているのですが，医療保険では１日しかありません。この場合は，医療保険の訪問看護ターミナルケア療養費を算定できないのでしょうか？

A 医療保険の訪問看護ターミナルケア療養費が算定できます。ターミナルケアの評価において，介護保険と医療保険の訪問日数を合算することが可能です。よって，介護保険で１日，医療保険で１日，それぞれでターミナルケアを実施しているのであれば，合計して２日になり要件を満たすことになります。算定は，最後に実施した保険制度で考えますので，今回は医療保険の訪問看護ターミナルケア療養費を算定します。

182 2か所・3か所の訪問看護ステーション

医療保険では，利用者は原則１か所の訪問看護ステーションからしか訪問看護を受けられませんが，例外的に２か所または３か所の訪問看護ステーションが利用できる場合があると聞きました。どのような場合に２か所以上利用できるのでしょうか？

A 〈2か所の訪問看護ステーションが利用できる場合〉

①厚生労働大臣が定める疾病等の者（105頁別表第７参照）
②特別管理加算の対象者（105頁別表第８参照）
③（精神科）特別訪問看護指示書の指示期間中で，週４日以上の訪問看護が計画（訪問看護計画書に明記）されているもの

〈3か所の訪問看護ステーションが利用できる場合〉

①または②であって，週７日の訪問看護が計画（訪問看護計画書に明記）されているもの

１人の利用者に対し，複数の訪問看護ステーションや医療機関において訪問看護を行う場合は，訪問看護ステーション間および訪問看護ステーションと医療機関との間において十分に連携を図ります。具体的には，訪問看護の実施による利用者の目標の設定，計画の立案，訪問看護の実施状況および評価を共有します。

※緩和ケア，褥瘡ケアまたは人工肛門ケアおよび人工膀胱ケアに係る専門の研修を受けた看護師の同行による訪問看護を行うステーションは，利用可能なステーションの数に含めなくてよいです。

183 同一日の算定――緊急訪問看護加算

Q 末期の悪性腫瘍である利用者に関わる2か所の訪問看護ステーション。緊急の場合に，同一日に2か所とも訪問することがありますが，この場合，それぞれ訪問看護療養費の算定は可能でしょうか？

A 医療保険では，同一日においては，訪問看護療養費を算定できるのは1か所の訪問看護ステーションのみが原則です。たとえ緊急で同一日に2か所の訪問看護ステーションが訪問しても，訪問看護療養費を算定できるのは1か所です。ただし，問のように複数の訪問看護ステーションが訪問看護を行っている場合に，1か所の訪問看護ステーションが計画に基づく訪問看護を行った日に，他の訪問看護ステーションが緊急の訪問看護を行った場合は，緊急の訪問看護を行った他の訪問看護ステーションは緊急訪問看護加算を算定できます。算定できるのは緊急訪問看護加算のみであって，訪問看護療養費は算定できません。この場合，訪問看護療養費を算定する計画に基づく訪問看護を行った訪問看護ステーションとの間で合議の上，費用の精算を行います。また，算定にあたっては以下の要件を満たしている必要があります。

〈算定要件〉

①緊急の訪問看護を行った訪問看護ステーションが24時間対応体制加算の届出を行っていること。

②当該利用者に対して過去1月以内に訪問看護を実施していること。

なお，緊急訪問看護加算の算定においては，主治医が24時間体制の確保された診療所や在宅療養支援病院の医師であることなど要件があります。詳しくは120頁を参照してください。

184 訪問看護ステーションと医療機関の訪問看護の併算定

Q 医療保険において，2か所の訪問看護ステーションを利用できる場合は限られていますが，訪問看護ステーションと医療機関の訪問看護の場合はどうでしょうか？

A 医療保険において，2か所の訪問看護ステーションを利用できる場合は183頁のように限られていますが，整理すると以下のようになります。訪問看護ステーション同士，病院・診療所の訪問看護同士の場合も合わせて示します。同一月算定が可能でも，同一日算定はできない場合がありますので，注意が必要です。

St：訪問看護ステーション　PSW：精神保健福祉士　OT：作業療法士

	St × St		St × 病院・診療所		病院・診療所 × 病院・診療所	
複数の訪問看護の組み合わせが認められる場合】	同一月	同一日	同一月	同一日	同一月	同一日
別表第7・別表第8	○	×	○	×	×	×
（精神科）特別訪問看護指示書の交付	○ ※2	×	○ ※2	×	×	×
退院後1か月以内（精神科訪問看護・指導料を算定している場合は，退院後3か月）	×	×	○ ※3	○ ※3	○	○ ※6
専門の研修を受けた看護師との共同	＼	○	＼	○	＼	○ ※6
精神科在宅患者支援管理料を算定	×	×	○	○ ※5	×	×
ＰＳＷが精神科訪問看護・指導料を算定※1	×	×	○ ※4	×	×	×

※1　精神科在宅患者支援管理料に係る届出を行っている保険医療機関が算定する場合に限る。
※2　週4日以上の訪問看護が計画されている場合に限る。
※3　病院・診療所側が，患者が入院していた医療機関の場合に限る。
※4　精神科訪問看護・指導料および訪問看護療養費を算定する日と合わせて週3日（退院後3月以内の期間において行われる場合にあっては，週5日）を限度とする。
※5　医療機関が精神科在宅患者支援管理料1（特別の関係のStと連携）または3を算定する場合は，病院・診療所からの訪問看護がOTまたはPSWの場合に限る。
※6　特別の関係の場合を除く。

報酬

185 同一法人立の医療機関の主治医との併算定

Q 医療法人立の訪問看護ステーションです。同一法人立の医療機関の主治医から訪問看護指示書の交付を受けている利用者に訪問看護を行った後，利用者の急変のため，主治医が往診しました。それぞれ算定はどうなりますか？

A このような場合は，それぞれ算定可能です。

特別の関係かつ指示書交付関係にある場合は，原則，訪問看護療養費と往診料，在宅患者訪問診療料の同一日算定はできないことになっています。しかし，問のような場合は，例外として認められています。

問のような場合のほか，以下についても医師との同日訪問が認められています。

①利用者が医療機関を退院後１月を経過するまで。

②在宅患者訪問褥瘡管理指導料の算定に必要なカンファレンスを実施する場合であって，当該利用者に対して，継続的な訪問看護を実施する必要がある場合（ただし，在宅患者訪問診療料を算定する場合に限る）。

Column

特別の関係とは?

医療保険では，「特別の関係」の保険医療機関とは制限が設けられていることがあります。この「特別の関係」とは以下のいずれかの場合です。

① 当該保険医療機関等の開設者が，当該他の保険医療機関等の開設者と同一の場合

② 当該保険医療機関等の代表者が，当該他の保険医療機関等の代表者と同一の場合

③ 当該保険医療機関等の代表者が，当該他の保険医療機関等の代表者の親族等の場合

④ 当該保険医療機関の理事・監事・評議員その他の役員等のうち，当該他の保険医療機関等の役員等の親族等の占める割合が 10 分の 3 を超える場合

⑤ ①から④までに掲げる場合に準じる場合（人事，資金等の関係を通じて，当該保険医療機関等が，当該他の保険医療機関等の経営方針に対して重要な影響を与えることができると認められる場合に限る）

186 在宅がん医療総合診療料とは?

Q 主治医より，末期の悪性腫瘍のケースに対して，在宅がん医療総合診療料を算定すると連絡がありました。当該診療料が算定される場合，訪問看護ステーションの訪問看護療養費の算定はどうなりますか？

A 在宅がん医療総合診療料における訪問看護の実施については，ステーションとの連携により確保する場合も対象となり，それらの費用は，主治医の医療機関で一括して算定されます。よって，ステーションは，訪問看護にかかった費用を，主治医の医療機関へ請求します。この場合の請求額は特に決まりがあるわけではありませんが，訪問看護療養費の報酬額を参考にするとよいでしょう。費用の請求に際しては，事前に医療機関とステーションの双方で書面にて確認しておくことが大事です。

Column

在宅がん医療総合診療料の算定要件の概要

在宅がん医療総合診療料は，厚生労働大臣の定める施設基準に適合するものとして地方厚生（支）局に届け出た保険医療機関である在宅療養支援診療所または在宅療養支援病院が，在宅での療養を行っている通院が困難な末期の悪性腫瘍患者（医師または看護師等の配置が義務づけられている施設に入居または入所している患者（給付調整告示等に規定する場合を除く）の場合を除く）に対して，計画的な医学管理の下に，次に掲げる基準のいずれにも該当する総合的な医療を提供した場合に，1 週間（日曜日から土曜日までの暦週をいう）を単位として当該基準をすべて満たした日に算定します。

この場合，往診および訪問看護により 24 時間対応できる体制を確保し，在宅療養支援診療所（病院）の連絡担当者の氏名，連絡先電話番号等，担当日，緊急時の注意事項等並びに往診担当医および訪問看護担当者の氏名等について，文書により提供している必要があります。

① 当該患者に対し，訪問診療または訪問看護を行う日が合わせて週 4 日以上であること（同一日において訪問診療および訪問看護を行った場合であっても 1 日とする）

② 訪問診療の回数が週 1 回以上であること

③ 訪問看護の回数が週 1 回以上であること

187 在宅患者訪問点滴注射管理指導料とは?

Q 在宅患者訪問点滴注射管理指導料とは，どのような場合に算定するものですか？ 筋肉注射も対象ですか？

A 在宅患者訪問点滴注射管理指導料（100 点／週）とは，在宅で療養を行っている通院困難な患者について，当該患者の在宅療養を担う医師が，診療に基づき，週 3 日以上の点滴注射を行う必要を認め，当該医療機関の看護師等もしくは訪問看護ステーションの看護師等に指示を行い，その看護師等が 1 週間（指示を行った日から 7 日間）のうち 3 日以上点滴注射を実施した場合に，3 日目に当該医療機関において算定するものです。当該指導料に係る薬剤料は別に算定できます。

また，在宅患者訪問点滴注射管理指導料の算定対象者は，医療保険による訪問看護を受けている人のみではなく，介護保険の訪問看護（看護小規模多機能型居宅介護事業所（通所サービス中に実施される点滴注射は除く），定期巡回・随時対応型訪問介護看護事業所による訪問看護含む）の利用者も対象です。

当該指導料は点滴注射が対象であって，筋肉注射は対象ではありません。

I-5 介護保険と医療保険の区分け

報酬

188 訪問看護だけの利用

Q 要介護認定の申請をして，要介護１と判定された利用者がいます。今のところ訪問看護サービスしか利用しません。医療保険の訪問看護の扱いでもよいでしょうか？

A 要介護・要支援の認定を受け要介護者または要支援者となった場合は，訪問看護のみの利用であっても，介護保険が優先しますので，ケアプランに基づく訪問看護を提供することになります。介護保険と医療保険の訪問看護対象者の区分けを下の表に示します。

	介護保険	医療保険
対象者	要介護者または要支援者	○介護保険制度の適用にならない者（乳幼児～高齢者） ○要介護者または要支援者であっても以下の者は医療保険の適用になる • 厚生労働大臣が定める疾病等の者（190頁参照） • 急性増悪等により特別訪問看護指示書が交付されている者 • 認知症を除く精神科訪問看護対象者（精神科訪問看護・指導料，精神科訪問看護基本療養費を算定する者） ※精神科在宅患者支援管理料を算定する認知症は医療保険 • 在宅療養に備えて一時的に外泊している入院患者

（注）訪問看護のみ利用する場合，要介護認定を取り下げることで医療保険の訪問看護を受けることは可能です。

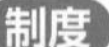

189 厚生労働大臣が定める疾病等の扱い

Q 厚生労働大臣が定める疾病等の利用者は，要介護（支援）者であっても医療保険が優先されますが，それはどのような疾病ですか？

A 医療保険が優先される厚生労働大臣が定める疾病等は以下の通りです。

末期の悪性腫瘍，多発性硬化症，重症筋無力症，スモン，筋萎縮性側索硬化症，脊髄小脳変性症，ハンチントン病，進行性筋ジストロフィー症，パーキンソン病関連疾患（進行性核上性麻痺，大脳皮質基底核変性症，パーキンソン病（ホーエン・ヤールの重症度分類がステージ3以上であって生活機能障害度がⅡ度またはⅢ度のものに限る。）），多系統萎縮症（線条体黒質変性症，オリーブ橋小脳萎縮症，シャイ・ドレーガー症候群），プリオン病，亜急性硬化性全脳炎，ライソゾーム病，副腎白質ジストロフィー，脊髄性筋萎縮症，球脊髄性筋萎縮症，慢性炎症性脱髄性多発神経炎，後天性免疫不全症候群，頸髄損傷，人工呼吸器を使用している状態

報酬／制度

190 精神疾患を有する利用者

Q 当訪問看護ステーションの利用者で，統合失調症の要介護2の利用者がいます。末期の悪性腫瘍等厚生労働大臣が定める疾病ではないので，介護保険の訪問看護でよいですか？

A 要介護（支援）者に対する精神科訪問看護は，医療保険給付となります。ただし，認知症は介護保険給付となります（精神科在宅患者支援管理料を算定する認知症患者はこの限りでない）。精神科の主治医より精神科訪問看護指示書の交付を受け，精神科訪問看護基本療養費を算定することになります。

精神科訪問看護基本療養費の算定に当たっては，訪問看護ステーションは届出が必要となりますので注意が必要です（100頁参照）。

191 医療保険の訪問看護で補える?

Q 糖尿病でインスリン注射を行っている要介護者にケアプランに基づいて訪問看護を行っていますが，支給限度額を超えてしまいます。この場合，超えてしまう分を医療保険の訪問看護で補ってもよいのでしょうか？

A そのような使い方はできません。支給限度額（コラム参照）を超えてしまう分は全額自己負担になります。

このような場合に医療保険の訪問看護が提供されるのは，急性増悪等で特別訪問看護指示書が交付された期間となります。

Column

居宅介護サービス費等区分支給限度基準額および介護予防サービス費等区分支給限度基準額

要支援 1	5,032 単位／月
要支援 2	10,531 単位／月
要介護 1	16,765 単位／月
要介護 2	19,705 単位／月
要介護 3	27,048 単位／月
要介護 4	30,938 単位／月
要介護 5	36,217 単位／月

報酬

192 同日2回の訪問看護の算定

Q 介護保険で計画された訪問看護を行った後，利用者が急変し，主治医が往診しました。同日特別訪問看護指示書が交付され，主治医の指示により同日2回目の訪問看護を行いました。このような場合，1回目，2回目の訪問看護は，介護保険と医療保険のどちらで算定すればよいのでしょうか？

A 特別訪問看護指示書が交付される前は介護保険で対応，交付された後は医療保険で対応することになります。よって1回目は介護保険，2回目は医療保険で対応します。

制度

193 指定難病の利用者への訪問看護

Q 現在，指定難病は341疾病ありますが，この指定難病の利用者に対する訪問看護は，要介護者であってもすべて医療保険でしょうか？　また，訪問看護の利用料の負担はどのようになりますか？

A 指定難病（441～446頁参照）の対象者がすべて医療保険の訪問看護の対象になるわけではありません。指定難病の中で，厚生労働大臣が定める疾病等（No.189表参照）に該当している疾病は，医療保険になります。利用者負担については223頁を参照してください。

制度

194 脊髄小脳変性症の扱いは?

Q 介護保険の特定疾病に脊髄小脳変性症がありますが，厚生労働大臣が定める疾病等にも該当しています。このような場合，訪問看護は介護保険と医療保険のどちらでしょうか？

A 脊髄小脳変性症は，介護保険の特定疾病に該当していますので，40 歳以上 65 歳未満の第 2 号被保険者が介護認定を受けることで，介護保険のサービスを利用することが可能です。しかし，訪問看護の提供は，厚生労働大臣が定める疾病等（No.189 表参照）に該当していますので，医療保険の扱いとなります。

制度

195 睡眠時無呼吸症候群の利用者

Q 睡眠時無呼吸症候群のため CPAP を使用している利用者がいます。この利用者は,「人工呼吸器を使用している状態」として，要介護（支援）者であっても，医療保険の訪問看護の提供となりますか？

A 睡眠時無呼吸症候群にて CPAP や ASV を使用している場合は，医療機関にて，「在宅持続陽圧呼吸療法指導管理料」が算定されています。この場合は，厚生労働大臣が定める疾病等の者（105 頁別表第 7）の「人工呼吸器を使用している状態」には該当しないため，介護保険の訪問看護となります。医療機関にて「在宅人工呼吸指導管理料」を算定している場合は，人工呼吸器に含まれます。

制度

196 末期の悪性腫瘍は必ず医療保険?

Q 末期の悪性腫瘍の利用者ですが，状態が落ち着いておりひとまず週２～３回の訪問看護で対応できそうです。この場合は介護保険の訪問看護で開始し，訪問回数が増えたら医療保険に切り替えればよいですか？

A 末期の悪性腫瘍を含む厚生労働大臣が定める疾病等（No.189 表参照）は，医療保険の給付対象となり介護保険の訪問看護費を算定しないことが，通知に示されています。よって，主治医が末期と判断し訪問看護指示書に明記しているのであれば，訪問回数にかかわらず医療保険の訪問看護の対象になります。

制度

197 特定医療費（指定難病）受給者証の有無

Q パーキンソン病の利用者ですが，指定難病の認定は受けていません。主治医は，厚生労働大臣が定める疾病等に該当するとしています。指定難病の認定を受けなければ，厚生労働大臣が定める疾病等には該当しませんか？

A 厚生労働大臣が定める疾病等については，指定難病の認定を受けているか，特定医療費（指定難病）受給者証があるかなどは，告示・通知とも何も規定はしていません。主治医がホーエン・ヤールの重症度分類がステージ３以上であって，生活機能障害度がⅡ度またはⅢ度であると診断をして指示書に明記していれば，厚生労働大臣が定める疾病等（No.189 表参照）であるといえます。

制度

198 訪問看護ステーションのリハビリテーション

Q **介護保険の認定を受けているALSの利用者に，当訪問看護ステーションより訪問看護を開始します。理学療法士によるリハビリテーションも行う予定です。この場合，訪問看護は医療保険ですが，理学療法士の訪問は介護保険対応ですか？**

A 訪問看護ステーションの理学療法士が行うリハビリテーションは，訪問看護の範疇で行っていますので，リハビリテーションも医療保険です。

よって，訪問時間は30分〜1時間30分が標準となり介護保険の理学療法士等の訪問看護とは提供時間の考え方が異なります（7頁参照）。

報酬

199 加算等の取り扱い

Q **介護保険で訪問看護を提供中の要介護者に，特別訪問看護指示書が交付されました。在宅酸素療法を行っているので，介護保険で特別管理加算を算定しています。医療保険でも特別管理加算を算定できますか？　また，利用者の同意が得られれば，24時間対応体制加算と訪問看護情報提供療養費1の算定もできますか？**

A すでに介護保険で特別管理加算を算定しているので，医療保険において特別管理加算は算定できません。

介護保険と医療保険の給付調整に関する通知より，介護保険の訪問看護において，緊急時訪問看護加算を算定している月にあっては医療保険の24時間対応体制加算，介護保険における特別管理加算を算定している月にあっては医療保険の特別管理加算は算定できないことになっています。

訪問看護情報提供療養費1については，同一月内に介護保険の訪問看護が行われているので，算定できません。

I-6　訪問看護指示書

制度

200　訪問看護指示書の交付範囲

Q　訪問看護指示書は，訪問看護ステーション以外にも交付できるのですか？

A　地域密着型サービスの「定期巡回・随時対応型訪問介護看護」と「看護小規模多機能型居宅介護」が看護サービスを提供する場合は，主治医より訪問看護指示書の交付を受ける必要があります。交付した主治医は，訪問看護ステーションと同様に訪問看護指示料を算定することができます。

○訪問看護指示料　300 点／月 1 回
○特別訪問看護指示加算　100 点／月 1 回（気管カニューレを使用している状態にある者・真皮を越える褥創の状態にある者は月 2 回算定可）
○手順書加算　150 点／ 6 月 1 回（197 頁参照）
○衛生材料等提供加算　80 点／月 1 回（199 頁参照）

なお，令和 6 年 6 月から訪問看護レセプトのオンライン請求が開始されることを踏まえ，訪問看護指示書および精神科訪問看護指示書の主たる傷病名について，傷病名コードを記載することとなりました。

201 特定行為の実施に係る指示――手順書加算

Q 訪問看護ステーションの看護師が特定行為を行うに当たって手順書が交付されるとのことですが，具体的にはどのような場合に交付されるのですか？

A 訪問看護指示料の加算として，手順書加算（150点／6月に1回）があります。当該加算は，訪問看護指示書を交付している主治医が特定行為の必要を認め，特定行為研修を修了した看護師に対して手順書を交付した場合に算定します。

手順書が交付される特定行為は，以下の通りです。

①気管カニューレの交換
②胃ろうカテーテルもしくは腸ろうカテーテルまたは胃ろうボタンの交換
③膀胱ろうカテーテルの交換
④褥瘡または慢性創傷の治療における血流のない壊死組織の除去
⑤創傷に対する陰圧閉鎖療法
⑥持続点滴中の高カロリー輸液の投与量の調整
⑦脱水症状に対する輸液による補正

Column

手順書とは?

手順書は，医師または歯科医師が看護師に診療の補助を行わせるために，その指示として作成する文書であって，「看護師に診療の補助を行わせる患者の病状の範囲」「診療の補助の内容」等が定められているものです。

具体的に，手順書の記載事項としては，以下の事項となります。

1. 看護師に診療の補助を行わせる患者の病状の範囲
2. 診療の補助の内容
3. 当該手順書に係る特定行為の対象となる患者
4. 特定行為を行うときに確認すべき事項
5. 医療の安全を確保するために医師または歯科医師との連絡が必要となった場合の連絡体制
6. 特定行為を行った後の医師または歯科医師に対する報告の方法

なお，「3. 当該手順書に係る特定行為の対象となる患者」とは，その手順書を適用する患者の状態を指し，患者は，医師または歯科医師が手順書により指示を行う時点において特定されている必要があります。

手順書の具体的な内容については，1. ～ 6. の手順書の記載事項に沿って，各医療現場において，必要に応じて看護師等と連携し，医師または歯科医師があらかじめ作成することになっています。

また，各医療現場の判断で，記載事項以外の事項やその具体的内容を追加することもできます。

〔参考文献〕

＊厚生労働省ホームページ「特定行為に係る看護師の研修制度　手順書とは」
https://www.mhlw.go.jp/stf/seisakunitsuite/bunya/0000070337.html

202 衛生材料などの提供についての評価

Q 訪問看護において，主治医の指示に基づき処置などを行う際の必要な物品は，どのように準備すればよいのでしょうか？

A 在宅療養における衛生材料，保険医療材料（以下，衛生材料等）は，医療機関が準備します。医療機関において，これらの費用は，衛生材料等提供加算または衛生材料等が包括されている在宅療養指導管理料等にて評価されています。

衛生材料等提供加算（80点／月1回）とは（精神科）訪問看護指示料の加算です。主治医が，在宅療養において衛生材料等が必要な患者に対し，当該患者へ訪問看護を実施している訪問看護ステーションから提出された訪問看護計画書および訪問看護報告書を基に，療養上必要な量について判断の上，必要かつ十分な量の衛生材料等を患者に支給した場合に算定するものです。在宅療養指導管理料が算定されている場合には，衛生材料等の費用が包括されているため，当該加算は算定できません。ただし，衛生材料等とは別に特定保険医療材料として評価されている材料については，別途算定できるようになっています。

制度

203 訪問看護指示書の交付方法

Q 訪問看護指示書は，主治医が署名または記名・押印した書面で交付されていますが，それ以外の方法も認められているのでしょうか？　たとえば，電子メールでもよいのでしょうか？

A 主治医が署名または記名・押印した書面による交付以外に，電子的に署名を行い，安全性を確保した上で電子的に送受した場合も認められています。ただし，単なる電子メールでの交付は認められません。認められるには，以下のような要件があります。

①電子的方法によって，個々の患者の診療に関する情報等を他の保険医療機関等に提供する場合は，厚生労働省「医療情報システムの安全管理に関するガイドライン」を遵守し，安全な通信環境を確保すること。

②書面における署名または記名・押印に代わり，本ガイドラインに定められた電子署名（厚生労働省の定める準拠性監査基準を満たす保健医療福祉分野 PKI 認証局の発行する電子証明書を用いた電子署名，認定認証事業者（電子署名及び認証業務に関する法律（平成 12 年法律第 102 号）第 2 条第 3 項に規定する特定認証業務を行う者をいう。）または認証事業者（同条第 2 項に規定する認証業務を行う者（認定認証事業者を除く。）をいう。）の発行する電子証明書を用いた電子署名，電子署名等に係る地方公共団体情報システム機構の認証業務に関する法律（平成 14 年法律第 153 号）に基づき，平成 16 年 1 月 29 日から開始されている公的個人認証サービスを用いた電子署名等）を施すこと。

制度

204 ２人の医師からの訪問看護指示書

Q 訪問看護指示書は，１人の主治医から交付を受けることが原則ですが，複数の診療科にかかっている利用者の場合は，それぞれの診療科の医師から訪問看護指示書の交付を受けてもよいでしょうか？

A 別の診療科の医師それぞれから，訪問看護指示書の交付を受けることはできません。

原則として，訪問看護が必要となる主傷病の診療を担う主治医から訪問看護指示書の交付を受けます。複数の医療機関にかかっているような場合は，診療情報提供書などにより医師同士で連携してもらうことになります。

ただし，同一の医療機関において同一の診療科に所属する複数の医師が，主治医として利用者の診療を共同で担っている場合については，当該複数の医師のいずれかにより交付された訪問看護指示書に基づき訪問看護を行った際にも，訪問看護療養費の算定が可能になっています。

制度

205 複数関わるときの指示書の扱い

Q 2か所の訪問看護ステーションが訪問看護を行う場合，訪問看護指示書はどのような取り扱いになるのでしょうか？　それぞれ別の医師から交付してもらうことは可能でしょうか？

A 訪問看護指示書を交付するのは主として治療にあたっている医師であり，201頁のような場合を除いて，複数の医師が訪問看護指示書を交付することはできません。

また，2か所のステーションが関わる場合は，2か所それぞれが主治医である医師1人から訪問看護指示書の交付を受けることになります。

制度

206 有効期間の残っている指示書は?

Q 訪問看護指示書が6か月で交付されていた利用者が骨折にて入院していましたが，退院してきます。訪問看護を再開する予定ですが，以前の訪問看護指示書の有効期間が残っているので，そのまま利用しても問題ないでしょうか？

A 有効期間が残っている場合，その訪問看護指示書を引き続き利用することは可能です。ただ，問のように入退院があった場合には，状態の変化や指示事項の変更等が予想されます。入院中の状態も踏まえて，新たに訪問看護指示書の交付を受けることが望ましいでしょう。

報酬／制度

207 指示書を交付できる医師とは?

Q 訪問看護指示書を交付できる医師に決まりはあるのでしょうか？　非常勤の医師でもよいのでしょうか？

A 常勤か非常勤かは特に問われていません。

訪問看護指示書を交付できるのは，保険医療機関の保険医（主治の医師）です。

介護老人保健施設，介護医療院の医師は，退所（退院）者に対して退所（退院）時 1 回限り，訪問看護指示書を交付できます。当該指示書にかかる費用は，介護報酬で算定します。なお，歯科医師は交付できません。

報酬／制度

208 医療機関の訪問看護に指示書は?

Q 医療機関の訪問看護の場合も，みなし指定により介護保険の訪問看護を行いますが，訪問看護指示書の交付を受けて訪問看護を提供すればよいのでしょうか？

A 訪問看護指示書は，訪問看護ステーションに対して交付されるものです。医療機関の訪問看護の場合，同じ医療機関内の医師の指示は，指示内容の要点を診療録に記載することでよいとされています。他の医療機関の医師からの指示は，診療情報提供書にて受けることになります。

同じ医療機関の訪問看護の場合，医師の診療の日から 1 月以内に行われた訪問看護が算定できるという仕組みです。他の医療機関から診療情報提供書を受けて行う場合は，その診療情報提供のもとになる診療の日から 1 月以内となります。

報酬／制度

209 退院直後の特別訪問看護指示書

Q 皮下埋め込み式カテーテル（ポート）を挿入して退院する要介護者がいます。カテーテルの管理や家族指導などのため退院直後から訪問看護に入る予定です。このような場合に特別訪問看護指示書は使えますか？　急性増悪時の場合しか使えないのでしょうか？

A 医療ニーズの高い要介護者等であって頻回な訪問看護が必要な状況であれば，特別訪問看護指示書の交付を退院直後より 14 日間を限度として受けられます。

特別訪問看護指示期間終了後は，介護保険のケアプランに基づく訪問看護の提供となります。

制度

210 別の診療科の医師からの特別訪問看護指示書

Q 訪問看護指示書は内科の医師から交付されています。利用者が皮膚科受診をして，毎日の処置が必要になりました。皮膚科から特別訪問看護指示書の交付を受け訪問することは可能ですか？

A 問のように訪問看護指示書と特別訪問看護指示書を別々の医師が交付することはできません。特別訪問看護指示書の評価は，特別訪問看護指示加算（100 点）という訪問看護指示料（300 点）の加算として評価されているものです。よって，訪問看護指示書を交付している主治医が交付するものです（201 頁のような場合を除く）。

問のような場合は，皮膚科医師より内科医師へ診療情報を提供し，内科医師があらためて診察し特別訪問看護指示書を交付することになります。

制度

211 特別訪問看護指示書の指示期間

Q 特別訪問看護指示書の指示期間は，月をまたいでもよいのでしょうか？ 3月27日に当該指示書が交付された場合，3月27日～3月31日（5日間）で一旦終了し，4月1日より再交付してもらうべきでしょうか？

A 特別訪問看護指示書の指示期間は14日間を限度としていますので，3月27日～4月9日までを指示期間とすることができます。4月分として，4月10日以降，主治医が診察に基づき急性増悪等と判断すれば，特別訪問看護指示書をあらためて交付することは可能です。月をまたいで特別指示期間がある場合は，前月分も含め，訪問看護療養費明細書の「(特別指示期間)」欄に記載します。

制度

212 特別訪問看護指示書を月2回交付できる対象者

Q 要介護5の利用者が真皮を越える褥瘡で，毎日処置が必要です。特別訪問看護指示書の交付がなくても医療保険で頻回に訪問できますか？

A 問のような要介護者の場合，特別訪問看護指示書の交付は必要です。

特別訪問看護指示書の交付は通常1か月に1回限りですが，「気管カニューレを使用している利用者」「真皮を越える褥瘡の状態にある利用者」は，月に2回まで交付することが可能です。

もし，問の利用者が医療保険の対象者の場合は，特別管理加算の対象者ですので，特別訪問看護指示書の交付がなくても週4日以上の訪問看護が可能です。

制度

213 特別訪問看護指示書の連続使用は?

Q 病状が悪化し特別訪問看護指示書の交付を受け，毎日訪問看護を行っていました。翌月になっても改善せず，再度交付を受けました。特別訪問看護指示書は連続して何か月まで使用できるのでしょうか？

A 特別訪問看護指示書の交付において，連続何か月まで交付可能という決まりはありません。主治医が診療に基づき頻回の訪問看護を行う必要性を認めた場合に患者 1 人につき月 1 回交付できます。ただし，特別訪問看護指示書が交付された場合は，一時的に頻回に訪問看護が必要な理由を記録書に記載し，また，特別訪問看護指示書が連続して交付されている利用者の場合は，その旨を訪問看護療養費明細書に記載します。

制度

214 特別指示期間中に2か所の提供は?

Q 介護保険の利用者に 2 か所の訪問看護ステーションが関わっています。褥瘡が悪化し毎日訪問看護が必要になりました。主治医から特別訪問看護指示書が交付される予定ですが，2 か所の訪問看護ステーションが特別訪問看護指示書の交付を受け，医療保険で訪問することはできるのでしょうか？

A 可能です。特別訪問看護指示書の期間中であって，週 4 日以上の訪問看護が計画されている週に限り，2 か所の訪問看護ステーションが訪問看護療養費を算定できます。2 か所の訪問看護ステーションそれぞれに特別訪問看護指示書を交付してもらってください。

週 4 日以上の訪問看護の計画は，訪問看護計画書に明記します。

制度

215 特別訪問看護指示書と点滴注射指示書

Q 利用者が脱水症状を起こし毎日点滴注射を行うことになりました。特別訪問看護指示書と在宅患者訪問点滴注射指示書はどのように使用するのでしょうか？

A 特別訪問看護指示書と在宅患者訪問点滴注射指示書は2段併記になっていますので，同時に交付する場合は，両方を○で囲みます。特別訪問看護指示書の指示期間は14日間が限度ですが，在宅患者訪問点滴注射指示書は7日間が限度です。よって7日間点滴終了後に，主治医が診察の上，点滴を継続する場合は，在宅患者訪問点滴注射指示書を○で囲み再交付します。

制度

216 精神科訪問看護指示書

Q 精神科の訪問看護の指示書は一般の様式でよいですか？

A 精神科訪問看護基本療養費の算定に当たっては，精神科の医師が交付する「精神科訪問看護指示書」「精神科特別訪問看護指示書」を使用します（384・385頁）。精神科訪問看護指示書は通常の訪問看護指示書と同様に，有効期間は6か月以内です。患者が服薬中断等により急性増悪し頻回な訪問看護が必要な場合は，精神科特別訪問看護指示書を使用できます。有効期間は通常の特別訪問看護指示書と同様に14日以内です。30分未満の短時間訪問，複数名訪問，複数回訪問の必要性がある場合には，指示書の「あり」にチェックをもらいます。複数名訪問についてはその理由についても記載します。

○精神科訪問看護指示料：300点／月1回

○精神科特別訪問看護指示加算：100点／月1回

○手順書加算：150点／6月1回（197頁参照）

○衛生材料等提供加算：80点／月1回（199頁参照）

I-7 訪問看護計画書・訪問看護報告書

サービス内容／連携

217 訪問看護計画書の記載内容は?

Q 訪問看護計画書は，どのような内容を記載すればよいのでしょうか？

A 訪問看護計画書の作成に当たっては，現在の心身の状態や病状に加え，主治医からの訪問看護指示書，（介護保険の場合）居宅サービス計画，利用者や家族の希望や意向等を十分に反映させます。理学療法士，作業療法士または言語聴覚士（以下「理学療法士等」という）が訪問している場合は訪問看護師と共同で作成します。目標は，利用者や家族の希望と症状等のアセスメントから看護目標を設定し，そしてそのために実施する訪問看護における療養上の課題や支援内容について，訪問看護師だけでなく主治医や利用者・家族が共有できるように，具体的に作成します。評価については，1か月のケアを振り返り，計画の継続，変更，解決または中止等について判断します。利用者の病状等，判断の根拠となる事実を記載し，それに対して訪問看護師や理学療法士等がアセスメントをします。次回の評価日も設定します。

この訪問看護計画書により，看護ニーズや何を目標に訪問看護を実施しているのか，計画に沿ったケアによりどのように経過しているのか等を，利用者・家族，主治医と共有することができます。褥瘡がある，もしくはそのリスクがある利用者には，医療保険では適切な褥瘡対策となる看護計画（397頁参照）を立案します。

衛生材料等が必要な処置に関する情報は，処置の内容，衛生材料の種類やサイズ，必要量を記載します。

制度

218 計画書は利用者に毎月交付する?

Q 訪問看護計画書は，毎月利用者に交付するのでしょうか？また，介護支援専門員から訪問看護計画書の提出を求められますが，提出すべきでしょうか？

A 訪問看護計画書は，利用者や家族の同意を得た上で交付することになっています。毎月の評価と目標や具体的な計画の内容について，利用者や家族にわかりやすく説明し同意を得ます。現在の病状や利用者・家族の意向等を踏まえているか，介護支援専門員が作成する居宅サービス計画に沿っているか等を確認し合うことが大切です。また，介護支援専門員から訪問看護計画書の提供を求められた場合は，協力する必要があります。

利用者や家族，介護支援専門員と共有するため，わかりやすい言葉を用いたり，失礼な表現にならないようにしたりと十分な配慮が必要です。訪問看護計画書を含む記録類は，利用者や家族の求めに応じて開示する場合がありますので，日頃から文章表現に注意しましょう。何気ない文章が相手を傷つける場合もありますので，訪問看護ステーションの記録管理の一環として，利用者や家族の立場になって記録を読み返して確認しましょう。

219 理学療法士等の計画書・報告書

Q 当訪問看護ステーションには，理学療法士が在籍しています。訪問看護計画書・訪問看護報告書の作成は，看護師と理学療法士が別々に作成すればよいでしょうか？

A 介護保険においても医療保険においても，看護師と理学療法士等の間で利用者の状況や実施した内容を共有し，看護師と理学療法士等で連携して作成することが明示されています。医療保険においては，理学療法士等が実施した内容についても一体的に含む訪問看護計画書・訪問看護報告書を作成します（看護職員（准看護師除く）と理学療法士等で異なる様式によりそれぞれで作成することは差し支えないですが，この場合であっても他の職種により記載された様式の内容を双方で踏まえた上で作成します）。その際に，訪問看護計画書には訪問看護を提供する予定の職種を，訪問看護報告書には訪問看護を提供した職種を記載します。

介護保険においては，訪問看護計画書は，理学療法士等が実施する内容についても一体的に含む訪問看護計画書としますが，訪問看護報告書については，看護師または保健師が作成し，理学療法士等が提供した訪問看護の内容とその結果等を記載した「理学療法士，作業療法士又は言語聴覚士による訪問看護の詳細」（388 頁参照）を添付します。

Column

主治医への電子的方法による提出

医療保険・介護保険制度ともに，主治医へ提出する訪問看護計画書・訪問看護報告書は署名または記名・押印に代えて，厚生労働省の定める準拠性監査基準を満たす保健医療福祉分野の公開鍵基盤（HPKI：Healthcare Public Key Infrastructure）等による電子署名を用いてもよいこととなっています。

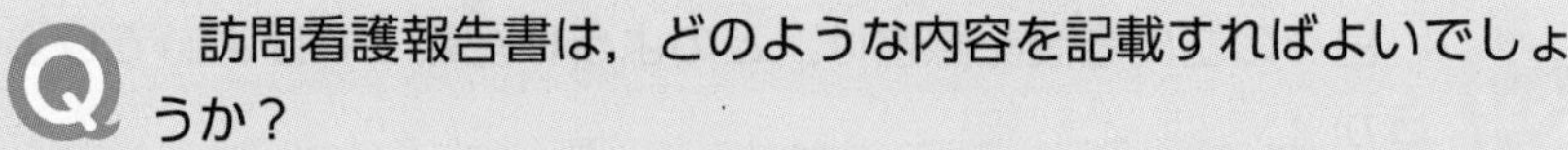

220 訪問看護報告書の記載内容は?

Q 訪問看護報告書は，どのような内容を記載すればよいでしょうか？

A 訪問看護報告書は，訪問日，病状の経過，看護・リハビリテーションの内容とその結果や利用者・家族の反応，今後予測されること，家庭での介護状況や家族の状態，他職種との連携状況等を記載します。利用者や家族の生活が，主治医にも伝わるような記述をすることも大切です。長々とした文章でなく，要点を簡潔に記載しましょう。特記事項には，今後のショートステイ等の予定や頻回の訪問が必要な場合の理由等を記載し，主治医との情報共有を図ります。精神科訪問看護報告書は，当該月の初日の訪問看護の際のGAF尺度を記載します。

介護保険の訪問看護報告書は，理学療法士，作業療法士または言語聴覚士（以下「理学療法士等」という）による訪問看護の詳細を別添（388頁参照）として記載します。これには，理学療法士等が行った訪問看護，家族等への指導，リスク管理等の内容，具体的な評価等を記載します。医療保険，介護保険それぞれの訪問看護報告書は，様式が異なっていますが，看護師，理学療法士等が情報共有をしながら協力して作成します。

また，衛生材料等に関する情報は，使用状況，衛生材料等の種類・サイズ・量，変更の必要性等の情報を記載し主治医に報告します。主治医は，この情報をもとに提供する衛生材料等の種類や量を判断して患者である利用者に提供します。

訪問看護報告書は，利用者に直接交付するものではありませんが，情報開示の対象となります。したがって，開示に耐え得る内容である必要があります。利用者や家族が不快に感じることなく納得できる内容であるか，訪問看護計画書とともに普段から確認しましょう。

221 訪問看護記録書の記載方法は?

Q 日々の訪問看護記録書は，どのように記載すればよいでしょうか？

A 訪問看護記録書は，利用者ごとに訪問看護の経過を記録したものです。主に訪問した職員名，職種，訪問年月日と時間，利用者の状態（病状），実施した看護・リハビリテーションの内容等を記載します。これらの記録は，利用者の情報を共有するためだけでなく，訪問看護費や訪問看護療養費およびそれぞれの加算等の算定の根拠になるもので，事実に即した正確な記録である必要があります。

訪問日の利用者や家族の心身がどのような状態であり，訪問看護師がどのようにアセスメントしたか，アセスメントに基づきどのような看護を提供したかということが，他者にもわかるように記載されていることが大切です。訪問看護師が何を根拠に判断したかということに加え，提供した看護に対する本人や家族の反応等も記載します。利用者や家族の発言は，なるべくありのままにカッコ書きにしたり，表情や仕草をそのまま記載したり，事実が伝わるような書き方を工夫します。次の訪問日までに必要な事柄や次回の予定等も記載しておくと確認に役立つでしょう。

記録方法は，紙媒体と電子媒体によるものがあり，近年，電子媒体による記録が増えています。様式は決まっておらず，各訪問看護ステーションで様々に工夫されています。記録はたくさん書けば他者に伝わるかといえばそうでもなく，適切かつ簡潔であることが求められます。また，記録の効率化はベッドサイドケアに割ける時間を増やし，職員の WLB の改善につながりますので，各ステーションで検討してみてください。

制度

222 主治医への計画書と報告書の提出

Q 訪問看護計画書と訪問看護報告書は，毎月主治医に提出するのでしょうか？

A 訪問看護計画書・訪問看護報告書は，主治医と連携して適切な訪問看護を提供するための大切なコミュニケーションツールの１つともいえ，大変重要な書類です。医師からの訪問看護指示書は毎月交付されないこともありますが，訪問看護計画書・訪問看護報告書は毎月主治医に提出します。利用者の状態や看護計画が前月と同様であっても，そのことを主治医に報告します（210 頁コラム参照）。

サービス内容

223 記録類の保存方法は?

Q 訪問看護記録の枚数が増えてしまったのですが，記録の保存方法について教えてください。

A 訪問看護記録は，原則訪問看護終了後から２年間保存しなければなりません。「e-文書法」により，訪問看護指示書，訪問看護計画書，訪問看護報告書等，紙媒体のものをスキャナ等で電子媒体に変換して保存することが可能となっています。両媒体ともに，保存期間内は復元可能な状態で保存しなければなりません。利用者の個人情報に関わる訪問看護記録は，鍵のかかる書庫等に保存します。

なお，電子媒体で保存できる記録物は，訪問看護記録，管理に関する記録（日々の業務日誌，職員の勤務状況，給与・研修等に関する記録，月間および年間の事業計画と実際の実施状況記録等），経営に関する記録，設備・備品に関する記録等です。

また，利用者への説明・同意等は紙媒体でなく電子的な方法（電子メール等）で得ることが認められており，利用者等の署名・押印を求めないことも可能となりました。契約関係の締結を明確にするために電子署名の活用の推進が図られつつあります。

I-8　訪問看護の対象と施設等におけるサービス提供

報酬／連携

224　外部サービス利用型とは?

Q　有料老人ホームから，入居者への訪問看護依頼がありました。この施設は外部サービス利用型特定施設とのことですが，この外部サービス利用型とはどのようなものですか？　訪問看護費の算定は可能ですか？

A　特定施設入居者生活介護費の1つのサービス類型として，外部サービス利用型特定施設入居者生活介護費があります。これは，生活相談や介護サービス計画の策定，安否確認の実施など，基本サービスといわれる部分は特定施設の従事者が実施し，日常生活の世話や機能訓練，療養上の世話など，介護サービスの提供については，特定施設が外部サービス提供事業者（指定居宅サービス事業者等）と契約することにより提供するという仕組みです。

よって，当該特定施設における訪問看護の提供においては，訪問看護ステーションは主治医より訪問看護指示書の交付を受け，当該特定施設と文書で契約をして，当該特定施設より費用の支払を受けることになります。

外部サービス利用型特定施設において訪問看護を提供する場合は，当該特定施設は訪問看護費の90／100（加算除く）の報酬を算定することになっています。准看護師の場合（20分未満の訪問看護に限る）は81／100となります。また，理学療法士，作業療法士，言語聴覚士が1日に2回を超えて訪問看護を行った場合は，1回につき81／100となります。

○外部サービス利用型介護予防特定施設入居者生活介護費

：基本サービス（57単位／日）＋各サービス部分

○外部サービス利用型特定施設入居者生活介護費

：基本サービス（84単位／日）＋各サービス部分

225 グループホームとの連携

Q グループホームから，当訪問看護ステーションと連携し，医療連携体制を確保したいとの話がありました。どのように連携すればよいのでしょうか？　また，契約の際の金額設定などはどう考えたらよいのでしょうか？

A 認知症対応型共同生活介護の加算として，医療連携体制加算があります。令和６年度介護報酬改定により見直しがありました。

○医療連携体制加算（Ⅰ）イ：57 単位／日
○医療連携体制加算（Ⅰ）ロ：47 単位／日
○医療連携体制加算（Ⅰ）ハ：37 単位／日
○医療連携体制加算（Ⅱ）　：５単位／日

医療連携体制加算は，環境の変化に影響を受けやすい認知症高齢者が，可能な限り継続して認知症対応型共同生活介護事業所で生活を継続できるように，日常的な健康管理を行ったり，医療ニーズが必要となった場合に適切な対応がとれる等の体制を整備している事業所を評価するものです。

医療連携体制加算（Ⅰ）イ，（Ⅰ）ロ，（Ⅰ）ハの体制をとっている事業所が行うべき具体的なサービスは以下の通りです。

・利用者に対する日常的な健康管理
・通常時および特に利用者の状態悪化時における医療機関（主治医）との連絡・調整
・看取りに関する指針の整備

医療連携体制加算に係る体制は，診療所もしくは訪問看護ステーションとの連携によって確保する場合も認められています。施設基準は，次頁のコラムを参照ください。

サービス開始に際しては，書面で契約書を取り交わす必要があるでしょう。ステーションとグループホームとの契約ですので，制度上定められた金額設定があるわけではありませんが，求められる健康管理等の内容や 24 時間体制などに見合った契約料を考える必要があります。

Column

医療連携体制加算

○医療連携体制加算（Ⅰ）イ

1. 事業所の職員として看護師を常勤換算で1名以上配置していること。
2. 事業所の職員である看護師，または病院，診療所もしくは訪問看護ステーションの看護師との連携により，24 時間連絡できる体制を確保していること。
3. 重度化した場合の対応に係る指針を定め，入居の際に，利用者またはその家族等に対して，当該指針の内容を説明し，同意を得ていること。

○医療連携体制加算（Ⅰ）ロ

1. 事業所の職員として看護職員を常勤換算で1名以上配置していること（准看護師のみの体制である場合には，病院，診療 所または訪問看護ステーションの看護師との連携が必要）。
2. (Ⅰ) イの 2，3 に該当していること。

○医療連携体制加算（Ⅰ）ハ

1. 事業所の職員として，または病院， 診療所もしくは訪問看護ステーションとの連携により看護師を1名以上確保していること。
2. (Ⅰ) イの 2，3 に該当していること。

○医療連携体制加算（Ⅱ）（医療連携体制加算（Ⅰ）のいずれかを算定している場合）

算定日が属する月の前３月間において，次のいずれかに該当する状態の利用者が１人以上であること。

①喀痰吸引を実施している状態
②呼吸障害等により人工呼吸器を使用している状態
③中心静脈注射を実施している状態
④人工腎臓を実施している状態
⑤重篤な心機能障害，呼吸障害等により常時モニター測定を実施している状態
⑥人工膀胱または人工肛門の処置を実施している状態
⑦経鼻胃管や胃ろう等の経腸栄養が行われている状態
⑧褥瘡に対する治療を実施している状態
⑨気管切開が行われている状態
⑩留置カテーテルを使用している状態
⑪インスリン注射を実施している状態

226 グループホームへの訪問看護は可能か？

Q グループホームの入居者の１人に，訪問看護の依頼がありました。訪問看護ステーションから訪問看護を提供することは可能でしょうか？　可能な場合，介護保険でよいのでしょうか？

A 認知症対応型共同生活介護（グループホーム）を受けている間は，介護保険の訪問看護費を算定することはできません。医療保険の訪問看護は以下のような場合に認められています。

①厚生労働大臣が定める疾病等の者（105 頁別表第７参照）

②急性増悪等により一時的に頻回な訪問看護が必要な状態で特別訪問看護指示書が交付された場合

③精神科訪問看護基本療養費を算定する利用者（認知症を除く（ただし，精神科在宅患者支援管理料を算定する者を除く））

グループホームにおいてターミナルケアを実施した場合，要件を満たせば訪問看護ターミナルケア療養費を算定することが可能ですが，グループホームにて看取り介護加算を算定している場合は，訪問看護ターミナルケア療養費２の算定になります。詳しくは 179・180 頁を参照してください。

227 ショートステイ中の訪問看護

Q 利用者がショートステイ（短期入所生活介護）を利用する予定です。自宅では，状態観察のほか，膀胱留置カテーテルの管理やリハビリテーション目的にて週２回訪問看護が入っています。引き続きショートステイ中も介護保険の訪問看護を提供できますか？

A 居宅で訪問看護を受けていた利用者のショートステイ（短期入所生活介護）中にも，その利用していた訪問看護ステーションの看護職員から健康管理を受けることができます。ただし，これは，短期入所生活介護費の在宅中重度者受入加算として評価されているもので，施設側の評価ですから，訪問看護費が算定できるということではありません。短期入所生活介護事業者とステーションが契約して，費用の支払を受けることになります。当該健康管理の実施に必要な衛生材料や医薬品等の費用は，短期入所生活介護事業所が負担します。ショートステイ中の健康管理については，短期入所生活介護事業所の医師の指示に基づき行われますが，居宅における主治医とも連携を図ることが大切です。

Column

在宅中重度者受入加算

指定短期入所生活介護事業所において，当該利用者が利用していた訪問看護を行う訪問看護事業所に当該利用者の健康上の管理等を行わせた場合は，１日につき次に掲げる区分に応じ，それぞれ所定の単位数を加算します。

①看護体制加算（Ⅰ）または（Ⅲ）イもしくはロを算定している場合（看護体制加算（Ⅱ）または（Ⅳ）イもしくはロを算定していない場合に限る）：421単位／日

②看護体制加算（Ⅱ）または（Ⅳ）イもしくはロを算定している場合（看護体制加算（Ⅰ）または（Ⅲ）イもしくはロを算定していない場合に限る）：417単位／日

③看護体制加算（Ⅰ）または（Ⅲ）イもしくはロおよび（Ⅱ）または（Ⅳ）イもしくはロをいずれも算定している場合：413単位／日

④看護体制加算を算定していない場合：425単位／日

228 特別養護老人ホームへの訪問看護

Q 当訪問看護ステーションの近隣の特別養護老人ホームに末期の悪性腫瘍の入所者がいます。訪問看護に入ってもらえないかという相談がありました。訪問看護に入ることは可能でしょうか？

A 特別養護老人ホームの入所者の場合，末期の悪性腫瘍または精神科疾患（認知症を除く）であれば医療保険の訪問看護を行うことが可能です。ターミナルケアを実施した場合，要件を満たせば訪問看護ターミナルケア療養費を算定することが可能ですが，特別養護老人ホームにて看取り介護加算を算定している場合は訪問看護ターミナルケア療養費 2 の算定となります。詳しくは 179・180 頁を参照ください。

また，特別養護老人ホームのショートステイ（短期入所生活介護）を末期の悪性腫瘍の方が利用されている場合も，医療保険の訪問看護を算定できますが，サービス利用前 30 日以内に利用者宅を訪問し，訪問看護基本療養費を算定した訪問看護ステーションの看護師等が訪問看護を実施した場合に限り算定できます。精神科疾患（認知症を除く）の場合は，サービス利用前 30 日以内に利用者宅を訪問し精神科訪問看護基本療養費を算定した訪問看護ステーションの看護師等が訪問看護を実施した場合に限り，利用開始後 30 日までの間算定することができます。

229 小多機，看多機への訪問看護

Q 小規模多機能型居宅介護，看護小規模多機能型居宅介護の事業所へ訪問看護ステーションから訪問看護を行うことは可能ですか？

A 小規模多機能型居宅介護（小多機），看護小規模多機能型居宅介護（看多機）の事業所において，介護保険の訪問看護費の算定はできません。

医療保険の訪問看護が認められているのは，宿泊サービスの利用時※に限られ，以下のような場合です。

①厚生労働大臣が定める疾病等の者（105 頁別表第７参照）

②急性増悪等により一時的に頻回な訪問看護が必要な状態で特別訪問看護指示書が交付された場合

①，②においては，利用者のサービス利用前 30 日以内に利用者宅を訪問し，訪問看護基本療養費を算定した訪問看護ステーションの看護師等が訪問看護を実施した場合に算定が可能です。なお，末期の悪性腫瘍以外の利用者の場合は，利用開始後 30 日までの間の算定となります。

③精神科訪問看護基本療養費を算定する者（認知症を除く（精神科在宅患者支援管理料を算定する者を除く））

③については，当該利用者のサービス利用前 30 日以内に利用者宅を訪問し，精神科訪問看護基本療養費を算定した訪問看護ステーションの看護師等が訪問看護を実施した場合に限り，利用開始後 30 日までの間算定することができます。

※宿泊サービス利用日の日中は除く。

制度

230 職員の親への訪問看護

Q 当訪問看護ステーションの職員の母親に介護保険による訪問看護が必要になりました。母親は，娘である訪問看護師とは同居しておらず，1人暮らしをしています。当ステーションより訪問看護を提供することは問題ないでしょうか？

A 同居家族に対する訪問看護は禁止されていますが，別々の世帯であれば問題ありません。また，同居している場合でも，その家族である訪問看護師は訪問看護を提供することはできませんが，当該ステーションの他の職員が訪問看護を提供することは可能です。

報酬／制度

231 同居している2人への訪問看護

Q 慢性閉塞性肺疾患の夫と糖尿病の妻の両者に訪問看護が必要と，主治医より依頼がありました。ともに介護保険の要介護者です。訪問看護指示書やケアプランはどのような扱いになりますか？
また，減算になりますか？

A 同居であっても訪問看護サービスの提供はそれぞれに行うわけですから，訪問看護指示書は夫と妻のそれぞれに必要になります。ケアプランも別々の扱いです。

1人の看護師が同日に2人に訪問看護を提供する場合は，時間の区分けをきちんと行い，それぞれのサービス提供を明確にしましょう。

介護保険の同一建物居住者に対する減算については，13頁を参照してください。2人とも医療保険の場合の同一建物居住者に対する減算は，107・108頁を参照してください。

I-9 公費

制度

232 難病の医療費助成制度

Q 難病の方への医療費助成制度とはどのような仕組みですか？
訪問看護ステーションは届出など必要ですか？

A これまで特定疾患治療研究事業として実施されていた難病の患者に対する医療費助成制度は，平成 27 年 1 月より施行された「難病の患者に対する医療等に関する法律」（以下，難病法）に基づく医療費助成制度へ移行しました。医療費助成の対象疾病（指定難病）は，現在 341 疾病（441 ～ 446 頁参照）です。この難病法に基づく医療費（特定医療費）助成制度により，自己負担割合が 3 割から 2 割（医療保険の患者負担割合がもともと 2 割の者および 1 割の者の場合や，介護保険の患者負担割合が 1 割（または 2 割）の場合は，それぞれの制度の負担割合が適用されます）となります。世帯の所得に応じ，自己負担する金額の限度額（月額）が設定されています。

訪問看護ステーションは，都道府県知事に対して申請を行い，指定医療機関となる必要があります。指定は 6 年ごとの更新です。

※スモンなど一部の疾患については，引き続き特定疾患治療研究事業が，また，先天性血液凝固因子欠乏症および血液凝固因子製剤に起因するHIV感染症については，先天性血液凝固因子障害等治療研究事業が実施されており，いずれも自己負担はありません。

233 難病の利用者負担

Q 指定難病の認定を受けた利用者の場合，訪問看護ステーションの訪問看護の費用の利用者負担はどのようになりますか？

A 利用者が支払う自己負担は，自己負担上限額管理票を用いて管理します。自己負担の累積額（月額）が当該管理票に記載されている自己負担上限額に達した際には，それ以上は当該月において自己負担を徴収しないことになります。この自己負担上限額は，世帯の所得や治療状況に応じて設定されています。なお，入院・入院外の区別を設定せずに，また，複数の指定医療機関で支払われた自己負担すべてを合算した上で自己負担上限額を適用することになります。この中には，病院・診療所の受療以外に，薬局での保険調剤，訪問看護ステーションの訪問看護（医療保険・介護保険）が含まれます。

自己負担上限額管理票の記載については，原則，指定医療機関を受診した日に当該管理票にも記載しますが，訪問看護サービス等において，利用した日の翌月に利用料を請求する場合には，利用した月の自己負担の累積額を確認した上で利用者から徴収し，当該額を管理票に記載することでよいとされています。

詳しくは管轄の都道府県等の難病の担当課へ確認してください。

制度

234 自立支援医療の認知症利用者

Q 認知症の要介護者で，自立支援医療制度対象の利用者がいます。この場合，介護保険と自立支援医療を併用して利用者負担はなしになるのでしょうか？

A 自立支援医療において，本人負担は原則１割です。介護保険が優先されますが，自立支援医療制度において，負担上限月額が設定されている場合などは，その上限額を超えた部分については，自立支援医療が給付されることになります。訪問看護ステーションは，都道府県知事に対して所定の手続きを行い，自立支援医療の指定医療機関の指定を受ける必要があります。

自立支援医療制度については 323 ～ 325 頁を参照ください。

制度

235 被爆者健康手帳をもつ利用者

Q 被爆者健康手帳をもつ利用者へ訪問看護を提供します。被爆者への医療費の給付は，「認定疾病医療」と「一般疾病医療」があるようですが，どのような違いがあるのでしょうか？ 利用者の自己負担はどうなりますか？

A 「認定疾病医療」とは，原子爆弾による熱線や放射能に起因する疾病であり，厚生労働大臣の認定を受けた者（認定書の交付を受けた者）を対象としています。主な認定疾病は，白血病や再生不良性貧血などです。訪問看護の費用は全額公費負担です。

「一般疾病医療」とは，認定疾病以外の疾病（例外疾病を除く）を対象としており，医療保険，介護保険適用後の自己負担分が公費負担となります。その他の利用料は，公費対象外です。

認定疾病医療，一般疾病医療のどちらも，訪問看護ステーションは都道府県に申請書を提出し，指定を受ける必要があります。

制度

236 生活保護の利用者

Q 生活保護の利用者に訪問看護を提供するに当たり，訪問看護ステーションは届出が必要ですか？　生活保護の利用者の場合，訪問看護の費用負担はどうなりますか？

A 訪問看護ステーションは，生活保護の指定医療機関になるために，都道府県知事，指定都市または中核市市長の指定を受ける必要があります（指定は６年ごとの更新制です）。

医療保険の訪問看護の費用は，医療扶助からの給付となり，福祉事務所より医療券が交付されます。介護保険の訪問看護の費用は，介護扶助からの給付となり介護券が交付されます。支払能力によっては本人負担が発生することもあります。交通費や医療保険のその他の利用料については，費用負担について福祉事務所に確認してください。

制度

237 労災保険における訪問看護

Q 労災保険における訪問看護を実施するときは，何か届出などは必要なのでしょうか？

A 労災保険における訪問看護を実施する場合は，訪問看護ステーションの所在地を管轄する都道府県労働局長に申請を行い，労災訪問看護事業者の指定を受ける必要があります。この指定を受けていないステーションが訪問看護を行った場合は，利用者（傷病労働者）から訪問看護の費用の支払を受け，利用者は所定の請求書にて，当該利用者の職場を管轄する労働基準監督署長に請求を行うことになります。

労災保険の訪問看護の制度は，医療保険の訪問看護の制度と同様です。また，労災保険の給付は，介護保険の給付に優先します。

制度

238 高額介護（介護予防）サービス費，高額療養費，高額医療・高額介護合算制度

Q ご利用者で，訪問看護ステーションの自己負担額がかなり高額になる方がいます。このような方に対して，何か適用できる制度はあるのでしょうか？

A 以下のようなご利用者の負担を軽減する制度があります。

介護保険：高額介護（介護予防）サービス費

医療保険：高額療養費

高額医療・高額介護合算制度は，医療保険と介護保険の自己負担の年間の合計額が著しく高額になった場合に，その負担を軽減する仕組みです。それぞれの適用には，自己負担上限額などが定められています。以下を参照ください。

申請や詳細は，利用者が加入している保険者や自治体へお問い合わせください。

〈高額介護サービス費〉

所得区分	1か月の負担の上限額
現役並み所得相当の人がいる世帯の人	○年収約 1,160万円以上：140,100円（世帯） ○年収約 770万円以上： 93,000円（世帯）
市区町村民税課税世帯の人	○年収約 770万円未満： 44,400円（世帯）
市区町村民税非課税世帯の人	24,600円（世帯）
前年の合計所得金額と公的年金収入額の合計が年間80万円以下の人等	24,600円（世帯） 15,000円（個人）
生活保護を受給している人等	15,000円

※「世帯」とは，住民基本台帳上の世帯員で，介護サービスを利用した人全員の負担の合計の上限額を指し，「個人」とは，介護サービスを利用した本人の負担の上限額を指します。

〈高額療養費〉

70 歳以上の人

<table>
<tr><th colspan="2">所得区分</th><th>外来（個人）</th><th>1月の上限額（世帯）</th></tr>
<tr><td rowspan="3">現役並み</td><td>年収約1,160万円以上
標報（標準報酬月額）83万円以上／課税所得690万円以上</td><td colspan="2">252,600円＋（医療費－842,000）×1%
〈多数回140,100円〉</td></tr>
<tr><td>年収約770万～約1160万円
標報53万～79万円／課税所得380万円以上</td><td colspan="2">167,400円＋（医療費－558,000）×1%
〈多数回93,000円〉</td></tr>
<tr><td>年収約370万～約770万円
標報28万～50万円／課税所得145万円以上</td><td colspan="2">80,100円＋（医療費－267,000）×1%
〈多数回44,400円〉</td></tr>
<tr><td>一般Ⅰ・Ⅱ</td><td>年収156万～約370万円
標報26万円以下／課税所得145万円未満等</td><td>18,000円
（年間上限※144,000円）</td><td>57,600円
〈多数回44,400円〉</td></tr>
<tr><td rowspan="2">住民税非課税</td><td>Ⅱ 住民税非課税世帯</td><td rowspan="2">8,000円</td><td>24,600円</td></tr>
<tr><td>Ⅰ 住民税非課税世帯
（年金収入80万円以下など）</td><td>15,000円</td></tr>
</table>

（注）1つの医療機関等での自己負担（院外処方代を含みます）では上限を超えないときでも，同じ月の別の医療機関等での自己負担を合算することができます。この合算額が上限額を超えれば，高額療養費の支給対象となります。

※一般Ⅱについては，18,000円または6,000円＋（医療費-300円）×10%のいずれか低い方

69 歳以下の人

所得区分	1月の上限額（世帯）
年収約1,160万円～ 健保／83万円以上　国保／901万円超	252,600円＋（医療費－842,000）×1% 〈多数回140,100円〉
年収約770～約1,160万円 健保／53万～79万円　国保／600万超～901万円	167,400円＋（医療費－558,000）×1% 〈多数回93,000円〉
年収約370～約770万円 健保／28万～50万円　国保／210万超～600万円	80,100円＋（医療費－267,000）×1% 〈多数回44,400円〉
～年収約370万円 健保／26万円以下　国保／210万円以下	57,600円 〈多数回44,400円〉
住民税非課税者	35,400円〈多数回24,600円〉

（注）1つの医療機関等での自己負担（院外処方代を含みます）では上限を超えないときでも，同じ月の別の医療機関等での自己負担（69歳以下の場合は21,000円以上であることが必要です）を合算することができます。この合算額が上限額を超えれば，高額療養費の支給対象となります。

〈高額医療・高額介護合算療養費〉

70歳以上の人

所得区分	限度額
年収約1,160万円～ 標報83万円以上／課税所得690万円以上	212万円
年収770万～1,160万円 標報53～79万円／課税所得380万円以上	141万円
年収370万～770万円 標報28～50万円／課税所得145万円以上	67万円
一般（年収156万～約370万円） 標報26万円以下／課税所得145万円未満等	56万円
市町村民税世帯非課税	31万円
市町村民税世帯非課税（所得が一定以下）	19万円（※）

※介護サービス利用者が世帯内に複数いる場合は31万円。

70歳未満の人

所得区分	限度額（※）
901万円超	212万円
600万円超901万円以下	141万円
210万円超600万円以下	67万円
210万円以下	60万円
住民税非課税世帯	34万円

※対象世帯に70～74歳と70歳未満が混在する場合，まず70～74歳の自己負担合算額に限度額を適用した後，残る負担額と70歳未満の自己負担合算額を合わせた額に限度額を適用します。

Ⅱ

訪問看護に関する
実践編

1　訪問看護ステーションの開設
2　訪問看護ステーションの運営
3　情報管理
4　他職種連携
5　在宅ターミナルケアを受ける患者への訪問看護
6　ALS・難病等の患者への訪問看護
7　精神障害者への訪問看護
8　認知症の人への訪問看護
9　小児患者への訪問看護
10　高齢者虐待
11　感染対策

Ⅱ-1　訪問看護ステーションの開設

制度／サービス内容

239　訪問看護ステーション開設前の準備は?

Q　訪問看護ステーションの開設を考えていますが，開設に必要なことや準備はどのようにしたらよいですか？

A　ステーション開設の準備としては次のような順序となります。

①訪問看護従事者の確保（看護職員：2.5 人以上）
②ステーションの開設場所の決定
③法人格取得の手続き
④ステーション開設の手続き
⑤開設

ここではステーションの開設場所と法人格取得について示します。賃貸物件を事務所とする場合は，家賃や駐車場の経費を考慮して決めるとよいでしょう。また，場所を決めるときにはできるだけ人目につく場所がよいでしょう。例としては，閉業した街道沿いのファミリーレストランや，住宅街の庭付き一軒家などがありますが，いずれにせよ看板を出してステーションがあることを地域に示します。

次に法人格取得です。人の集まりとして株式会社や一般社団法人などが，財産の集まりとして財団法人などがあります。どの法人を選ぶかから始まりますが，株式会社や一般社団法人，NPO 法人で開設することが多いようです。それぞれの法人の特徴がありますが，法人設立の手続き上から考えると一般社団法人が一番簡素で手続きの期間も短くすみます。また法人格を決めるときには税法上の扱いについても考慮するとよいでしょう。

制度

240 開設資金はどのくらい?

Q 訪問看護ステーションを開設するにあたって，資金はどのくらい用意すればよいでしょうか？

A 開設にあたり準備する資金は，約 1,000 万円以上必要といわれています。もちろん潤沢な開設資金があるに越したことはありません。訪問看護療養費，訪問看護費は，請求月から 2 か月後に報酬として入金されます。最低でも，開設から 5 か月間の事務所家賃，設備・備品費，水道光熱費，訪問用の自動車等のレンタル料，パソコン等事務機器のレンタル料，人件費等が経費として必要です。家賃は固定費です。数年間は事務所とすることを考えできるだけ低く抑えることを考えます。不動産屋に訪問看護がどのような事業なのかを理解してもらい，貸主への賃料下げの交渉がスムーズにできるようにするとよいでしょう。デスクや書庫等も中古品を活用することで初期投資を抑えることができます。税務や労務管理の不安に関しては，実際に契約する前でも地元の税理士や社会保険労務士が無料で相談に乗ってくれることがありますので，ホームページ等で確認し活用するのもよいでしょう。

Column

補助金

独立行政法人福祉医療機構からの融資が受けられます。融資の対象は「医療法人」「社会福祉法人」「医師又は看護師等を会員として設立した一般社団法人」「厚生労働大臣が認定した営利を目的としない法人」等となっています。融資内容は，ステーション開設に当たっての新築資金，増改築資金，長期運転資金などになります。融資には綿密な事業計画が必要になります。

241 開設のための市場調査

Q 訪問看護ステーション開設時の市場調査は，どのようにすればよいのでしょうか？

A 市場調査は，以下の項目を中心に行います。

①市場規模（訪問看護対象者の把握）
利用者数・訪問看護サービス利用状況
②成長性（訪問看護対象者数の伸び）
高齢化率・利用者数の推移
③競合状況（競合するステーション数や訪問介護サービスなどの代替サービス事業者数と利用状況）

開設予定地の地図（25,000 分の 1）上に，他ステーションを含めた医療機関や介護保険事業所をマッピングし，他のステーションの訪問地域と重複する部分が少ないところに開設地を決める方法もあります。

また，開設予定地の周辺に，大きな河川や道路，線路などがあると，訪問距離や時間にも影響してきますので，注意が必要です。

市場調査として，ステーション開設予定地が決まれば，利用者を紹介してくれる医療機関の医師から，利用者の属性やステーションへの要望を聞くのもよいでしょう。また，自ステーションがどういった利用者に対応できるか整理し，アピールするのかも重要です。医師や介護支援専門員へのアクセスは今後の連携のためにも重要になります。

Column

開設のための参考書

訪問看護業務の知識を書籍から得ると，基本的なことがわかります。参考にしてほしい書籍は，『訪問看護業務の手引』（社会保険研究所），『訪問看護ステーション開設・運営・評価マニュアル』（日本看護協会出版会），『訪問看護ステーション経営のコツ』(日本看護協会出版会)，『Q&A でわかる　訪問看護ステーションの起業・経営・管理』（中央法規出版）などです。ステーション開設の届出から訪問看護サービスの提供まで解説してあります。これらの本は，業務を開始してからも役立ちます。

Ⅱ-2 訪問看護ステーションの運営

制度

242 運営に関する基準

Q 訪問看護事業所の運営にあたり取り組まなければならない主な対策について教えてください。

A 表にある事項について訪問看護事業所として取り組む必要があります。

感染症対策	•感染対委員会（概ね6か月に1回以上）の設置 •感染症の予防およびまん延の防止のための指針の整備 〔参考資料〕 ＊「介護現場における感染対策の手引き」（厚生労働省） •感染症の予防及びまん延の防止のための研修（年1回以上，新規採用時）および訓練（年1回以上）の実施
業務継続に向けた取組	•感染症や災害が発生した場合に，利用者が継続して訪問看護の提供を受けられるよう，業務継続計画を策定 〔参考資料〕＊「介護施設・事業所における新型コロナウイルス感染症発生時の業務継続ガイドライン」（厚生労働省） ＊「介護施設・事業所における自然災害発生時の業務継続ガイドライン」（厚生労働省） •当該業務継続計画に従い，研修（年1回以上，新規採用時）・訓練（年1回以上）の実施 ※業務継続計画が未策定の場合，介護保険においては，「業務継続計画未策定減算」（令和7年4月1日から）（16頁参照）が適用されます。
ハラスメント対策	•事業主の方針等の明確化およびその周知・啓発 •相談に応じ，適切に対応するために必要な体制整備，顧客等からの著しい迷惑行為（カスタマーハラスメント）の防止のため，必要な体制整備も行うことが望ましい。 〔参考資料〕＊「介護現場におけるハラスメント対策マニュアル」（厚生労働省） ＊「（管理職・職員向け）研修のための手引き」（厚生労働省）
虐待防止の取組	•運営規定に「虐待防止のための措置に関する事項」を規定 •虐待防止検討委員会の設置 •虐待の防止のための指針の整備 •虐待の防止のための研修（年1回以上，新規採用時）の実施 •虐待の防止に関する措置を適切に実施するための担当者の配置 ※虐待の発生またはその再発を防止するための措置が講じられていない場合は、介護保険では「高齢者虐待防止措置未実施減算」（15頁参照）が適用されます。 ※医療保険においては，令和6年度診療報酬改定により，虐待防止の取組が規定され，令和8年5月31日までは努力義務

○令和６年度改定により，事業所の運営規程の概要等の重要事項等については，書面掲示等だけでなく，原則として情報をウェブサイト（法人のホームページ等または情報公表システム上）に掲載・公表しなければならないこととなりました。

【経過措置】介護保険：令和7年3月31日まで　医療保険：令和7年5月31日まで

243 訪問看護の管理に関する要件

訪問看護の管理に必要なことはどんなことですか？

医療保険の例で示すと表のようになります。

⑴ 安全な訪問看護提供体制が整備されており，主治医に（精神科）訪問看護計画書・報告書を提出するとともに休日・祝日等も含めた計画的な管理を継続する。
⑵ 安全な提供体制の整備要件として，基本的な考え方，事故発生時の対応方法の文書化がされていること。訪問先等で発生した事故，インシデント等が報告され，その分析を通した改善策が実施される体制が整備されていること。褥瘡に関する危険因子の評価を行い，危険因子のある患者および既に褥瘡を有する患者については，適切な褥瘡対策の看護計画を作成，実施および評価を行うこと。利用者数等褥瘡対策の実施状況を「訪問看護基本療養費等に関する実施状況報告書（8月1日現在）」にて報告を行うこと。災害等が発生した場合においても，訪問看護提供を中断させない，または中断しても可能な限り短い期間で復旧させ，利用者に対する指定訪問看護の提供を継続的に実施できるよう業務継続計画を策定し必要な措置を講じていること。
⑶ 電子的方法による計画等の提出ができること。その場合，公開鍵基盤（HPKI）等による電子証明書を用いた電子署名を施す。
⑷ 営業時間内における利用者または家族との電話連絡，療養相談，訪問看護実施に関する計画的な管理。
⑸ 報告書の写しは訪問看護記録書に添付のこと。
⑹ 理学療法士，作業療法士および言語聴覚士（以下「理学療法士等」という）が訪問看護を提供している利用者について，訪問看護計画書および報告書は，理学療法士等が提供する内容についても一体的に含むものとし，看護職員（准看護師を除く）と理学療法士等が連携し作成する。また，作成に当たっては，訪問看護の利用開始時および利用者の状態の変化等に合わせ看護職員による定期的な訪問により，適切な評価を行うこと。計画書や記録書，報告書には訪問看護の実施職種を記載すること。
⑺ 複数の訪問看護ステーションや保険医療機関と連携を図り，目標の設定，計画の立案，訪問看護の実施および評価を共有すること。
⑻ 認知症のグループホーム，高齢者向け施設等に入所している利用者に訪問看護を行う場合は，介護保険法等の医療および看護サービスの加算の算定等医療ニーズへの対応を確認して連携を図る。当該施設での日常的な健康管理等と医療保険制度の給付による訪問看護を区別して実施すること。
⑼ 市町村，保健所，精神保健福祉センターにおいて実施する保健福祉サービスとの連携に配慮。
⑽ 衛生材料を使用している利用者について，療養に必要な衛生材料が適切に使用されているか確認し，療養に支障が生じている場合，必要な量，種類および大きさ等を訪問看護計画書に記載するとともに，使用実績を訪問看護報告書に記載して主治医に報告し療養生活を整えること。

〔資料〕＊厚生労働省：令和6年保発0305第12号「訪問看護療養費に係る指定訪問看護の費用の額の算定方法の一部改正に伴う実施上の留意事項について」を参考に作成

244 実施状況報告書の記載

Q 「訪問看護基本療養費等に関する実施状況報告書（毎年７月１日現在（令和６年からは８月１日）で報告）」には，どのようなことを記載するのですか？

A 実施状況報告書は毎年７月１日現在（令和６年度診療報酬改定により８月１日に変更）で，地方厚生（支）局あてに提出することになっており，各厚生（支）局では報告書様式をホームページからダウンロードし記載できるようにしています。

報告書の項目は，管理者・従事者（出張所含む）・利用者数，精神科訪問看護基本療養費に係る届出，24時間対応体制加算に係る届出，特別管理加算，精神科複数回訪問加算・精神科重症患者支援管理連携加算に係る届出，機能強化型訪問看護管理療養費に係る届出（ターミナルケア，別表第７の利用者，介護（予防）サービス計画作成，人材育成の研修受け入れ），褥瘡対策の実施状況などです。

なお，機能強化型訪問看護管理療養費に係る届出については，届出をしている訪問看護ステーションが記載することになりますが，他の訪問看護ステーションでも記載することが望ましいとされています。

245 わかりやすい実績表を作成するには?

Q 毎月，訪問実績表を作成していますが，訪問実績が伸びているのかが今ひとつわかりません。どうすればよいでしょうか？

A 訪問実績が伸びているかどうかは，月ごとの実績表ではわかりません。訪問実績は，実績数字が横並びに把握できる形式，つまり月別実績表を作成しましょう。月ごとの訪問実績の数字は，ステーションの経営・運営状態を示しています。利用者数が増え訪問件数が増えれば，当然事業収入も増えることになりますが，平均単価が低下すれば事業収入は増えるどころか減収することもあります。特に利用者数，訪問件数，平均単価の増減を数字の変化で読み，その月のスタッフの稼働状況と合わせ判断します。稼働状況はよいが増収になっていない場合，平均単価に影響を与えている「加算の算定数の変化」「介護保険の 30 分訪問の割合」「医療保険の複数回訪問の回数」を見直します。

年間の利用者数や訪問件数等の推移も，実績表をもとにグラフ化すると一目でわかります。

実際の訪問実績表の参考例を次頁に示しますので参考にしてください。

Column

月別実績表のメリット

作成する前「はだ感覚」でとらえていた増減が数字で示されることで早い対応や変更ができるようになります。

実績管理月報　参考例

→ 1年間のデータを入力

			単位	令和6年1月	2月	3月	9月	10月	11月	12月
	看護職員数（常勤換算数）		名	( )	( )	( )	( )	( )	( )	( )
利用者	介護保険		名							
利用者	医療保険		名							
利用者	合計		名	0	0	0	0	0	0	0
異動	新規		名							
異動	終了		名							
訪問延べ件数	介保	～20分未満	件							
訪問延べ件数	介保	訪看Ⅰ1の比率	%							
訪問延べ件数	介保	～30分未満	件							
訪問延べ件数	介保	訪看Ⅰ2の比率	%							
訪問延べ件数	介保	～60分未満	件							
訪問延べ件数	介保	訪看Ⅰ3の比率	%							
訪問延べ件数	介保	～90分未満	件							
訪問延べ件数	介保	訪看Ⅰ4の比率	%							
訪問延べ件数	介保	介護保険訪問合計件数	件	0	0	0	0	0	0	0
訪問延べ件数	医保	90分以内	件							
訪問延べ件数	医保	長時間加算	件							
訪問延べ件数	医保	90分以上の差額利用	件							
訪問延べ件数	医保	医療保険訪問看護合計件数	件	0	0	0	0	0	0	0
訪問延べ件数		訪問看護総合計件数	件	0	0	0	0	0	0	0
加算	介保	○○○加算	件							
加算	介保	○○○加算	件							
加算	介保	○○○加算	件							
加算	介保	○○○加算	件							
加算	医保	○○○加算	件							
加算	医保	○○○加算	件							
加算	医保	○○○加算	件							
加算	医保	○○○加算	件							
事業収入	介護保険		円							
事業収入	医療保険		円							
事業収入	その他の利用料（交通費・差額料金および死後の処置等含む）		円							
事業収入	合計		円	0	0	0	0	0	0	0
平均単価	介護保険		円							
平均単価	医療保険		円							
平均単価			円							

246 訪問看護1件の平均単価

Q 訪問看護１件の平均単価とは，どのようなものなのでしょうか？　また，計算の仕方を教えてください。

A 平均単価とは，訪問看護１件の値段です。訪問看護１件の平均単価は，「事業収入÷訪問延件数＝平均単価」の数式で算出します。平均単価は，訪問看護ステーションごとに違います。例えば平均単価の高いステーションは11,000円，低いステーションは6,600円で，4,400円もの差があります。報酬が決められているからといって，全国のステーションが同じ単価ではないのです。平均単価は，24時間対応体制加算と緊急時訪問看護加算の算定数，医療保険の複数回訪問看護の回数，介護保険の30分以上の訪問回数が大きく影響します。

平均単価×看護師１人当たりの訪問件数で，１人のスタッフの１か月分の収入を出すことができます。スタッフ１人当たりの１か月の収入が65万円以上になると，ステーションは黒字になります。

Column

加算の算定要件を把握

加算の算定は利用料金に反映するので利用者等が納得する説明が求められます。ですから算定しようとする加算の算定要件を把握していること，それを利用者等にわかりやすくかつ納得できるように説明することが必要です。

サービス内容

247 携帯当番の待機料金の設定

携帯当番の待機料金の設定はどのようにしたらよいですか？

A 待機料金の設定として，１日単位と定額制の２通りがあります。定額制は１か月決められた金額の支払いで待機回数は関係ありません。１日単位では毎日交代から１週間交代などステーションの実情に合わせた待機で，休日と祝日は割増料金になっている場合があります。

待機料金設定の考え方ですが，ステーションの 24 時間体制の評価としての 24 時間対応体制加算と緊急時訪問看護加算の算定の合計額を使います。加算報酬額×算定件数の合計金額÷稼働日数でおおよそ１日の金額がでます。その金額をもとに待機料金の設定をします。これらの加算の算定数が少なければ当然のことながら待機料金は低くなってしまいます。待機料金はステーションによりかなりの違いがあります。０円のところもいまだにあります。１日単位では，1,000 円から 10,000 円などと開きがあります。

令和６年度の報酬改定で看護業務の負担軽減のための評価が示されました。医療保険の２４時間対応体制加算・介護保険の緊急時訪問看護加算に新設された区分の届け出基準を満たすと報酬が上がります。それを待機料金に反映させることもできます。

Column

携帯当番の負担

携帯当番は待機場所が看護職員の家で，ある程度の自由が認められるのですが，その負担感はかなり大きいものです。24 時間対応体制加算あるいは緊急時訪問看護加算の算定数を高くして待機料金をワンコイン（500 円）でも上げることができるようにしたいものです。職員の努力で算定数が増えることで待機料金が上がれば看護職員のモチベーションが高まるのは言うまでもありません。また一方で緊急電話を減らすための取り組みも重要です。利用者への訪問看護提供の見直しや体制づくりなどで，看護職員の負担軽減を図りましょう。

248 チーム制と担当制

Q チーム制と担当制，どちらの体制がよいのですか？

A チーム制は大規模であることが大前提です。チーム毎に携帯当番を回すことになるため最小でも５人以上のチームでないとチーム制の継続はできません。チームはステーションの訪問看護提供地域毎に構成すると訪問の移動を効率化できます。利用者の情報共有もチームごとになります。チームごとにリーダーをおきますが，チームのトップマネジメントは管理者の役割です。担当制の場合，看護師は数十名の利用者を担当し，同じ利用者を訪問している他の看護師と情報共有します。担当制の場合，携帯当番との情報共有を行います。チーム制と担当制のミックスもあります。

チーム制ではなく担当制でもなく，すべての利用者を看護師が訪問する体制もあります。この体制では，職員はすべての利用者に必ず１回以上訪問するシフトと，タブレットで情報共有を図り携帯当番のときも不安なく対応できるメリットがあります。またこの体制は看護師が急な休みの場合も代替え訪問がスムーズになります。

Column

情報共有の方法

いずれの体制でも利用者の情報共有の方法がポイントになります。スマートフォンやタブレット端末は情報共有を容易にします。使用しない場合はステーション内での申し送りや担当者同士によるコミュニケーションで情報共有を図ります。担当制のデメリットとして担当が固定化，長期化し利用者との関係性が看護業務の妨げになることもありますので，定期的な担当のシャッフルも必要です。

249 サテライトの設置

サテライトの設置を考えていますが，要点を教えてください。

A サテライトは主たるステーションの看護職員数と合わせて 2.5 人以上の配置があれば開設できます。また，管理者が一体的に管理できる範囲内であれば数か所の開設ができるとされていますが，小規模や中規模ステーションでサテライトを開設すると看護職の分散が起こり，運営がうまくいかないことがありますので，注意してください。最近では大規模ステーションが経営効率を上げるために設置することが多くなっています。また，機能強化型にする場合は，サテライトの看護職員数も含めることができます。都道府県によりサテライト設置への補助金が出る場合もありますので，県や市の担当部署に確認してみるのもよいでしょう。

サテライトの開設について，移動距離の短縮化や看護師の労働環境の改善を考えて開設するのか，サテライトから独立したステーションへの移行を前提とするのかということです。サテライト開設後，利用者が 50 人以上になったときにステーションとして独立してもよいでしょう。

なお，山間部や過疎地域においてサテライト設置の要件を満たす場合には，都道府県等を越えたサテライトの設置も認められることもあるので，県や市の担当部署に確認してください。

Column

サテライトを孤立させないためにも

管理者は少なくとも週に 1 ～ 2 回はサテライトに出向き，報告・連絡・相談による体制の強化をします。オンライン会議の活用もおすすめします。

サービス内容

250 利用者を確保するには?

Q 近隣に訪問看護ステーションが増えてきました。利用者確保への影響が心配です。

A 毎月の新規利用者数を安定確保していくことは難しいことです。新規利用者は，地域の状況や他のステーションの営業活動に左右されます。新たに開設されたステーションは訪問看護を提供する前から営業活動していることもあります。その開設するステーションの情報収集はもちろんのことですが，普段から自社ステーションの看護師等の経験年数や得意な看護と今までの成果（例えば，専門性の高い看護師の配置やターミナルケアの実績）など，他のステーションと差別化できる項目を明確にして営業に生かすようにしましょう。

営業活動は休みなく間隔を決めて行うことが利用者確保に重要です。営業訪問しない場合でも，電話やメール，Fax などを活用してください。ホームページでステーションの訪問受け入れ可能な空き状況のお知らせをすることも効果があります。

また，他のステーションが届け出ているサービス提供地域を確認することも重要です。介護サービス情報公表システム（厚生労働省）には，介護保険法の指定を受けたステーションの届出サービス提供地域が公表されています。地域の訪問看護の利用状況などと勘案し，提供地域を見直すことも効果的です。

251 移転の条件

Q ステーションを開設して1年経過し，黒字経営です。利用者の多くは訪問提供地域ですが少し離れた市からの依頼が増えつづけているので，その市に移転を考えています。しかし，あいまいな情報しかなく不安です。どのような条件であれば移転してよいでしょうか？

A まず利用者依頼を数字で確認します。この1年間の利用者数とその推移を市町村別に表します。今まで肌感覚だった増加の状況が数字となって表れ，利用者が多い地域と少ない地域が明確になってきます。その数字を地図上にマーキングすると分布状況がさらにわかりやすくなります。

次は訪問距離に着目してください。移転した場合，現在の利用者や医療機関との距離なども俯瞰し把握しておきます。それらは移転することで今までの訪問に比べ職員の移動の負担軽減につながるか，ガソリン料金などのコストパフォーマンスの向上につながるかなども考えるとよいでしょう。

252 ホームページの営業効果

Q 訪問看護ステーションのホームページは利用者確保などへの営業効果はありますか？

A 令和５年度に総務省が行った「情報通信白書」によるとインターネット利用率は８割を超えています。60歳を超えると減る傾向にはありますが，訪問看護の利用者等がステーションを選ぶときにホームページにアクセスすることが容易になっていることがわかります。

訪問看護ステーションと訪問看護がよくわかる内容と利用方法・料金などをわかりやすく掲載しましょう。また同じ地域にあるステーションの中で選ばれるための差別化した内容，小児や精神や看取りの看護や専門性の高い看護師などの情報を明示しましょう。

令和６年度報酬改定で「重要事項説明書」のウェブサイトへの掲載が義務付けられました。ウェブサイトがないステーションもあるようですが，これを機会にホームページを作成し営業活動にも役立てられるようにしたいものです。

Column

ホームページの活用

ホームページはステーションに就職したい看護職等もみています。採用情報掲載は，給与等の待遇面はもちろんですが，採用後の教育プログラムや携帯当番のシフトや待機料金から夜間の緊急電話の回数や1人での訪問の不安や携帯当番への不安解消への取り組みなどを掲載することで，就職の敷居を下げることもできます。

253 機能強化型のメリット

Q 機能強化型訪問看護ステーションにするメリットは何ですか？

A 機能強化型訪問看護ステーションは規模拡大と看護機能の強化を図るため，常勤者７人以上等の算定要件があります。利用者数，特に医療保険利用者が多く，ターミナルケア療養費の算定数が増え，その結果，黒字となることが明確になっています。また，「頻回な訪問で安心できる」「緊急訪問依頼への対応に満足している」など利用者からの評価も高いのが特徴的です。それに加え，看護職の定着率がよいことがわかっています。その理由として，職員数が多いため様々な経験をもつ職員による相談の場があり，不安なく業務できること，職員数が多く携帯当番の回数も少ないこと，研修参加が多くなり学習意欲が高まるなどがあります。つまり，機能強化型訪問看護ステーションの算定要件を満たすことは，職員の定着や経営安定につながります。

Column

機能強化型の算定にはマネジメントが必要

機能強化型を算定するには算定要件をクリアすることが必要で，そのうちの1項目を満たせないと取り下げになります。利用者数の減少に伴いターミナルケアの件数の減少や重症者の減少，また退職による看護職員数の維持ができなかったなどによる取り下げが多くみられます。これらは管理者の管理の範囲で起こっていることです。管理者の確実なマネジメントで算定要件を維持させることができます。

サービス内容

254 機能強化型訪問看護管理療養費の算定

Q 機能強化型訪問看護管理療養費の算定を目指しています。どのような取り組みが必要ですか？

A まずそれぞれの算定要件を確認することです。その上で自分のステーションが満たせていない算定要件を見つけます。算定要件を満たす障害になっているものの多くは，看護職員の常勤数やターミナルケア件数です。それらの算定要件を満たすには 137 ～ 140 頁を参考に算定要件に適うように取り組むことです。

非常勤職員の勤務時間が問題であれば，勤務時間の延長を図る，ターミナルケア件数が数件増えれば算定可能ならば，今までターミナルケアの算定ができなかった事例をもとにその要因は退院時共同指導なのか，退院支援指導加算の際の訪問看護のありかただったのかなど，様々な角度から検討しターミナルケアの算定ができる取り組みが求められます。

255 経営状況を改善したい…

Q 訪問看護ステーションの経営状況を改善したいのですが，どのように考えればよいでしょうか？

A ステーションの経営状況をよくするには，利用者数を増やす，訪問件数を増やす，平均単価を上げる，という3要素のコントロールが肝になります。しかし，それぞれの数字をただ上げればよいというわけではありません。

その方法は利用者数と訪問件数の連動です。これは，利用者の状態にあった看護の提供を可能にする看護判断に基づいた訪問件数（利用者への訪問回数）の設定ができるかということになります。つまり，「利用者が在宅で安定した状態を保ちながら生活するには，どのような内容の看護がどれくらい必要か」をアセスメントし，それらを満たすための看護実践に必要な時間や件数（回数）がどの程度かを訪問看護師が判断することが求められます。そして，これらの看護判断とその根拠を，介護支援専門員や利用者にわかりやすく説明し，了解を得る必要があります。つまり，看護のアセスメントと言語化が，経営の原点といえます。

Column

大規模でも赤字になる

利用者100人，訪問看護師10人（常勤換算），1か月の訪問件数350件の「あるステーション」は大幅な赤字です。大規模ステーションでも赤字になるわかりやすい例です。利用者1人当たりの訪問件数（回数）が少ないこと，緊急時訪問看護加算や特別管理加算等の加算の算定率が低いこと，看護師1人当たりの稼働率（看護師1人当たりの1か月の訪問件数）が少ないことが，その要因です。

256 看護師を確保するには?

Q 募集しても看護師の応募がありません。どのように確保したらよいでしょうか？

A 訪問看護に興味がありながら訪問看護ステーションへの就職を遠ざけているのは「携帯当番（オンコール）への不安」「ひとりで訪問することへの不安」といわれています。これらの不安への対応が明確になっているとステーションへの就職のハードルを下げることになります。携帯当番への対応方法，当番デビューの時期と支援方法，ひとり訪問になる時期やひとり訪問までの教育支援体制，またひとり訪問になった後の支援方法等です。スキルアップのために訪問看護のクリニカルラダーを用いた評価体制など，就職を希望している看護師が安心して働くことができる教育プログラムを作成することです。教育プログラムはステーションのホームページに掲載することで就職希望者がアクセスしやすくなります。

Column

効果的なミーティング手法

ヤフーで人材育成と組織マネジメントの成果を上げた「1on 1ミーティング」という手法があります。週に 1 回 30 分くらい管理者と訪問看護師が対話の時間をもち，管理者の良質な問いかけにより，訪問看護師の看護実践の振り返りを促し課題に気づけるようにします。ひとり訪問が基本の訪問看護において「1on 1ミーティング」は，経験学習を促す方法として有効かつ看護師の自信につながります。

257 看護師を採用するタイミング

Q 看護師を増やしたいのですが，採用のタイミングがわかりません。どのような状況になったら看護師を採用したらよいでしょうか？

A 看護師が1か月に何件訪問しているのかを把握してください。例えば看護師1人当たり1か月の訪問件数が80件として，その件数が30件以上増えている，または確実に増えそうな状況であるか，また訪問件数が増えてから2か月以上経過し今後も続く可能性がある，また看護師の疲弊状況が増しているなどを勘案し採用のタイミングにしてください。

もちろん早く採用できるにこしたことはありませんが，注意してほしいのは管理者が看護師の業務負担を考えすぎて利用者確保の営業を停止したり，利用者への訪問回数を必要にもかかわらず減らしたりすることです。その場合，職員採用したけれど利用者数が増えない，また訪問件数の減少などによる減収になることもあります。

昨今では，人材紹介会社を利用して看護師を確保することも増えています。この場合，紹介会社側に成功報酬を支払うことになりますが，近年の人材不足もあり，高額なケースもあります。都道府県が運営（多くは，都道府県看護協会が受託運営）するナースセンターでは，現場をよくわかっている職員による求職支援もあり，価格も安価です。新たな人材を確保する際には，様々な手段を検討しましょう。

サービス内容

258 ランチミーティングの取り扱い

Q 昼食時間を使ってランチミーティングをしていますが，職員から休み時間が短くなると言われました。ランチミーティングの取り扱いについて教えてください。

A 労働基準法第 34 条で，休憩時間は労働時間が 6 時間を超える場合は少なくとも 45 分，8 時間を超える場合は少なくとも 1 時間をとることに決められています。また休憩時間は労働時間の途中でとることになっています。ランチミーティングは休憩時間を使っていることになり，休憩したことにはなりません。ランチミーティングで休憩時間がとれなかったからと始業時間を遅らせる，あるいは終業時間をその分早くすることはできません。

サービス内容

259 同時に有給休暇の申請があり業務に支障がある場合

Q 働き方改革で有給休暇の取得が義務付けられましたが，同時に数名の職員が有給休暇を申請し業務に支障があるとしても休暇申請は拒否してはいけないのでしょうか？

A 年休が 10 日以上付与されている職員に対し，年 5 日の年休取得が義務付けられました。複数の職員が同じ日程で休暇を申請し通常の訪問業務の実施が妨げられる場合は，管理者は労働基準法第 39 条で定められている有給休暇の取得日を変更できる時季変更権を行使することができます。この場合管理者は職員間の日程を調整しそれぞれの職員と折り合いをつけながら休暇を取得できるよう支援します。有給休暇取得の管理は年次有給休暇管理簿（システム上も可）を作成し 3 年間保存しなければなりません。

サービス内容

260 看護体制強化加算を維持できるか…

Q 看護体制強化加算の届出をしようと考えていますが，特別管理加算の割合を維持できるか心配です。どうしたらよいでしょうか？

A 緊急時訪問看護加算とターミナルケア加算の算定条件は比較的クリアできますが，特別管理加算そのものの算定要件を満たすこと，そして対象となる利用者確保を継続できるかが長期的に算定を維持できるかどうかの鍵となります。届出に当たり，特別管理加算算定対象者は 20%以上であることが求められています。20%ギリギリではなく，25%以上を保った上で届出をするとよいでしょう。

特別管理加算対象利用者の確保は，営業にかかっています。「こんな看護管理が必要な利用者・こんな状態にある利用者の依頼受けられます」と医師や医療機関の相談部門・退院調整看護師などへの具体的な営業が有効です。

看護体制強化加算については，26 ～ 28 頁を参照してください。

Column

加算の取り下げはステーションの信用に影響する

看護体制強化加算の届出をしたけれど，算定要件，特に特別管理加算の割合を維持できずに取り下げたということをよく聞きます。短期間での変更は訪問看護ステーションの信用に大きな影響を与えるため，このような事態は避けたいものです（該当する利用者確保を継続していくには，営業活動が何よりも大切になります。医療機器を装着している医療依存度の高い利用者の受け入れが可能であることを明確にする，また受け入れ後の実績と成果を示すことが必要です）。

サービス内容

261 退職の取り決め

Q 前管理者が急に退職し，やむなく引き継ぎなしで管理者になりました。今までの就業規則に退職の取り決めがありません。今後，職員のためにも就業規則に盛り込む内容を教えてください。

A 退職の申し出を断ることはできませんので，退職の意思は○か月前（3か月程度が多い）に申し出ること，またその間に業務の引き継ぎは責任をもって行うことを明記しましょう。

退職届を受理した後で職員から退職撤回があった場合，撤回は可能ですが，撤回する見返りとして条件をつけてきたりすることもあります。撤回した理由を聞くなど話し合い，管理者として適切な判断と対応ができるようにしましょう。

サービス内容

262 看護師の新任教育に必要なことは?

Q 新卒看護師含む看護師の新任教育に必要なことは何ですか？

A 各地の看護協会が実施している訪問看護師育成研修や日本訪問看護財団が提供する「訪問看護eラーニング～訪問看護の基礎講座～」などの受講が一般的に行われています。ただ，このような研修だけでなく，ステーション独自の教育プログラムによる教育をおすすめします。特に病院から訪問看護ステーションに就職してきた看護師は即戦力になると考えがちですが，病院では報酬等の教育はほとんどなされていません。ですから，制度・報酬等について知識がないのが現状です。

訪問看護師になりたいと切望している看護師に，訪問看護制度と報酬の仕組みを教えてください。それが看護実践と報酬の結びつきを理解できる看護師の育成になります。

263 教育プログラムの作成

Q 教育プログラムのあるステーションは看護師の確保がうまくいっているようです。教育プログラムの作成を考えていますが，どのような内容にしたらよいですか？

A 機能強化型訪問看護管理療養費，看護体制強化加算，サービス体制強化加算においては，研修計画の策定・カンファレンス開催・研修等の職員の教育が算定要件となっています。報酬算定のためだけでなく，職員確保・定着にも教育プログラムは必要です。作成するとき「育成期間」「育成方法」を決めます。例えば「育成期間」は訪問看護師として一人前になれる期間「単独訪問ができる」「携帯当番（オンコール）ができる」などを目標設定します。

「育成方法」は同行訪問（OJT）・研修・カンファレンス・面接・ラダーなどを組み合わせます（248・254 頁参照）。

サービス内容

264 新人看護師の教育成果を確かめる評価方法

新人看護師の教育成果を確かめる評価方法はありますか？

A 教育プログラムに沿い教育を行ったとして，その教育成果を確認する方法の１例として，滋賀県看護協会訪問看護支援センターのホームページに掲載されている「訪問看護師ステップアップシート」があります。このシートは看護師の各時期に学んだこと・実践したこと・理解度と実践度をステップごとにチェックし，その結果をレーダーチャートに落とし込む形式になっています。自己評価形式ですが，新人看護師が自らの不足している知識や技術についてチェックできます。この評価結果を参考にプリセプターが低評価項目に対して教育することができます。なにより新人看護師の知識や技術の習熟度を把握できることで教育成果を確認することができます。

265 自費の訪問看護を始めたい

Q 利用者さんから旅行を含めた外出支援や外来受診の付き添いなどのリクエストがあり，自費の訪問看護を始めたいと考えています。可能でしょうか？

A 介護保険，医療保険の給付対象となる訪問看護以外であるサービスならば別の料金設定ができます。自費サービスを行う際の注意点として，自費サービスの方針や料金，利用の仕方が指定訪問看護事業所の運営規定とは別に明記してあること，利用者が日ごろ受けている訪問看護とは別事業であり保険給付の対象外であることを説明し理解を得ていること，会計が指定訪問看護つまり本事業の会計と区分してあることが規定されています。

自費の料金設定はその根拠が明確であること，例えば 1 時間の料金設定は介護保険の訪問看護の 60 分を基準にしていると説明しやすくなります。また自費サービスを提供するときはサービス内容が同じだったとしてもその都度同意書をとることをおすすめします。その理由として利用者の状態は変化していることもあり，リスクマネジメント観点から必要と考えます。

Column

説明と同意

自費サービス提供でも利用者への説明と同意が求められていますが，医療法「第 1 条の 4 第 2 項　医師，歯科医師，薬剤師，看護師その他の医療の担い手は医療を提供するに当たり，適切な説明を行い，医療を受ける者の理解を得るように努めなければならない」と明記されており，説明と同意は訪問看護提供のすべてに求められています。

Ⅱ-3　情報管理

サービス内容

266　個人情報保護と実習生の受け入れ

Q　個人情報保護法との関連で，看護実習生の受け入れや対応は，どのようにしたらよいでしょうか？

A　実習生の受け入れ時に，学校側と訪問看護ステーションで契約を結びます。個人情報保護に関する内容が含まれていることを確認してください。ステーション側と学校側で「実習説明書」を用い，実習の考え方や秘密保持について明確にしておきます。

実習のオリエンテーション時に，個人情報の保護方針を説明します。具体的な個人情報の取り扱い，特に実習生の記録の管理について十分な説明をしてください。実習生は実習の期間に実習記録を持ち運びます。この際に情報が漏洩する可能性があること，また学生同士の会話で利用者の個人情報が漏れることもあります。学生として，将来医療従事者となる自覚も含めて「守秘義務」の徹底が必要です。ステーションは実習教育機関として，実習生に「守秘義務」について指導する義務があります。

実習時に事例の学習をしますが，実習指導者は，事例の内容で個人が特定できる記述の有無を点検し指導する必要があります。

Column

個人情報

学生が実習先への行き帰りの交通機関などで互いの利用者について話し合ったりすることもあり個人情報が漏れることも。注意が必要です。

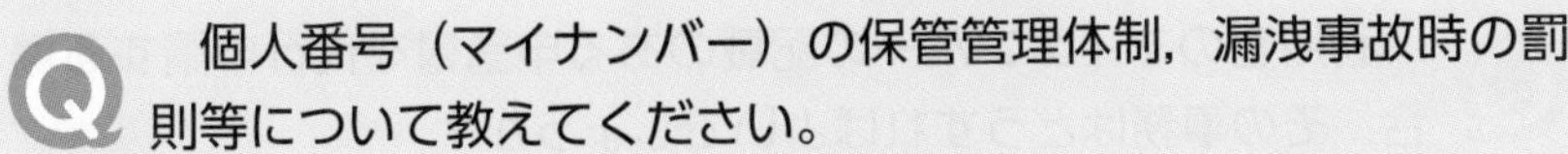

制度

267 マイナンバーの保管管理体制

個人番号（マイナンバー）の保管管理体制，漏洩事故時の罰則等について教えてください。

A マイナンバーの取得・保管等については，以下の原則を遵守しなければなりません。

(1) マイナンバーは，法令で定められた利用目的以外での利用・取得をしない
・**事業者が収集しなければならないマイナンバー**
①雇用関係にある役職員：源泉徴収票・雇用保険ほか
②個人への報酬等支払先（顧問税理士・家主・講師・委員ほか）：法定調書の作成
(2) マイナンバーの取得時の本人確認は厳格に行う
(3) マイナンバーの記載のある書類の保管・廃棄等は規程に定めた方法に従い厳格に行う
(4) 取扱担当者・管理者等の選任と権限の明確化
(5) 保管システムの構築とアクセス権，データ流失防止，データ利用・取得等の履歴の保存等のシステムの構築
(6) 上記事項に関する「特定個人情報取扱規程」を定め，規程に従いマイナンバーの取得・保管等の業務を実施する
(7) マイナンバーが記載された書類等については，事務処理する必要がなくなり，保管期間を経過した場合にはできるだけ速やかに廃棄または削除する

マイナンバーは，所属する役職員や個人への報酬・謝金・家賃等の支払先などの法定調書等への記載が求められ，その取得・管理等は法人の責任であることから，漏洩の場合，その責任を問われることになります（次頁コラム参照）。マイナンバー漏洩が発生すると，解決のための多大な労力・時間・費用の発生（①漏洩原因・影響の調査，②復旧対応費用（システムの再設定等），③関係各所への謝罪・報告，④再発防止策の検討・実施，⑤営業の自粛，⑥訴訟対応，⑦訴訟費用・賠償費用の発生など）も見込まれます。

268 マイナンバーの代行申請

Q 利用者のマイナンバーの記載のある申請書を代行申請する場合，その事務はどうすればよいでしょうか？

A 利用者のマイナンバーの取り扱いは，事業者が介護保険等のサービスを受けるため介護保険法等に基づく代行申請を行う際に，利用者やその家族等からの依頼などの合意に基づき行われるものとなります（次頁の表を参照）。この場合，事業者がマイナンバーを収集するわけではありませんが，委任状の取得や漏洩防止のための取り扱い等の手順・ルール作りが必要となります（平成 27 年 12 月 15 日付厚生労働省事務連絡「介護事業者等において個人番号を利用する事務について」等により介護保険関係事務等の内容や留意点について示されています）。

Column

漏洩した場合の罰則等

刑事責任	4年以下の懲役または200万円以下の罰金
民事責任	過失に基づく特定個人情報の漏洩（裁判所の判断に基づく）
命令違反	情報の管理体制に不適切な箇所（2年以下の懲役または50万円以下の罰金）
虚偽・拒否・妨害	報告を求められた際に虚偽・拒否・検査妨害（1年以下の懲役または50万円以下の罰金）

代行申請の手続き

代理人として申請する場合 (委任状に基づく代行申請)	申請書類に加え，代理人としての委任事項・代理人の住所・氏名等を記載した「委任状」および本人の番号確認のため個人番号カード（または，通知カード・本人の個人番号が記載された住民票等）の写しなどを預かるとともに，代理人の身元確認ができる個人番号カードや運転免許証などに加え，居宅介護支援専門員証等の提示が必要となります。 注：委任された権限の範囲内で個人番号を利用することはできますが，申請書等の写しを事業所内に保管し，それを利用し介護サービス利用者の情報管理を行うことはできません。また，業務上の必要から個人番号の記載のある申請書等の写しを事務所内に保管する場合は，個人番号の記載箇所を黒塗り等により判別できないようにするなどの措置が必要となります。
利用者本人の使者として申請する場合 (委任状なしで本人に代わり申請書を提出)	利用者本人が行政の窓口に提出することが困難な場合，利用者本人がマイナンバーを申請書等に記入を行い，施設等の職員に預け提出することも考えられます。この場合，職員が利用者に代わり，書類に個人番号を記入することはできません。また，利用者のマイナンバーの記載のある書類は，封緘された封筒で預かるなどの対応が必要です。
代理権の授与が困難な利用者に代わり申請する場合 (本人の意思確認が困難)	利用者本人の心身の機能や判断能力の著しい低下等により，代理権の授与が困難な場合は，従来通りマイナンバーを記載せず申請することもできます。

制度

269 訪問看護レセプト（医療保険請求分）のオンライン請求

Q オンライン請求とは何ですか？　開始にあたり必要な届出はありますか？

A オンライン請求とは電子的に作成したレセプトデータを，セキュリティが確保されたネットワーク回線により，オンラインで審査支払機関に送付することです。

これまで医療保険請求分の訪問看護のレセプトは紙運用でしたが，令和６年６月より（請求は７月請求）オンラインでの請求が開始となりました。

オンライン請求の開始によって請求事務の効率化だけでなく，レセプトの利活用（介護保険分野とあわせた訪問看護全体でのデータ分析，地域医療や在宅医療の実態把握等）の推進も期待されています。

オンライン請求を開始するためには「医療機関等向け総合ポータルサイト」において，「オンライン請求利用申請（電子情報処理組織の使用による費用の請求に関する届出）および「電子証明書発行依頼」を原則請求開始月の前々月の 20 日までに申請（届出）することが必要です。

〈問い合わせ先〉

オンライン請求サポートデスク（訪問看護）

メールアドレス: houkan-seikyu-support@qunie.com

※問い合わせの際には，はじめに訪問看護ステーションの所在都道府県名，訪問看護ステーションコード，訪問看護ステーション名を記載してください。

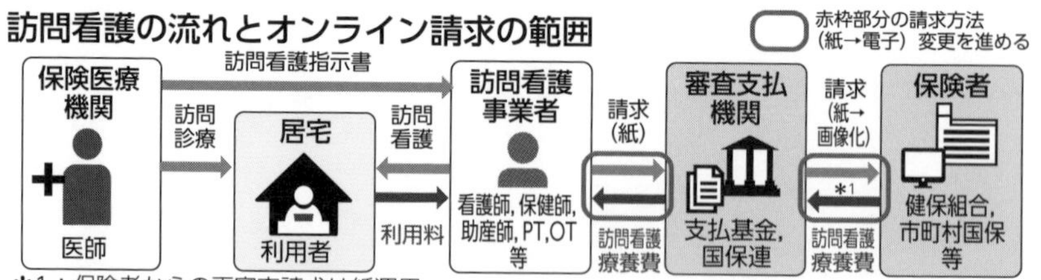

図　医療機関等向け総合ポータルサイト　訪問看護（医療保険）におけるオンライン資格確認・オンライン請求導入手順より　https://iryohokenjyoho.service-now.com/csm?id=oqs_csm_top#gyomu4

270 オンライン資格確認とは

オンライン資格確認とはどのようなことですか？

A オンライン資格確認とは，マイナンバーカードを利用して，利用者の医療保険の資格情報を取得するとともに，薬剤情報等をオンラインで閲覧できる仕組みです。資格とは，本人の被保険者証（記号・番号）の情報です。

訪問看護でも令和６年６月より訪問看護ステーションのモバイル端末等で居宅等において，オンラインで資格確認が利用できるようになりました。訪問看護事業所で専用の端末とネットワーク回線を通して，審査支払機関のオンライン資格確認等システムに接続することで，利用者の資格情報がその場で確認できるようになります。そのため，資格過誤によるレセプトの返戻が減り，事務業務の削減につながる等のメリットがあります。また，訪問看護事業所において特定健診等の情報や診療／薬剤情報の閲覧が可能になり，訪問看護に活用できます。

〈問い合わせ先〉

オンライン資格確認等コールセンター

営業時間：平日8:00～18:00 土曜日8:00～16:00（いずれも祝日を除く）
電話番号：0800-080-4583（通話無料）

※問い合わせの際には，はじめに訪問看護ステーションコード，訪問看護ステーション名をお伝えいただきますようご協力ください。

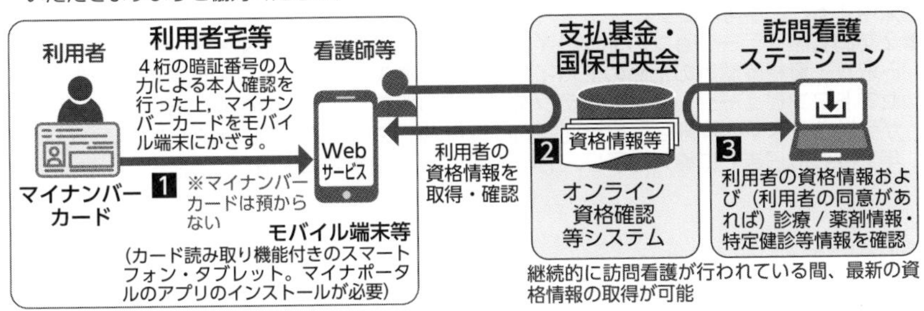

図　医療機関等向け総合ポータルサイト　訪問看護（医療保険）におけるオンライン資格確認・オンライン請求導入手順より　https://iryohokenjyoho.service-now.com/csm?id=oqs_csm_top#gyomu4

制度

271 オンライン請求・オンライン資格確認の導入

Q オンライン請求・オンライン資格確認を導入するにはどうしたらよいですか？

A 導入手順

①オンライン請求の開始に向けて準備が必要な機器等の一部は，オンライン資格確認と兼用することが可能です。まず，医療機関等向け総合ポータルサイトへのアカウント登録を行います。

②アカウント登録後，医療機関等向け総合ポータルサイトにてオンライン資格確認／オンライン請求の利用申請（届出）を行います。利用申請完了後，電子証明書の発行申請（届出）を行います。

※電子証明書はオンライン資格確認／オンライン請求共通です。また，請求業務を行う事業所ごとに電子証明書は必要です。

③電子証明書が届いたらシステムの導入・機器のセットアップ，ネットワークの設定，不正ソフトウェア対策などのセキュリティ対策，運用テストを実施します。

機器のセットアップ・設定作業については，導入支援事業者に対して，支援を相談します。また，現在契約しているレセプト作成用端末（レセコン）または，レセプト作成用ソフトの事業者にレセコンまたは，ソフト改修を行ってもらいます。

※１オンライン請求の開始に向けて準備が必要な機器等の一部は，オンライン資格確認と兼用することが可能です。

※２訪問看護ステーションのオンライン資格確認導入に必要な①マイナンバーカードの読み取り・資格確認等のためのモバイル端末等の導入，②ネットワーク環境の整備，③レセプトコンピュータ，電子カルテシステム等の既存システムの改修において費用の支援が受けられます。詳細は医療機関等向け統合ポータルサイトでご確認ください。（令和6年11月30日までに導入完了し，令和7年5月31日までに申請）

制度

272 オンライン請求とオンライン資格確認

Q 訪問看護レセプト（医療保険請求分）のオンライン請求用のパソコンで，オンライン資格確認は可能でしょうか？　またオンライン請求用のネットワーク回線とは何ですか？

A オンライン請求とオンライン資格確認は一台のパソコンで実施可能です。オンライン資格確認用として端末を導入する場合，端末の導入費用は補助対象となるよう整備が進められています（前頁※2参照)。

オンライン請求用のネットワーク回線とは，医療保険のオンライン請求システムを利用するために接続が必要となる専用のネットワーク回線のことです。接続方式にはIP-VPN方式と，IPsec+IKE方式があり，どちらの接続方式であっても，同等のセキュリティが確保されています。医療保険請求用のネットワーク回線は，介護保険請求用のネットワーク回線とは別に準備が必要となります。 なお，オンライン請求とオンライン資格確認は，ネットワーク回線の兼用が可能です。

関連する情報は，随時更新されますので，医療機関等向け総合ポータルサイト，厚生労働省のホームページで確認するとよいでしょう。

訪問看護ステーションで必要な機器等

（※）電子証明書とは，使用する端末が，オンライン資格確認やオンライン請求における通信を許可された端末であることを証明するために必要なもので，医療機関等向け総合ポータルサイトから申請の上，ダウンロードすることにより取得します。

図　医療機関等向け総合ポータルサイト　訪問看護（医療保険）におけるオンライン資格確認・オンライン請求導入手順より　https://iryohokenjyoho.service-now.com/csm?id=oqs_csm_top#gyomu4

制度

273 オンライン資格確認の実施方法

オンライン資格確認は具体的にどのように行いますか？

A マイナンバーカード読み取り対応のモバイル端末等（スマートフォン，タブレット，ノートパソコン等）を準備し，あらかじめマイナポータルアプリのインストール（App Store または Google Play で「マイナポータル」と検索）を行っておきます。その上でモバイル端末等 (スマートフォン，タブレット，ノートパソコン等) からマイナ在宅受付 Web へアクセスし，利用者の自宅等でオンライン資格確認を実施します。

マイナ在宅受付 Web とは，利用者の自宅等において利用者の資格情報の取得や診療情報等の閲覧に関する同意の取得（登録）を可能とする Web サービスであり，このほか同意内容の照会・更新や同意の取り消しを行うことができます。

オンラインで資格確認をした場合，高齢受給者証，限度額適用認定証，限度額適用・標準負担額減額認定証および特定疾病療養受療証などの提示が不要になります。

詳細は医療機関等向け総合ポータルサイト内（訪問看護ステーション向けオンライン資格確認等システム運用マニュアル，マイナ在宅受付 Web システム操作マニュアル（訪問診療等編））でご確認ください。

資格証類等におけるオンライン資格確認可否一覧※

No.	資格証類	オンライン資格確認（可能：○，不可：×）
1	健康保険被保険者証／共済組合組合員証／私立学校教職員共済加入者証／船員保険被保険者証／共済組合船員組合員証	○
2	国民健康保険被保険者証	○
3	国民健康保険被保険者証兼高齢受給者証／高齢受給者証	○
4	後期高齢者医療被保険者証	○
5	退職被保険者証	○
6	短期被保険者証	○
7	子ども短期被保険者証	○
8	修学中の被保険者の特例による被保険証（マル学保険証）	○
9	住所地特例制度による被保険者証	○
10	被保険者資格証明書	○
11	限度額適用認定証	○
12	限度額適用・標準負担額減額認定証，標準負担額減額認定証	○
13	特定疾病療養受療証	○
14	自衛官診療証，自衛官限度額適用認定証，自衛官限度額適用・標準負担額減額認定証，自衛官特定疾病療養受療証	×
15	被保険者受給資格者票	×
16	特別療養費受給票	×
17	船員保険療養補償証明書／船員組合員療養補償証明書	×
18	船員保険継続療養受領証明書／船員組合員継続療養受療証明書	×
19	一部負担金等減免（免除・徴収猶予）証明書	×
20	公費負担・地域単独事業の受給証	×
21	生活保護受給者に交付される医療券等	○

※順次対象範囲を拡大していく予定です。

制度

274 オンライン請求・オンライン資格確認の経過措置について

Q オンライン請求・オンライン資格確認の経過措置について教えてください。

A オンライン請求は令和6年12月請求分より，オンライン資格確認は令和6年12月2日より義務化されますが，やむを得ない事情があるものとして届出を行った訪問看護ステーションについては，期限付きの経過措置が適用されます（次頁参照）なお，オンライン請求については書面による請求を行うことができます。

経過措置対象の訪問看護ステーションは，令和6年10月31日までに原則として医療機関等向け総合ポータルサイトの届出フォームから訪問看護ステーションごとに猶予届出書を提出します。

○オンライン請求及びオンライン資格確認導入の猶予届出書

https://www.mhlw.go.jp/content/12400000/001189467.pdf

届出フォームからの届出が困難な場合には，紙媒体の猶予届出書を社会保険診療報酬支払基金本部医療情報化支援助成課に送付することで審査支払機関または地方厚生（支）局に届出を行うことができます。

[社会保険診療報酬支払基金本部の送付先]

〒105-0004　東京都港区新橋2丁目1番3号

社会保険診療報酬支払基金　医療情報化支援助成課　行

（封筒の表面に赤字で「猶予届出在中（訪問看護）」と記載する）

やむを得ない事情	期限	オンライン請求	オンライン資格確認
電気通信回線設備に障害が発生した訪問看護ステーション	障害が改善されるまで	○	×
令和6年10月末までにシステム事業者と契約締結したが，導入に必要なシステム整備が未完了の訪問看護ステーション（システム整備中）	システム整備が完了する日まで（遅くとも令和7年6月末まで）	○	○
オンライン請求またはオンライン資格確認に接続可能な光回線のネットワークが整備されていない訪問看護ステーション（ネットワーク環境事情）	オンライン請求・オンライン資格確認に接続可能な光回線のネットワーク環境の整備がされてから6か月後まで	○	○
改装工事中の訪問看護ステーション	改装工事が完了するまで	○	○
廃止・休止に関する計画を定めている訪問看護ステーション	廃止・休止するまで（遅くとも令和7年6月末まで）	○	○
その他に困難な事情のある訪問看護ステーション	特に困難な事情が解消されるまで	○	○

制度

275 マイナンバーカードを保有していない場合

Q 利用者がマイナンバーカードを保有していない場合の資格確認はどうしたらよいでしょうか？ また，マイナンバーカードを読み取れない場合や利用者が４桁の暗証番号を忘れた場合はどうすればよいですか？

A マイナンバーカードを保有していない場合は，現行の健康保険証または資格確認書※（令和６年12月２日の保険証廃止以降）により資格確認を行うこととなります。

また，マイナンバーカードを健康保険証として利用するためには，あらかじめ利用者がマイナポータルで健康保険証利用の申し込みをすることが必要です。

なお，マイナンバーカードが読み取れない，暗証番号を忘れた場合も現行の健康保険証または資格確認書で資格確認を行います。

※資格確認書は，マイナ保険証を保有していない方すべてに対して，当分の間，申請によらず交付される予定です。

制度

276 オンライン資格確認の方法

Q オンライン資格確認の資格確認方法の「再照会機能」と「継続的な関係」について教えてください。

A 訪問看護ステーション等から訪問看護を提供する場合に，初回訪問等でオンライン資格確認（居宅同意取得型）による確認をした後，「継続的な関係」のもと訪問看護が行われていることが確認できる場合に限り，2回目以降の訪問時において，再照会による資格確認ができます。具体的には初回訪問時に利用者等の居宅において，オンライン資格確認しますが，同月や翌月に行う2回目以降の訪問看護では訪問前に訪問看護ステーション等の端末で再照会機能を活用できることで，最新の資格情報等をあらかじめ確認した上で訪問看護が実施できます。

また「継続的な関係」のもと訪問看護が行われている間，登録された同意に基づき，利用者の診療情報・薬剤情報等の閲覧も可能です。

「継続的な関係」とは，利用者の居宅等においてオンライン資格確認（居宅同意取得型）を実施した初回訪問から3か月を経過する日の属する月の月末まで再照会機能を利用することが可能であり，さらにこれを継続する場合には初回訪問から訪問看護が毎月継続していることがレセプトの請求の審査結果から確認できる必要があります。

制度

277 オンライン資格確認の実際——医療扶助の場合

Q 医療扶助において利用者宅に訪問した後に実施する資格確認はどうなりますか？

A 医療扶助の場合は，医療機関コード単位で，自機関が委託先になっている利用者の資格情報や医療券情報を一括照会機能にて確認することができます。

医療扶助の利用者が，未委託の訪問看護ステーションを利用した場合や福祉事務所の情報登録が遅延した場合には，利用者の医療券情報を閲覧できません。その場合は，福祉事務所が医療券情報を登録した後に，委託先資格情報の一括取得を実施し，事後的に資格確認を実施してください。

なお，福祉事務所に対しては，医療扶助の利用者が未委託の訪問看護ステーションを利用した場合，医療券情報を月末まで（月末に未委託の訪問看護ステーションの利用に関する照会を受けた場合はレセプト請求期限まで）に登録するよう周知されていますが，確認できない場合は利用者の属する福祉事務所に問い合わせてください。

制度

278 モバイル端末の使用について

Q 利用者の居宅等においてオンライン資格確認に看護師個人が所持するモバイル端末（携帯電話やタブレット等）を使用してよいですか？

A モバイル端末等を用いてオンライン資格確認のサービスを利用する場合，そのモバイル端末等は，訪問看護ステーション等が業務用のみに用いる端末であることが望ましいです。

施設においては，以下のチェックリストを活用しながら，モバイル端末等を安全に管理するようにします。

なお，看護師等個人の所有するまたは個人の管理下にある端末の業務利用 (Bring Your Own Device; BYOD) も想定されます。BYOD を使用する場合も，以下のチェックリストを活用して，訪問看護ステーション等が管理する情報機器等と同等の対策を講じるようにします。

チェック欄	対策内容
端末上の対策	
□	OS やソフトウェアは，自動アップデート機能等により常に最新の状態に保ちましょう。また，提供元が確認できないソフトウェアをインストールしないようにしましょう。
□	ウイルス対策ソフトウェアを導入して定期的なウイルススキャンを行い，悪意のあるソフトウェアを検出･除去するようにしましょう。また，ウイルス対策ソフトウェアを常に最新版に更新しましょう。
□	端末に対して，推定されにくいパスワードやロック等を設定した上で，定期的に変更等するなどの対策を行いましょう。
管理上の対策	
□	資格確認業務に用いる情報機器等について台帳で管理を行い，端末が，施設により許可された看護師等に使用され，上記の「端末上の対策」が講じられていることを定期的に確認しましょう。
□	個人情報等の漏洩を防ぐため，端末等の安全管理について，看護師等に対して周知・教育訓練等を定期的に実施しましょう。

参考：「医療情報システムの安全管理に関するガイドライン 第6.0 版（令和5 年5 月）」

Ⅱ-4　他職種連携

連携

279　PT・OT・STとの連携は?

Q　訪問看護ステーションに配置されている理学療法士・作業療法士・言語聴覚士との連携は，どのようにすればよいのでしょうか？

A　平成 30 年度の報酬改定時に，PT・OT・ST との連携方法が具体的に示されました。PT・OT・ST による訪問は訪問看護業務の一環としてのリハビリテーションであり，看護職員の代わりに訪問させる位置づけであることが明確になりました。利用者の状況や実施した看護の情報を，看護職員と PT・OT・ST が共有し検討しながら，訪問看護計画書と訪問看護報告書を作成すること，訪問看護開始時には必ず看護職員が訪問して利用者のアセスメントを実施し，利用者の状態変化に合わせ看護職員が訪問すること，また利用者の状態変化がない場合でも，介護保険では少なくとも概ね 3 か月に 1 回は看護職員による訪問をすることになりました。

PT・OT・ST と利用者の状態について，看護の視点とリハビリテーションの視点を十分意見交換しながら看護目標を設定します。これらのプロセスで PT・OT・ST も利用者の急変などの不安の解消にもなりますし，目標の共有は何よりも利用者のリハビリテーション効果を高めることにつながります。

Column

PT・OT・ST のみの訪問の見直し

訪問看護依頼時にリハビリテーションを希望している場合，担当する PT・OT・ST が直接受付し，訪問を開始している訪問看護ステーションもあります。このとき，PT・OT・ST のみが関わっている利用者をステーションの管理者が把握できていないことがあります。「訪問看護事業所における看護職員と理学療法士等のより良い連携のための手引き」（一般社団法人全国訪問看護事業協会編）などを参考に，PT・OT・ST のみの訪問の見直しを行うことをおすすめします。

280 医行為ではない行為とは?

Q 厚生労働省から出された通知により，原則として医行為でないと考えられる行為が列挙されましたが，介護職員が医行為を行えるようになったということでしょうか？

A ①「医師法第17条，歯科医師法第17条及び保健師助産師看護師法第31条の解釈について」（平成17年7月26日医政発第0726005号厚生労働省医政局長通知）という通知が出されましたが，この通知により，介護職員が医行為を行えるようになったというわけではありません。

この通知は，もともと医行為ではないと考えられる行為を整理したもので，爪切りにしても，看護職員が行う爪切りもあります。全身状態を観察して，爪切りが感染症等の引き金になったり，危害を及ぼすことがないかを確認することが重要です。

介護職員に助言・指導して，介護職員がすべき行為か，看護職員が自らすべきかを判断し，看護と介護の連携を行うことが大切です。

パルスオキシメータの装着については医行為ではないとされていますが，そもそもパルスオキシメータを使用しなくてはならない状態であれば，看護職員が健康状態等を観察してケアのマネジメントを行い，介護職員と協働する必要のある利用者でしょう。

②さらに，同上通知その2が令和4年12月1日に発出され，項目の追加がありました（278頁参照）。

Column

医行為除外例（原則医行為ではない行為）

体温・血圧測定，パルスオキシメータ装着，軽微な切り傷・擦り傷・やけど等の処置，軟膏塗布，湿布貼付，点眼薬，舌下錠含む内服，肛門からの座薬挿入，鼻腔粘膜への薬剤噴霧，爪切り，口腔清潔，耳垢除去，ストマの排泄物除去，ストマ装具交換，自己導尿補助，市販の浣腸器による浣腸

※看護師はアセスメントし，介護職員に指導・助言，または必要時に自ら実施する。

制度

281 介護職員の喀痰吸引の法的根拠

Q 介護職員が喀痰吸引をできることになった法律の根拠を教えてください。

A 平成 23 年 6 月 15 日の「介護サービスの基盤強化のための介護保険法等の一部を改正する法律」（平成 23 年法律第 72 号）の成立に伴い，社会福祉士及び介護福祉士法（昭和 62 年法律第 30 号）の一部改正が行われました。「介護福祉士は，喀痰吸引その他の身体上または精神上の障害があることにより日常生活を営むのに支障がある者が日常生活を営むのに必要な行為であって，医師の指示の下に行われるもの（厚生労働省令で定めるものに限る）を行うことを業とするもの」と定められ，保健師助産師看護師法の規定にかかわらず「診療の補助」の一部を行うことができるようになりました。

経過措置では，研修を修了し確認試験を合格した後に認定証が交付された介護職員（介護福祉士含む）が実施します。介護福祉士の名称を用いて喀痰吸引等を行うことになったのは平成 29 年度以降です。喀痰吸引等の研修を修了して都道府県知事から「認定特定行為業務従事者」の認定証を交付され，登録特定行為事業者に所属する介護職員が喀痰吸引等を行います。

制度

282 医師の指示の下に行われる行為

Q 介護職員が医師の「介護職員等喀痰吸引等指示書」による指示の下に行うことができる行為とはどのような内容ですか？

A 厚生労働省令第 126 号「社会福祉士及び介護福祉士法施行規則の一部を改正する省令（平成 23 年 10 月 3 日）」で，介護職員ができる行為の範囲は，痰の吸引（口腔内，鼻腔内，気管カニューレ内部）と経管栄養（胃ろうまたは腸ろう，経鼻経管栄養）と規定しています。

283 喀痰吸引等実施者の登録基準

喀痰吸引等医行為ができる訪問介護事業者の登録基準は定められていますか？

A 喀痰吸引等を行う訪問介護事業者は，都道府県知事の登録をした「登録特定行為事業者」または「登録喀痰吸引等事業者」です。登録特定行為事業者の登録基準を以下に示します。

登録特定行為事業者の登録基準

1．医療関係者との連携に関する基準
①介護福祉士等が喀痰吸引等を実施するにあたり，医師の文書による指示を受けること。 ②医師・看護職員が喀痰吸引等を必要とする方の状況を定期的に確認し，介護福祉士等と情報共有を図ることにより，医師・看護職員と介護福祉士との連携を確保するとともに，適切な役割分担を図ること。 ③喀痰吸引等を必要とする方の個々の状況を踏まえ，医師・看護職員との連携の下に，喀痰吸引等の実施内容等を記載した計画書を作成すること。 ④喀痰吸引等の実施状況に関する報告書を作成し，医師に提出すること。 ⑤喀痰吸引等を必要とする方の状態の急変に備え，緊急時の医師・看護職員への連絡方法をあらかじめ定めておくこと。 ⑥喀痰吸引等の業務の手順等を記載した書類（業務方法書）を作成すること。
2．喀痰吸引等を安全・適正に実施するための基準
①喀痰吸引等は，実地研修を修了した介護福祉士等に行わせること。 ②実地研修を修了していない介護福祉士等に対し，医師・看護師等を講師とする実地研修を行う※こと。 ③安全確保のための体制を整備すること（安全委員会の設置，研修体制の整備等）。 ④必要な備品を備えるとともに，衛生的な管理に努めること（感染症の予防，発生時の対応方法が規定されていること）。 ⑤上記1．③の計画書の内容を喀痰吸引を必要とする方またはその家族に説明し，同意を得ること。 ⑥業務に関して知り得た情報を適切に管理すること。

※実地研修の内容は，登録研修機関と同様（口腔内の喀痰吸引…10回以上，その他…20回以上）
（注）病院・診療所は，医療関係者による喀痰吸引等の実施体制が整っているため，喀痰吸引等の業務を行う事業所の登録対象としない。

284 喀痰吸引の研修

介護職員の研修はどのような内容ですか？

A 3通りの研修があり，第１号研修は基本研修と全行為の実地研修，第２号研修は基本研修と選択した実地研修，第３号研修は特定の者対象の研修です。

喀痰吸引等研修～研究課程

<table>
<tr><th rowspan="3" colspan="2"></th><th colspan="6">（不特定多数の者対象）</th><th colspan="3">（特定の者対象）</th></tr>
<tr><th colspan="6">第１号研修／第２号研修</th><th colspan="3">第３号研修</th></tr>
<tr><th>科目又は行為</th><th colspan="3">時間数又は回数</th><th>1号</th><th>2号</th><th>科目又は行為</th><th colspan="2">時間数又は回数</th></tr>
<tr><td rowspan="15">1 基本研修</td><td rowspan="9">①講義</td><td>人間と社会</td><td>1.5</td><td rowspan="5">13</td><td rowspan="9">50H</td><td rowspan="9">○</td><td rowspan="9">○</td><td rowspan="2">重度障害児・者の地域生活等に関する講義</td><td rowspan="2">2</td><td rowspan="15">9H</td></tr>
<tr><td>保健医療制度とチーム医療</td><td>2</td></tr>
<tr><td>安全な療養生活</td><td>4</td><td rowspan="5">喀痰吸引等を必要とする重度障害児・者等の障害及び支援に関する講義</td><td rowspan="7">6</td></tr>
<tr><td>清潔保持と感染予防</td><td>2.5</td></tr>
<tr><td>健康状態の把握</td><td>3</td></tr>
<tr><td>高齢者及び障害児・者の喀痰吸引概論</td><td>11</td><td rowspan="2">19</td></tr>
<tr><td>高齢者及び障害児・者の喀痰吸引実施手順解説</td><td>8</td></tr>
<tr><td>高齢者及び障害児・者の経管栄養概論</td><td>10</td><td rowspan="2">18</td><td rowspan="2">救急時の対応及び危険防止に関する講義</td></tr>
<tr><td>高齢者及び障害児・者の経管栄養実施手順解説</td><td>8</td></tr>
<tr><td rowspan="6">②演習</td><td>口腔内の喀痰吸引</td><td colspan="3">5回以上</td><td rowspan="6">○</td><td rowspan="6">○</td><td rowspan="6">喀痰吸引等に関する演習</td><td rowspan="6">1</td></tr>
<tr><td>鼻腔内の喀痰吸引</td><td colspan="3">5回以上</td></tr>
<tr><td>気管カニューレ内部の喀痰吸引</td><td colspan="3">5回以上</td></tr>
<tr><td>胃ろう又は腸ろうによる経管栄養</td><td colspan="3">5回以上</td></tr>
<tr><td>経鼻経管栄養</td><td colspan="3">5回以上</td></tr>
<tr><td>救急蘇生法</td><td colspan="3">1回以上</td></tr>
<tr><td rowspan="5" colspan="2">2 実地研修</td><td>口腔内の喀痰吸引</td><td colspan="3">10回以上</td><td>○</td><td>○</td><td>口腔内の喀痰吸引</td><td rowspan="5" colspan="2">医師等の評価において，受講者が習得すべき知識及び技能を習得したと認められるまで実施</td></tr>
<tr><td>鼻腔内の喀痰吸引</td><td colspan="3">20回以上</td><td>○</td><td>○</td><td>鼻腔内の喀痰吸引</td></tr>
<tr><td>気管カニューレ内部の喀痰吸引</td><td colspan="3">20回以上</td><td>○</td><td>－</td><td>気管カニューレ内部の喀痰吸引</td></tr>
<tr><td>胃ろう又は腸ろうによる経管栄養</td><td colspan="3">20回以上</td><td>○</td><td>○</td><td>胃ろう又は腸ろうによる経管栄養</td></tr>
<tr><td>経鼻経管栄養</td><td colspan="3">20回以上</td><td>○</td><td>－</td><td>経鼻経管栄養</td></tr>
</table>

※なお，第２号研修では，５つの実地研修のどれか１つを選択することも可能です。

制度

285 介護福祉士の痰の吸引

Q 連携する介護職員が介護福祉士の登録資格をもっていますが，痰の吸引はできますか？

A 介護福祉士の教育課程に痰の吸引等の講義や演習等カリキュラムが組まれ，それを履修して試験に合格した介護福祉士が行うことができます。

Column

「喀痰吸引」における連携

医師，看護師，介護職員の連携は以下の連携図になります。

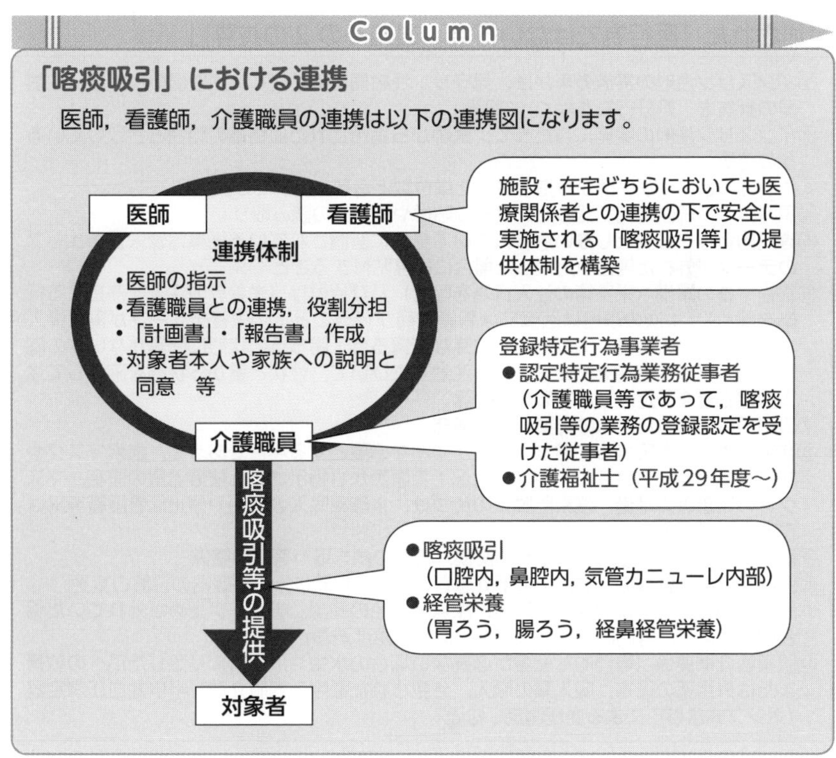

286 医行為ではない行為の追加について

Q 厚生労働省からの通知により，原則医行為でない行為が追加されたそうですがどんな内容ですか？

A 「医師法第17条，歯科医師法第17条及び保健師助産師看護師法第31条の解釈について（通知その2）」が，令和4年12月1日に発出され，項目の追加がありました（通知より抜粋）。

行為の実施に当たっては，看護職員による実施計画が立てられている場合，介護職員などは手技や方法をその計画に基づき行い，結果の報告，相談により密に連携を図ります。また，介護職員が安心して行えるように，ケア提供体制について，本人，家族，介護職員，看護職員，主治医などが事前に合意するプロセスを明らかにする必要があります。

追加された「医行為ではない行為（通知その2の抜粋）」

①インスリン注射の実施の声かけ，見守り，注射器等の手渡し，注射器の片づけ（注射器の針抜き・処分行為を除く），記録
②インスリン注射の実施に当たって，医師から指示された血糖値の範囲と合致しているかの確認
③注射器の目盛りが医師から指示された単位数と合致しているか読み取ること
④患者への持続血糖測定器のセンサーの貼付や測定値の読み取り
⑤専門的管理を必要としない患者について身体に留置されている経鼻胃管栄養チューブのテープが外れた場合や汚染した場合に再度貼付すること
⑥経管栄養の準備（栄養等の注入行為を除く）及び片付け（栄養等の注入を停止する行為を除く） ※次の項目は医師又は看護職員が行うこと：①栄養チューブが胃に挿入されているかの確認 ②びらんや肉芽など胃ろう・腸ろうの状態に問題がないかの確認③胃・腸の内容物をチューブから注射器でひいて，性状と量から状態を確認して注入内容と量を予定通りとするかの確認
⑦吸引器に溜まった汚水の廃棄，水の補充
⑧在宅酸素療法を実施しており，患者が援助を必要とする場合であって，酸素マスクや経鼻カニューレを装着していない状況下で医師から指示された酸素流量の設定，マスク等の装着等の準備，酸素離脱後の片づけ ※酸素吸入の開始や停止は看護職員又は患者本人が行うこと
⑨酸素供給装置の加湿瓶の蒸留水の交換，機器の拭き取り等環境整備
⑩医師又は看護職員の立ち合いの下で患者の体位変換時に人工呼吸器の位置の変更
⑪膀胱留置カテーテル関係（尿廃棄，尿量及び色の確認，チューブ止めが外れていた場合の再度貼付，専門的管理が必要ない患者の陰部洗浄）
⑫服薬等介助関係（専門的な配慮が必要ない場合の水虫や爪白癬にり患した爪への軟膏または外用薬の塗布，吸入薬の吸入，分包された薬剤の内服介助，半自動血圧測定器（ポンプ式含む）による血圧測定 など

Ⅱ-5　在宅ターミナルケアを受ける患者への訪問看護

報酬／サービス内容

287 ターミナルケアを実施したときの看護記録

Q ターミナルケアを実施したときの看護記録は，どのようなものが望ましいでしょうか？　各報酬の算定要件も踏まえて教えてください。

A 介護保険のターミナルケア加算の算定要件では，「ターミナルケアに係る計画および支援体制について利用者家族等に説明し，同意を得て実施すること」とされていますので，これらについて記録する必要があります。また，「ターミナルケアの各プロセスにおいて，利用者および家族の意向を把握し，アセスメントおよび対応の経過が記録されていること」とされています。そのため，看護記録には，ターミナルケアのプロセス，利用者や家族の意向，看護師のアセスメント，対応が記録されている必要があります。

一方，医療保険では，「ターミナルケアの支援体制（訪問看護ステーションの連絡担当者の氏名，連絡先電話番号，緊急時の注意事項等）について利用者と家族等に対して説明」した上でのターミナルケアが算定要件ですから，これらについて説明したことの記録があるとよいでしょう。介護保険，医療保険ともに「人生の最終段階における医療・ケアの決定プロセスに関するガイドライン」等の内容を踏まえることが求められているので，本ガイドラインを十分理解して，ターミナルケアに取り組んでいく必要があります。

また看護体制強化加算（26頁参照），機能強化型訪問看護管理療養費1，2（138～140頁参照）の算定条件にターミナルケアの実績が含まれています。

サービス内容

288 ターミナルケアのアセスメント・対応

Q 「ターミナルケアの各プロセスにおけるアセスメントおよび対応」とは，どのようなことですか？

A 終末期のプロセスは，月単位・週単位・日にち単位・時間単位といった表現を用いるとよいと思います。これらは，看取りに向けたふさわしい対応のために，わかりやすい説明となるでしょう。必ずしも一般的な経過をたどる利用者ばかりではありませんが，利用者側とケア提供者側の認識が一致するのには有効です。

実際の用い方は，「先週は経口摂取していたが今週はできないことから，週毎に変化する時期と考えられる」といったアセスメントの上で，「家族に週単位の病期であることと，経口摂取の促進より苦痛の緩和を優先してはどうかと提案した」ということが対応の例です。実際には，「週毎に変化する時期だと考えられるので，来週は他にもできないことが増えるかもしれません。ご家族もつらいと思いますが，食事を食べられるようにと考えるよりも，ご本人がつらいということを少なくすることを考えましょう。ご本人はお返事されなくても，ご家族がマッサージすることや，声をかけてくださることはきっと伝わるでしょう」などと，家族に声をかけるとよいのではないでしょうか？

これらのケアについては，『訪問看護のための事例と解説から学ぶ在宅終末期ケア』（中央法規出版）を参照してください。

また，アセスメントや対応には，介護職員や介護支援専門員との連携や分担も必要です。介護職員の中には看取りの経験が少ない人もいるので，訪問看護師が助言や相談に乗るなどして，ケアチームとしてアセスメントや対応をするようにしましょう。参考として，「訪問看護の情報共有・情報提供の手引き～質の高い看取りに向けて～」（平成 29 年度老人保健事業推進費等補助金　老人保健健康増進等事業「訪問看護における地域連携のあり方に関する調査研究事業」）をご覧ください（https://www.murc.jp/wp-content/uploads/2022/11/koukai_180418_c9_1.pdf）。

報酬

289 ターミナルケア療養費・ターミナルケア加算

Q 訪問看護ターミナルケア療養費とターミナルケア加算の算定要件は，どのようになっていますか？

A 訪問看護ターミナルケア療養費（医療保険）とターミナルケア加算（介護保険）の算定要件，費用等については，介護保険は43～45頁，医療保険は179・180頁を参照してください。

算定要件である2日の訪問看護が医療保険と介護保険にまたがる場合は，最後に利用した保険制度で請求を行います。

機能強化型訪問看護管理療養費1，2の算定では，ターミナルケア療養費とターミナルケア加算の実績が要件に含まれています（138～140頁参照）。

また，令和4年の診療報酬改定で，訪問看護ターミナルケア療養費は退院日の退院支援指導を含めて判断できるようになりました（179・180頁参照）。

ターミナルケア関連の加算・療養費算定には，利用者および家族の意向を把握した上でのターミナルケアの実施が要件です。そのためには，日頃からもしものときに望む医療やケアを，利用者や家族と話し合っておく必要があります。

詳しくは，平成30年に厚生労働省から示された「人生の最終段階における医療・ケアの決定プロセスに関するガイドライン」や，利用者や一般市民向けのリーフレット「もしものときのための『人生会議』」などを参照してください。

〔参考文献〕＊厚生労働省：人生の最終段階における医療・ケアの決定プロセスに関するガイガるガイドライン，平成30年3月.（https://www.mhlw.go.jp/file/04-Houdouhappyou-10802000-Iseikyoku-Shidouka/0000197701.pdf）

290 医師の死亡確認と訪問看護

Q 医師の死亡確認までに時間がかかる場合は，看取りはどのようにすればよいですか？

A 医師の死亡確認つまり死亡診断ですが，これは医師法第20条により，自ら診察しないままの診断書や検案書の交付は禁じられています。しかし，診察24時間以内の死亡でかつ診療中の疾病で死亡したことが確認できる場合は，医師が直接診察なしで死亡診断書の交付ができます。病状の時間単位での変化を看護師がとらえて，医師の診察があらかじめ行われるように調整すると，死亡後の診察まで長時間待つことを回避できます。なお，平成29年厚生労働省医政局長通知で「情報通信機器（ICT）を利用した死亡診断等ガイドライン」が公表されました。遠隔地等では，遠隔死亡診断補助加算が医療保険では令和4年度，介護保険では令和6年度に新設されました。該当する地域では，算定要件（46・181頁参照）をよく確認しておいてください。

291 麻薬の取り扱い方法は?

Q 終末期の利用者に処方される麻薬の取り扱いに悩んでいます。訪問看護師の持ち歩きや，利用者宅の残薬廃棄の方法を教えてください。

A 麻薬の処方は麻薬施用者資格をもつ主治医が処方し，麻薬管理者がいる医療機関または調剤薬局で調剤されます。これらの医療機関から麻薬を持ち出すことができるのは，患者・家族と，その患者の看護にあたる看護師ですから，訪問看護師は担当患者の麻薬を運搬することができます。しかしその際，身分証明書や当該麻薬施用者発行の書類あるいは訪問看護指示書を携帯することや，搬送途中の事故防止，患者宅以外の場所での保管の禁止など，注意事項があります。また，麻薬の残薬は，他の家族が誤って服用する危険を回避するため，利用者宅から回収する必要があります。回収は訪問看護師が担当するだけでなく，家族などが調剤した医療機関に直接届けても構いません。状況によって適切な方法を選択してください。「在宅医療の推進のための麻薬の取扱いの弾力化について」（平成 18 年 3 月 31 日薬食監麻発第 0331001 号厚生労働省医薬食品局監視指導・麻薬対策課長通知）も参照してください。

サービス内容

292 在宅で用いられるがん性疼痛の鎮痛剤

Q がん性疼痛に対する鎮痛剤で，在宅で使用できるものはどのようなものがありますか？

A がん性疼痛に対する鎮痛剤や鎮痛法は，年々変化しています。がんの利用者を受け持つ場合は，たとえ今，痛みが無くても鎮痛法について知っておくとよいでしょう。鎮痛に使われる医療用麻薬の種類も大変多いです。そこで，比較的わかりやすい冊子を紹介します。静岡がんセンターが作成した「痛みをやわらげる方法~おくすりの話~」18 ~ 25 頁を参照してください。これはダウンロードもできますので，看護師のみならず，利用者・家族，多職種で学ぶことができるでしょう。ここには副作用とその対策，利用者・家族が使える痛みの日記が紹介されています。

学びの広場シリーズからだ編 9　痛みをやわらげる方法~おくすりの話~：https://www.scchr.jp/cms/wp-content/uploads/2016/01/f63e74274f06f93644082b4506912ac8.pdf

293 死亡確認前の死後の処置は?

Q 利用者が亡くなった後，医師の死亡確認前であっても，家族の気持ちや利用者に対するケアを考えて，死後の処置を実施してもよいでしょうか？

A 死後の処置とは，家族が最期の時間を過ごした後に行う，遺体の清潔や整容のための処置です。在宅での看取りでは，利用者の心肺停止から医師の死亡確認まで時間がかかることがあります。このような場合，死後の処置を死亡確認後まで待っていると，筋肉の弛緩や死後硬直などの遺体の変化から，十分なケアができないことがあります。

そこで，在宅で継続的に治療していた利用者が死亡したとき，利用者の尊厳や遺族への配慮として，医師が死亡診断書を交付する前に死後の処置を行うことが可能とされています。しかしこのときには，事前に医師と看護師で，利用者に死が近づいていることと死亡時の対応について確認がされ，異状が認められないとの医師の判断を得なければなりません。これらの条件については，『新たな看護のあり方に関する検討会報告書』（看護問題研究会監修，日本看護協会出版会）の 153 頁を参考にしてください。

このようなことから，在宅で看取りまで過ごす可能性がある利用者の場合，主治医と看護師で，利用者の病状（例えば，どの程度死が近づいているか），それぞれの対応可能な時間，死亡確認前に死後の処置を実施することの是非などを，話し合っておく必要があります。

また，これらの処置の必要性や法律について，利用者や家族が理解できるように伝えておくことが重要です。特に普段，同居していない家族や療養生活をよく知らなかった親戚は，在宅での看取りについて，驚きや不安を強くもつようです。関係者の気持ちによく配慮しながら，十分に理解し合うことを心掛けてください。

制度

294 死亡診断と検死の違い

Q 利用者の死亡時の状況により，医師の死亡診断ではなく検死になる場合があると聞きました。これはどのように決まっているのですか？

A 医師法や死亡診断書記入マニュアルによると，死亡診断書と死体検案書の使い分けを以下のように説明しています。

まず，死亡者が主治医の診療継続中の患者であり，その診療に係る傷病と関連した原因で死亡した場合は死亡診断書を交付することになっています。しかし，診療継続中の患者ではなかったり，診療に係る傷病と関連しない死亡原因の場合には，医師は死体検案書を作成します。また死体を検案したところ，法医学的に異状がある場合は，24 時間以内に警察への届け出が必要となります。

在宅での看取りでは，生活の延長線として平和な死を迎えられるよう，定期的に医師の診察を受けられる体制作りが必要です。

サービス内容

295 死後の処置料の設定

Q 死後の処置料は訪問看護ステーションで独自に設定してよいのですか？　その場合はどのくらいの金額が妥当ですか？

A 死後の処置料は「その他の利用料」としてステーションが独自に設定できます。死後の処置は，近年，家族へのケアという意味から「エンゼルケア」と呼ぶことが多くなりました。金額については，地域性や死後の処置料に含むケア内容によっても異なるでしょう。実際には5,000～20,000円が多く，平成19年度訪問看護基礎調査によると，平均価格は約9,000円でした。参考までに費用設定の考え方の例を紹介すると，ケアに必要な衛生材料がセット化された商品は1,000～2,000円程度であり，これに人件費や技術料を加えていると思われます。エンゼルケアについては，『癒しのエンゼルケア』(中央法規出版) を参照してください。

296 病名告知，病状説明は必要か？

Q がん患者に在宅でターミナルケアを行う場合は，病名の告知や病状の説明をしたほうがよいのでしょうか？

A ターミナルケアはがん患者に限らず，全人的苦痛（トータルペイン）という視点が必要です。これは身体的，精神的，社会的，スピリチュアルという4つの側面から患者をとらえ，患者自身が自分の病名や病状を知ることによる苦痛，逆に知らないでいることによる苦痛のどちらもが存在すると考えてください。また患者自身と家族とでは，立場の違いによって，異なる苦痛を感じていると考えてください。これらの感じ方，とらえ方は，個々に異なるので，この質問に対する答えは1つではありません。ここでは告知に関連する考え方で重要だと思われることを説明しておきます。

まず，病名や病状を知らなかった患者が，知りたいと望んだときにどのような対応をするとよいのかを，事前に考えておくとよいでしょう。患者自身は病名を知らされていないとき，多くの場合は家族が医師から説明を聞いています。患者に病名や病状を伝えたくない，あるいは家族自身もまだその状況を認められない，そのような家族の気持ちに配慮しつつ，患者本人の希望に応じて真実を伝えることのよさを，訪問看護師が伝えられるとよいと思います。

次に，病状の説明について考えてみましょう。よく受ける質問に，病状（例えば終末期である，予後3か月であるなど）を説明しておいたほうがよいのかというものがあります。これについても，トータルペインの考え方を基本とします。しかし病状は，残された時間やその時間の生活の設計に大きく影響します。終末期という言葉や予後○か月という数値による説明は，絶望や恐怖を増大させかねません。そこで，「月単位」「週単位」といった言葉で，変化の早さを共有することをお勧めします。病名告知も病状説明も，利用者に対するケアとしての意味を考えて行ってください。

サービス内容

297 がん患者の受け入れの注意点

Q 終末期がん患者が病院から退院してくるとき，注意することはありますか？

A 終末期のがん患者といっても病状は様々です。しかし，9割以上の人に苦痛があるといわれていること，一方でがんは進行性の疾患なので死亡の時期が近づいていることを忘れてはなりません。そのため，病気の進行状態，病状変化の早さ，苦痛の有無や程度などの判断が適切でないと，心身の苦痛や予期せぬ病状悪化に患者も家族も苦しむことになります。せっかく退院するのでしたら，それらの問題が最小に抑えられるような準備をしましょう。具体的には病変の部位や進行度，苦痛緩和のための薬物療法の内容，病状変化の見通しなどの情報を病院から提供してもらい，利用者側と共有します。特に苦痛緩和のための薬剤は十分に確保します。

サービス内容

298 家族が在宅での看取りに反対した

Q 利用者本人は最期まで家での療養を希望していたのですが，利用者の意識がなくなると家族は入院を希望しました。家族は介護に疲れたといっていますが，どのように対応すべきですか？

A これは難しい問題です。意識があったときの利用者の意向を尊重したいものの，家族にとってはこれ以上在宅介護を続けると，健康や安全な生活に支障があるということでしょうか？　利用者の意思の尊重（自律の倫理原則）を優先すると，家族の健康が脅かされることの回避（無害の倫理原則）ができません。倫理原則同士が対立してしまいますから，看護師は判断に悩むのです。このような状況に決まった正解はありません。利用者に関わるメンバーで意見を出し合い，最もふさわしい選択肢を選ぶプロセスを共有することに大きな意義があります。よく話し合いましょう。

サービス内容

299 死亡前24時間以内に行うケアは?

Q 死亡前の24時間以内に行うターミナルケアはどのようなものですか?

A 死亡前の24時間以内に見られる身体の徴候としては，意識レベルの低下，脈拍微弱，血圧低下，四肢末梢冷感およびチアノーゼ，死前喘鳴，見当識障害などがあります。当然ですが，日常生活もほぼ全介助になるでしょう。患者に対しては，安楽の保持や危険防止という視点から，症状に応じて体位変換，保清，保温などを行います。家族に対しては，死別に向かって悲嘆や不安を共感し，意識レベルの低下や会話が困難となっても介護が役に立つことを伝えます。具体的には，タッチングやマッサージ，語りかけなどを訪問看護師自身がロールモデルとして行い，家族にも実施を促します。

このような介護により，家族だけで臨死期を見守る自信につながるよう，看護師が家族に接することが大切です。なお，呼吸停止時や急変時にどのように連絡するかは，確実に実施できるように指導しておくことも重要です。

サービス内容

300 介護施設での看取り

Q 介護施設での看取りに関わるときの注意点について教えてください。

A 介護老人福祉施設や認知症グループホームなどでも入所者を看取ることが増加し，そこに訪問看護師が関わることがあります。一般に，これらの施設の職員は臨死期のケアの経験が少ないです。そのため，身体の変化とその観察方法を丁寧に伝える必要があります。また，看取る不安も大きいことがあるので，気持ちを受け止め，その上で暮らしの中での看取りが尊厳を大切にすることだと支持してください。280頁で紹介した書籍や手引きを参考にしてください。

サービス内容

301 治療や入院に関する相談を受けたとき

Q 利用者から治療の中断や緩和ケア病棟入院の相談を受けたとき，どのように対応すればよいですか？

A がんの診療や療養については，がん診療連携拠点病院のがん相談支援センターを活用するとよいでしょう。ここは，利用者や家族からでも，訪問看護師からでも相談ができます。その病院がかかりつけでなくても，相談にのってもらえますし，対面だけでなく電話での相談にも対応してくれます。逆に，ここでは相談にきた方を訪問看護につなぐこともしているので，訪問看護ステーションはがん相談支援センターと連携をとるとよいでしょう。

サービス内容

302 利用者にもうだめかと尋ねられた

Q 家族がいる前で，利用者から私はもうだめなのかと尋ねられました。何と答えたらよいでしょうか？　家族にはどう対応すべきでしょうか？

A 利用者は看護師にいつも正解を求めているのではありません。この問のような状況がその典型ではないでしょうか？　利用者にはもうだめなのではないかという気がかりがあるのです。その気がかりをそのまま受け止めることが必要な場面と考えます。たとえば，「もうだめだというお気持ちなのですか？」「だめかもしれないと心配になっておられるのですか？」などと，利用者の感情に共感してください。そうすれば，自分のつらい気持ちを共感する看護師を相談相手として信頼していくのではないかと考えます。

家族に対する対応は状況にもよりますが，このような感情をもつ利用者の介護は，家族にとっても大変つらく悲しみが大きいものです。しかし，家族がいてこそ利用者も在宅で暮らせるのですから，家族の日頃の介護を労い，その上で家族が利用者のためにしてあげたいと望むことを相談していきましょう。

サービス内容

303 痛そうな利用者が「大丈夫」という

Q 利用者が痛そうにしているので看護師が質問すると，痛みは大丈夫と答えます。このままでよいのでしょうか？

A 看護師は，どのような情報から利用者が痛そうだと判断したのでしょうか？　「眉間にしわがよっている」「眠れない」「側臥位で屈曲姿勢をとり，体幹を伸展した仰臥位になれない」などという情報でしょうか？　このような場合は，痛みがあるのではないかと推測した客観的データと，利用者の「痛みは大丈夫」という主観的データの間にずれが生じているわけです。

このようなとき，なぜずれが生じたかを明らかにします。利用者は痛みを我慢することに意味（たとえば，家族に心配をかけたくない，麻薬を使われたくないなど）があるかもしれません。これは，トータルペインの精神的痛みともいえます。また，痛みを訴えてよいことや，鎮痛剤が有効なことについて情報不足なのかもしれません。

ですから，痛そうにしているのになぜ「大丈夫」なのか，その気持ちを教えてほしいというアプローチがまずは必要ではないでしょうか？

具体的には，まず痛みをペインスケールを用いて評価します。0～10で表すNRS（Numerical Rating Scale）や5段階で利用者自身に評価してもらいます。「まったく痛くないのを0，人生で最大に痛かったことを10とすると，今は10のうちのどのくらいですか？」と尋ねてください。利用者が「1」と答えたら，看護記録に「NRS 1／10」というように記録します。

その上で，看護師から「私にはもっと痛みが強いように見えるのですが，もしかしたら，痛みを我慢される理由がおありではありませんか？」などと，利用者に投げかけるとよいと思います。看護師が，専門職としての知識，技術，判断を使って，利用者のトータルペインの軽減に役立ちたいという姿勢が大切です。

サービス内容

304 病院に救急搬送したほうがよいのか迷う…

Q 家族や介護職員が，日にち単位で療養者の状況が変化する時期に，救急搬送したほうがよいのではと質問してきます。どのようにすればよいのでしょうか？

A 日にち毎に病状が変化すると，看取りのときが近いと察し，多くの人が不安と緊張を感じます。また，家族や介護職員は自分たちがケアをしても病状がどんどん悪くなるため無力感・自責感をもち，病院に搬送するほうが療養者にとって安楽ではないかと迷います。

しかし，救急搬送の際に心肺機能が非常に低下していると，心臓マッサージや気管内挿管などの侵襲の大きい医療処置が行われる可能性が高くなります。これは療養者にとって安楽ではないことが多いと伝え，最期に何をしてあげたいのかを話し合うことが大切です。

サービス内容

305 家族が心配して点滴を希望した

Q 食事摂取量が少なくなった終末期患者。医師は緩和ケアを考え点滴をしないのですが，家族から点滴をしないのかと質問されました。

A 医師がメリット・デメリットを考えた上で点滴を実施しないことはあるでしょう。確かに緩和ケアという視点からは，輸液は侵襲や身体の拘束を伴うとともに，終末期患者に対し苦痛を増強させることがあります。おそらく主治医は家族に，点滴をしない理由を説明しているでしょう。しかし，家族にとっては，知識として点滴をしないメリットを理解しても，感情としては心配で見ていられないことも多いのです。点滴の是非に回答するよりも，家族の心配する気持ちを十分受け止め，点滴をしないで見守る介護は，つらいこともあるが患者の苦痛緩和には意義が大きいことを伝えてください。心配を抱えながらも，患者の役に立っているという思いが，家族の介護を続ける意欲につながるからです。

306 呼吸停止のとき，看護師は同席する?

Q 患者が呼吸停止するとき，看護師は必ず同席していたほうがよいのでしょうか？

A 病院での死は，医療者の立ち会いの下で迎えますが，在宅では患者と家族の生活の延長線に死が訪れます。患者の死に至るプロセスが穏やかで，死の訪れを家族だけで受け止められるのであれば，むしろ部外者は存在せず，最も身近な人々だけに囲まれてそのときを迎えることが自然だといえるでしょう。

患者の苦痛を緩和し，家族の看取る力を引き出していくことが，ターミナルケアに携わる看護師の役割です。しかし，呼吸停止時に看護師が同席しないことがよいケアだと決めつけるのではなく，個々の患者や家族の状況によって，よい方法をケアチームや訪問看護ステーションのカンファレンスなどで話し合ってください。

307 遺族ケアの方法

Q 訪問看護師が遺族ケアを行う場合，どのような方法がありますか？

A 死亡直後のエンゼルケアも遺族ケアとしてとらえると，死亡直後から遺族のケアは始まります。

訪問看護ステーションを対象とした調査によると，死亡日翌日以降の方法は，弔問や電話，手紙などで，その時期は通夜から死別後３か月以上まで幅がありました。事業所や利用者の状況に合わせて実施しているようです。

遺族ケアは，遺族が死別の悲嘆からの正常な回復過程を支援することを目的として行います。弔問したときに，遺族が心身の健康を損なっている，あるいは損なう危険が大きいときには，専門職として適切な助言をしてください。

Ⅱ-6　ALS・難病等の患者への訪問看護

制度

308　難病訪問看護の特徴

Q ALS（筋萎縮性側索硬化症）や難病の人の訪問看護って，複雑でわかりにくいのですが…。

A ALS や難病の人の訪問看護が複雑なのは，疾患や状態像によって利用できる制度が異なること，進行性であり一度決まればそれでよいというわけではないことが理由にあげられます。制度については，医療保険・介護保険・障害者総合支援法に加えて，難病患者に対する医療等に関する法律（難病法）を理解する必要があります。

平成 26 年に難病法が公布され，平成 27 年 1 月 1 日から施行されました。これにより，「難病対策」は恒久化され公平・安定した制度となりました。令和 6 年 4 月現在，341 疾患に拡大された指定難病（441 ～ 446 頁参照）に対する医療費助成や難病の医療に関する調査および研究の推進，療養生活環境整備事業の実施が行われています。

指定難病患者への訪問看護には，指定医療機関の届出（222 頁）が必要で，これにより，指定難病の医療費助成対象となります。医療費助成には，所得に応じた自己負担上限額が定められており，上限管理表（223 頁）で管理されます。また，難病法に基づく療養生活環境事業として「在宅人工呼吸器使用患者支援事業」，「在宅難病患者レスパイト事業」があり，診療報酬外の訪問看護の拡充や災害時の個別支援計画の立案協力など，療養生活の質の向上を図ることが期待されます。

難病は進行性でいつ発症するかもわからないものが多く，医療・介護・福祉のすべてのニーズをあわせもちます。このため，難病患者支援の地域の要となる保健所や難病相談支援センターなどに，積極的に相談し，連携体制を構築するとよいでしょう。

難病患者を支える仕組み

- 難病に関する普及啓発を推進，充実させる。
- 難病に関する相談体制の充実，難病相談・支援センターなどの機能強化を図る。
- 障害福祉サービス等の対象疾患を拡大する。
- 「難病患者就職サポーター」や「発達障害者・難治性疾患患者雇用開発助成金」等の施策により就労支援を充実させる。
- 「難病対策地域協議会」を設置するなどして，総合的かつ適切な支援を図る。

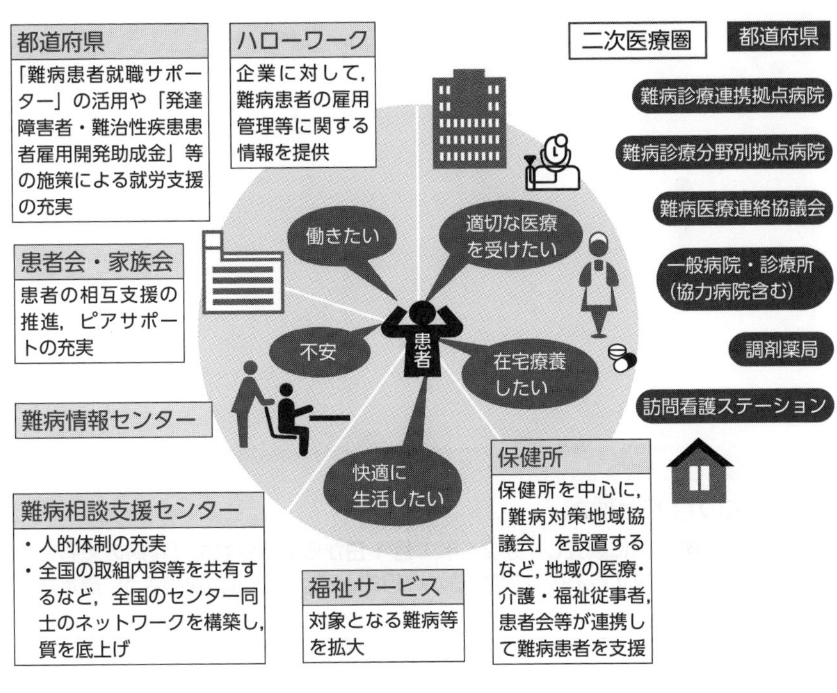

厚生労働省：難病対策の改革について，説明資料をもとに作成

Column

難病法の目的と理念

平成 26 年 5 月に成立し，翌 27 年 1 月 1 日から施行された「難病の患者に対する医療等に関する法律」（難病法）の目的と基本理念は，次のように規定されています。

目的：この法律は，難病（発病の機構が明らかでなく，かつ，治療方法が確立していない希少な疾病であって，当該疾病にかかることにより長期にわたり療養を必要とすることとなるものをいう。以下同じ。）の患者に対する医療その他難病に関する施策（以下「難病の患者に対する医療等」という。）に関し必要な事項を定めることにより，難病の患者に対する良質かつ適切な医療の確保及び難病の患者の療養生活の質の維持向上を図り，もって国民保健の向上を図ることを目的とする（第 1 条）。

基本理念：難病の患者に対する医療等は，難病の克服を目指し，難病の患者がその社会参加の機会が確保されること及び地域社会において尊厳を保持しつつ他の人々と共生することを妨げられないことを旨として，難病の特性に応じて，社会福祉その他の関連施策との有機的な連携に配慮しつつ，総合的に行われなければならない（第 2 条）。

309 難病の人の入院

Q 在宅生活をしている難病の人は，入院の機会が得られにくく，いざという時に心配です。また，利用者さん自体も，環境が変わるためか，入院することをとても嫌がります。難病の人の入院について，どのように考えればよいでしょうか？

A 在宅難病患者の入院の必要性として，①病状評価・対応，②医療処置等の導入・維持管理，③合併症への対応，④介護者の休息や介護困難など，医学的・社会的なニーズが考えられます。

基幹病院が緊急時等のバックベッドとなるように調整することが望ましいですが，難しい場合もあります。介護者の社会的休息（レスパイト）への対応はさらに難しくなります。胃ろう交換入院を病状評価とレスパイトに充てるなど，各病院での対応は様々です。

社会的入院の制度には，難病の特別対策推進事業（平成10年，平成28年改正）の中に「在宅難病患者一時入院事業」があり，都道府県を実施主体として，拠点病院や協力病院で2週間程度の入院を可能とする事業があります。制度を活用しても，本人が在宅環境と異なる入院を嫌がることも無理はありません。特に，発語ができず，意思疎通が難しい難病患者の場合には脅威ともなりえ，入院を避けたい利用者の心理は理解できます。令和3年よりこの事業には，新たに在宅レスパイト事業も加わりました。

障害の制度では，意思疎通支援事業の中で，「特別なコミュニケーション支援が必要な障害者の入院における支援について (保医発 0628)」通知による入院時のコミュニケーション支援や，重度訪問介護を利用している障害支援区分6の場合には入院時の利用が可能となり，日頃慣れた方が，意思疎通支援などを行うことができるようになりました。また，入院の前の事前訪問により，在宅療養の場を知り，入院中の環境をよりその人の在宅生活に近づける努力をしている病院もあります。このような情報を持ち寄り，最適な環境で療養生活を送れるよう支援することも訪問看護の重要な役割といえます。

310 発病初期における対応

Q 訪問を始めたばかりのALSの利用者。発症してからの進行が速く，受け入れがなかなかできず，「自分でできることはやりたい」とサービス導入に拒否的ですが，どのような対応が求められるでしょうか？

A ALSの人への訪問看護の難しさは，利用できる制度が複雑であることに加え，症状に個人差が大きいこと，さらに，進行に応じた支援が必要であることなど，ALSや難病独自の看護が必要であるためともいえます。この事例では，発病初期のショックや葛藤のさなかにあるといえます。難病と生きる患者の心理サポートにおいて，受容理論が有用であるエビデンスはありません。疾患や障害とともに生きる支援として，適応（adaptation）やコーピング（coping）理論もありますが，1990年代以降提唱されている「ナラティブアプローチ」が有効な方法であるといわれています。現実に，根治治療がないなかでも生き生き生活されている状態を考えると，単に「受容」しているのではなく，価値観や人生観が随時書き換わり，新しい価値観とナラティブ（人生の物語）を得て生き生きすることと理解できます。患者の語るナラティブから，意味の再構成を行いながら心理支援していく過程です。発病初期の段階で訪問看護が導入された意義は大きく，喪失と悲嘆をまず受け止め，そこから必要な支援を導き出していくとよいでしょう。発病初期は，「今日できたことが明日できない」ということの繰り返しかもしれません。そのようなときの利用者は，リハビリテーションを求める傾向があります。「定期的なリハビリテーション」の導入からはじめ，必要なときに，必要な支援が手に届く環境を作っていく必要があります。それは，1つの訪問看護ステーションの力では難しい場合もあります。主治医をはじめ，保健所保健師，難病相談支援センター，ケアマネージャー，相談支援専門員（障害）等関係者でのチームアプローチが有効です。

〔参考文献〕 ＊中島孝著，日本ALS協会編：心理的ケア，新ALSケアガイドブック，p.25-39，川島書店，2005.

311 症状進行期における対応

Q 首の保持が自力では難しくなっています。介護職員１人で車いす移乗をしていますが，見ていて危険です。しかし，利用者さんはなかなかやめようとしてくれません。どのような対応が求められるでしょうか？

A 症状が進行していくなかで，利用者は様々なことを諦め，「代替方法」を受け入れざるを得なくなっていきます。まさに，「今日できたことは明日もやりたい」という闘いのまっただなかにあるといえます。このような状況は，医療職としての危険性の判断と「まだ続けたい」という利用者ニーズとのジレンマのなかにあります。また，「利用者の望み通りにしたい」というヘルパーの思いとも，温度差が生じることになるかもしれません。「危険だからやめたほうがよい」というだけでは，軋轢が生じる原因ともなってしまいます。

まず，利用者の気持ちを受け止めた上で，移乗介助を２人体制にすることや，リフトを導入すること，ポータブルトイレを導入することなど，折り合いの方策を検討していきます。また，介護者によって体格や技術，経験の差があり，「この人でないとだめだ」ということも起こりがちになります。そのため，個々の支援者が「できないのは自分だけではないか」と落ち込むようなことも起こりえます。進行期には，「医学的適応を超えて続けている」という状況が車いす移乗に限らず，食事や入浴等すべての生活場面においてありえます。このため，利用者を交えた定期的なカンファレンスによって，現状について共通認識をもち，危険性について共有した上で，利用者の生き方を支援していく，というスタンスが重要であるといえます。これによって，支援者自身も孤立しないチームアプローチが可能になるといえます。

312 進行期にできること（栄養療法）

Q 点滴治療で訪問開始となった利用者さんが治療法なしであると言われ，絶望しています。何かできることはないのでしょうか？

A 最近の進歩は目覚ましく，進行抑制効果を持つ薬剤の認可が進んでいます。ですが，治すというところまでに至ってはいません。

また，進行期においては，運動障害の進行だけでなく，表に示すような非運動症状を呈することが明らかになってきています。それぞれの症状は，現在対症療法が模索されているところといえますが，少しずつできることが，増えてきています。その 1 つに，栄養療法があります。

ALS において，体格（体重）は，予後予測因子の 1 つであり，BMI が 18.5kg/m^2 以下（本邦では年間減少率 2.5 kg/m^2）の方，すなわち，進行期の体重減少が大きい方は，気管切開あるいは死亡までの期間が短いことが明らかとなり，いかに進行期に体重減少を起こさないかが，鍵となります。進行期には，代謝の亢進が起こっているともいわれています。

この時期の推定エネルギー必要量として，一般的な Harris Benedict の計算式をより日本人かつ ALS に特化させた計算式が考案されました。

> **ALS 患者さんの 1 日の推定エネルギー必要量＝（1.67 ×安静時代謝率[※1]）＋（11.8 × ALSFRS-R[※2]）– 680**

目安としては，1 日 1,500kcal 以上の摂取を心がけることです。通常よりは，少なめに感じるかもしれませんが，活動量が落ちてきたり，疾患の進行による食事動作や嚥下の困難により，摂取量を維持することが大変になる場合もあります。

このため，嚥下障害に対する胃ろう造設は，「治療の一環」としての位置づけになりつつあるといえます。必要エネルギー量を経管栄養を利用しながらもしっかり確保し，好きなもの，食べやすいものを経口で楽しむといった形など，工夫をしながら体重維持に努めましょう（※ 1，※ 2 については次頁を参照）。

※1安静時代謝率
男性：66.47 ＋ （13.75 × 体重kg） ＋ （5.00 × 身長cm） − （6.76 × 年齢）
女性：655.1 ＋ （ 9.56 × 体重kg） ＋ （1.85 × 身長cm） − （4.68 × 年齢）
※2ALSFRS-R（疾患特異的機能評価尺度）；12項目5段階計48点満点で低下は，進行を表す。

ALSにおける非運動症状

	症状		症状
精神・神経	抑うつ	自律神経	痛み
	不安		呼吸困難
	自殺念慮		排泄障害
	認知行動障害	消化器	流涎
	疲労		嚥下障害 体重減少
	情動調節障害		便秘
	睡眠障害	血管系	脂質異常症
		皮膚・その他	かゆみ
			褥瘡

〔参考文献〕
1) Fang T et al: Nonmotor Symptoms in Amyotrophic Lateral Sclerosis, International Review of Neurobilogy, 134,1409-1441，2017.
2) Shimizu T et al, The measurement and estimation of total energy expenditure in Japanese patients with ALS: a doubly labelled water methods, Amyotrophic Lateral Sclerosis and Frontotemporal Degeneration, 2017; 18: 37-4
3) 田辺三菱製薬：ALS患者さん1日の推定エネルギー必要量：https://als-station.jp/calc_energy.html

サービス内容

313 在宅療養移行期における対応

Q 人工呼吸器や胃ろうを装着して退院したばかりの利用者さん。本人，家族の不安が強く，介護職員も不安そうです。どのくらいの期間，訪問看護が必要でしょうか？

A 医療処置を導入した利用者の退院直後，生活のリズムがつくまでは訪問看護が最も頼れる存在です。病院で指導を受けたはずの手技でも，機械が異なっていたり，場所が違うだけで焦ってしまい，思うようにいかない場合もあります。病院でならった基本を在宅用にアレンジしていく過程が重要です。退院直後は，頻回な訪問看護の利用が望ましく，そのために，退院当日の訪問看護（退院支援指導加算，157頁参照）や複数回訪問加算（115頁参照），複数訪問看護ステーションの利用，さらに呼吸器支援事業の活用などで「量」の確保を検討します。

また，文字通り，移行期には，医療機関と地域支援機関との連携が特に重要になります。入院中から退院後まで，連携を推進するための診療報酬があります（次頁の図参照）。これらは，医療機関，訪問看護ステーション，それぞれで算定できるものとどちらかだけのものとがあります。ICTの活用も認められるようになり，これらを活用して院内の看護職と，退院後の自宅における看護に関する引き継ぎや情報交換を行うことにより，院内看護への退院調整に対するフィードバックや利用者の安心が期待できます。

難病患者（別表 7，8 に該当を想定）にかかる入退院支援の主な報酬等算定

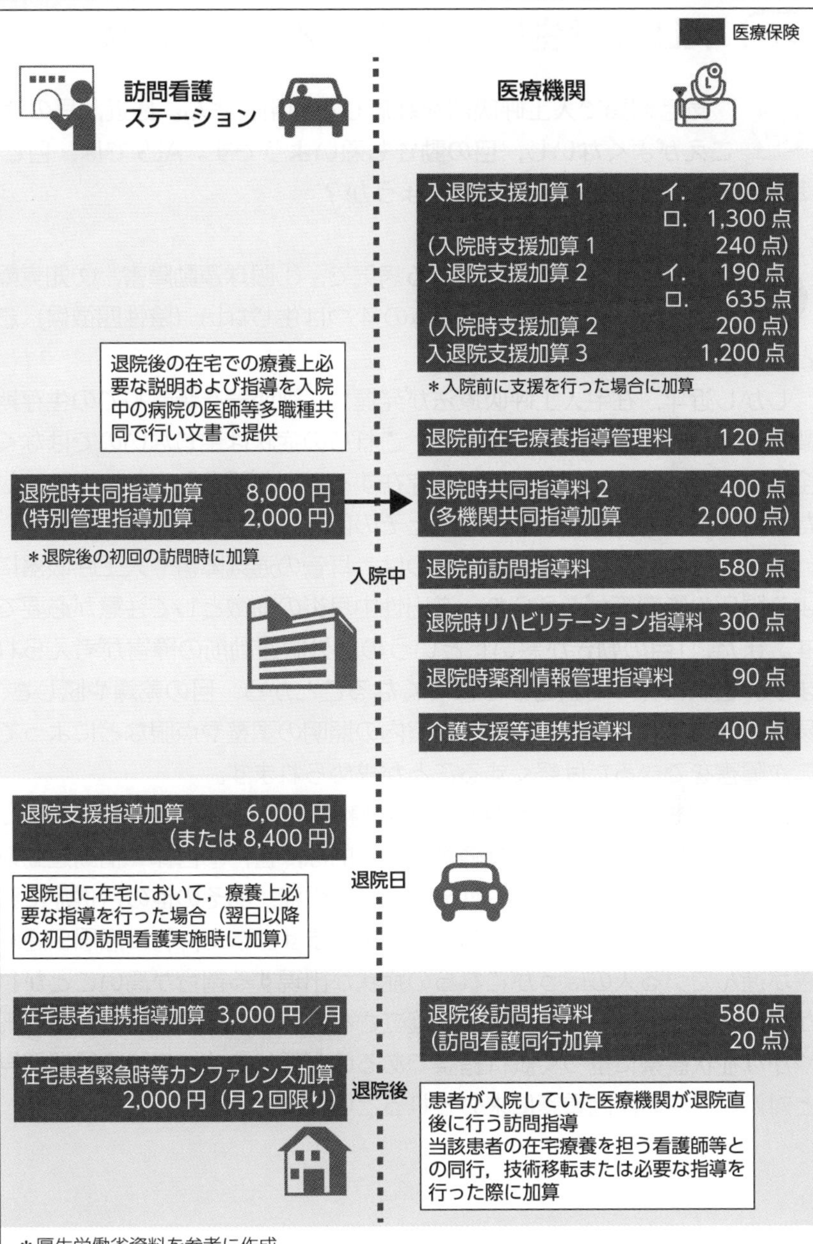

サービス内容

314 ALSでは生じないといわれていた症状

Q 気管切開で人工呼吸器を装着した利用者さん。最近，耳の聞こえがよくないし，目の動きも悪いようです。ALSでは，目と耳は悪くならないのではないでしょうか？

A ALSは運動神経が変性する病気で，①眼球運動障害，②知覚障害，③膀胱直腸障害，④褥瘡の4つは生じない（陰性四徴候）ことが有名でした。

しかし近年，在宅人工呼吸療法が発達し，呼吸器を装着しての生存期間が長期化したことなどもあって，これらの症状は生じないのではなく，全臨床経過によっては生じる方も存在することが明らかとなってきました。症状の出現部位と内容，対応とその困難点を次頁に整理しました。

「耳の聞こえが悪くなる」というのは，耳管の通気障害や人工呼吸器による陽圧の影響等が考えられ，滲出性中耳炎の前徴として注意が必要です。また，「目の動きが悪い」というのは外眼運動筋の障害が考えられます。これに伴って瞬きがしにくくなることから，目の乾燥や眩しさ，易疲労などを生じることがあり，室内の照明の調整や点眼などによって，二次障害をできるだけ軽くすることが求められます。

この他にも，次頁のような症状が全身各部位に出現するかもしれず，これらの症状は，①随意運動障害の二次的な障害，②自律・情動運動系の障害，③人工呼吸器装着・臥床による合併症，④その他の合併症に整理されましたが，原因が不明なものもあります。また，特に意思伝達障害が進んでいる人のほうがこれらの症状が出現する割合が高いことがわかっております。対応策は十分に確立されておらず，その方に応じた細やかな症状観察に基づく試行錯誤であるのが現状です。症状の早期発見と対処が日々の訪問看護に求められるといえます。

従来の ALS 症状以外の症状に対する対応とその困難点

症状		対応	困難・課題点
部位	内容		
眼	眼乾燥・眩しさ 眼球運動による易疲労	室内の照明調整 点眼・ラップでの保護 テープで眼瞼挙上 他動的に瞬きをさせる 用件を何日間に分けて聞く	その時々で状況が変化するため対応に苦慮
耳	滲出性中耳炎	通気・鼓膜切開 チュービング 補聴器	通院が必要だが，適時的な通院が困難
循環器	血圧変動	降圧剤投与→推奨されない 頭痛薬の投与	投与後の急降下
	体温低下/調節困難	保温・室温調整・掛け物調整	抜本的解決に至らず (掛け物や湯たんぽ等での保温程度によって，急激に変動し，低温やけどのおそれもあり)
	末梢冷感	保温・他動運動 手浴・足浴	
	浮腫	水分出納調整	
口腔	口腔内トラブル (流涎，乾燥，舌のとびだし，咬舌など)	保湿剤の投与 唾液受けの工夫 口腔ケア（歯磨き・舌磨き） 歯科受診	(開口制限や舌肥大による) 口腔ケア困難
消化器	ガス貯留	排ガス・浣腸	根本的解決に至らず
	便秘	投薬・浣腸・座薬	
	血糖値の変動	投薬・カロリー制限	自覚症状の把握が困難で，異常発見が遅延
	胆石・胆のう炎	投薬など	血糖値の変動に対し，インスリン投与量のその時々の調整が必要
肺	排痰困難	気道加湿や体位の工夫など（機械的咳嗽補助装置は，胸水貯留の懸念から使用せず)	SpO2の低下を伴わない場合もあり，貯留徴候がつかめない
	肺炎・気管支炎	機械的咳嗽補助装置 投薬など	
泌尿器	尿管結石	鎮痛剤投薬・破砕術	自覚症状の把握が困難
	膀胱炎	投薬	水分量をあまり増加させられない
皮膚	発疹	投薬・皮膚軟膏処置 褥創処置（入院加療)	自覚的症状の把握が困難 自宅での処置の限界
	褥瘡		
	帯状疱疹		
	腫瘍疑い (精査をしない)		
その他	感染症状の繰り返し (肺・膀胱・膵臓など)	投薬など	自覚症状の把握が困難 炎症の焦点を絞りにくい
	慢性的な頭痛・吐き気	投薬（偏頭痛薬・吐気止め) 水分量を減らしたら改善傾向	自覚的症状の把握が困難

＊引用文献　1）より引用改変

〔引用文献〕 1）中山優季，小倉朗子，松田千春：意思伝達困難時期にあるＡＬＳ人工呼吸療養者における対応困難な症状とその対応に関する研究，日難病看会誌，14（3）：179-193, 2010.

2）Nakayama Y, Shimizu T, Matsuda C, Mochizuki Y, Hayashi K, Nagao M, Kawata A, Isozaki E : Non-motor manifestations in ALS patients with tracheostomy and invasive ventilation. Muscle Nerve, 57(5):735-741, 2018.

315 指定難病患者の訪問看護は医療保険？

Q 指定難病であれば，訪問看護はすべて医療保険になるのでしょうか？

A ALS は，厚生労働大臣が定める疾病等に該当するため，その訪問看護は医療保険です（介護保険との併用はできません）。

指定難病は難病法に基づく医療費助成制度の対象で，341 疾病が指定されています。

すべての指定難病への訪問看護が医療保険ではなく，「厚生労働大臣の定める疾病等」（No.189 参照）以外は，年齢により介護保険の適応となります。同様に混同されやすいものに，40 歳以上 65 歳未満で介護保険サービスが受けられる「介護保険第 2 号保険者」である「特定疾病」があります。これに該当する指定難病は 8 疾患です（440 頁参照）。

指定難病への訪問看護が医療保険になるのか介護保険になるのかは，年齢やこれらの制度の適応かどうかによります。その流れを以下に示します。

なお，厚生労働大臣が定める疾病等のうちで，「人工呼吸器を使用している状態」とは，医療機関にて「在宅人工呼吸指導管理料」を算定している場合です。

【訪問看護の利用】医療保険・介護保険の関係

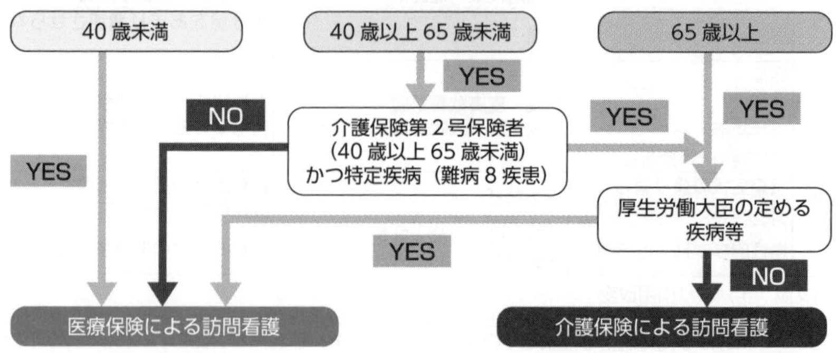

＊原口道子：難病のケアマネジメント　技とコツ，p25，2020 年度厚生労働行政推進調査事業費補助金難治性疾患政策研究事業「難病者の総合的地域支援体制に関する研究」，2020.

報酬／サービス内容

316 1日複数回訪問したときの間隔は?

Q 複数回訪問の1回目と2回目の間にあける時間の規定はありますか？　また，その加算額（2回目4,500円，3回以上8,000円）は，何回訪問しても変わらないのですか？

A 医療保険での訪問看護は，原則1日1回までという制限がありますが，ALSなど，①「厚生労働大臣が定める疾病等」に該当する場合，②特別管理加算の対象者の場合，③急性増悪など（特別訪問看護指示書による14日以内の特別訪問看護）に該当する場合には，同一日に複数回の訪問看護が認められ，難病等複数回訪問加算が適用されます。1回目と2回目の訪問の間の時間についての規定は特にありません。また，その加算額は，1日2回の場合4,500円（医療機関:450点），3回以上の場合は何回訪問しても8,000円（医療機関:800点）となっています。訪問回数が増加するほど単価が下がることになり，ニーズを満たしきれないこともあります。このため，難病法に基づく「在宅人工呼吸器使用患者支援事業」では，在宅で人工呼吸器を使用する難病患者について，診療報酬で定められた回数（原則1日につき3回）を超える訪問看護が行われた場合に，必要な費用を交付する制度があります。

対象は，医師が必要と認めた人工呼吸器を装着していることについて特別の配慮を必要とする難病の患者であり，都道府県が訪問看護ステーションや訪問看護を行う医療機関に委託して実施されます。このように複数の制度を活用して，訪問看護ニーズを満たすことに向けた取り組みが必要といえます。

317 排痰ケア

Q 気管切開をした患者さん。1日に何度も呼ばれ，吸引を指示されますが，痰が出にくく困っています。何かよい方法はないでしょうか？

A ALS等，神経難病のケアでは，気道浄化（排痰ケア）が欠かせません。安定した生活を送るためのキモといってもよいでしょう。「痰」が出にくいとありますが，まず，それは本当に「痰」であるのかの見極めが大切です。「痰」，すなわち気道分泌物は，大きく流涎と，細菌やウイルスなどを排出するための防御機構の結果，分泌されるものとに分かれます。気管カニューレのカフにより，気道上下の交通は遮断された状態であるといえますが，密閉というわけではないため，時間が経つにつれ，落ち込みは防げません。流涎に対しては，口腔ケアや唾液の低圧持続吸引，ガーゼなどに浸み込ませることで対処します。

気道や肺からの分泌物であれば，排痰の3要素（重力，痰の粘性，咳の力）を考えたケアが必要です。重力の利用では，痰のある部位を上にした体位をとるドレナージを行います。ベッドに寝たままではなく，起きること，座位をとることも効果的です。2つ目は適度な加湿や水分バランスを整えることで，痰に粘性をつけ，移動しやすくします。3つ目の咳の力を強化することで，効率よく，喀出することができます。

在宅療養の場では，昼夜問わず必要になる吸引による介護負担が大きくなります。そのため効果的な排痰ケアを実施することにより，吸引回数や頻度を抑えることが可能になります。また，痰の吸引を自動化する方法（低定量持続吸引器）も，市販されております。

法律上，「自動吸引装置」という概念が存在しないため，専用カニューレ（コーケンダブルサクション）と低定量持続吸引器を主治医の責任のもとに，併用して実施すると整理されております。看護上のポイントやチェックリストを網羅した「「新たんの吸引法」を用いて気道管理を安全に効果的に実施するための手引き」を利用してもよいでしょう。

サービス内容

318 在宅における吸引器・吸引器具

Q 在宅で使う吸引器は，何がよいでしょうか？　また，吸引チューブを再利用する場合の消毒方法を教えてください。

A 近年，家庭で使用できる電動吸引器の種類が増え，値段も様々なものがあり，どれがよいのか質問を受けることもあるでしょう。吸引器の価格は，その吸引力に関係します。吸引力は，吸引圧×排気流量で表されます。吸引圧については，どの電動吸引器においても変わらず，排気流量の違いでその吸引器のパワーが決まります。たとえば，同じ 20kPa の圧力で吸引をしたとき，排気流量の大きい機械のほうが吸引力が大きくなるため，短時間で吸引できることになります。吸引器は，障害者総合支援法の「日常生活用具給付」対象品目であり，対象者は制度を活用して入手できるとよいでしょう。また，災害時に備え，電動式以外の足踏み式などを用意しておくとよいと思います。次頁に在宅用吸引器の機能分類の表を示します。

次に，吸引チューブですが，感染対策の基本としては，使い捨てが望ましいとされています。ただし，在宅においてはコスト面での経済性や吸引回数を配慮して，再利用の場合における保管方法に関して，薬液に漬ける方法（浸漬法）と，乾燥させる方法（乾燥法）が紹介されています。

両者の方法による吸引後の保管の手順を表（次頁）に示します。両者とも，洗浄液は 8 時間を超えると細菌の発生率が増すという報告があり，8 時間毎に交換することが望ましいとされています。

在宅用吸引器の機能分類

電動 型

選定目安	分泌物の粘稠度：低 中度	分泌物の粘稠度：低〜高 重度	分泌物の粘稠度：高 最重度 (病院配管並)
吸引圧	最大　-70〜 -80kPa程度（-20kPa以上での使用は推奨されない）		
排気流量	10〜20L/min	20〜30L/min	40L/min以上
吸引力	小 → 大 低圧持続吸引器	充電 可 ポータブル型 充電 不可 卓上型	

低定量　吸引器

非電動 型

手動式　　足踏み式

浸漬法と乾燥法

	浸漬法	乾燥法
必要物品	a「粘液など除去のための滅菌水」 b「気管内チューブ浸漬用の消毒薬」 c「消毒薬洗浄用の滅菌水」	「粘液など除去のための滅菌水」
(共通)	アルコール綿・吸引チューブ・保管容器・鑷子または滅菌手袋	
手順1	吸引後，チューブ外側の汚染除去のためにアルコール綿で清拭し，チューブ内粘液の除去目的でa「粘液など除去のための滅菌水」を吸引	
手順2	吸引チューブをb「気管内チューブ浸漬用の消毒液」に浸し保管	吸引チューブを，蓋のある乾燥容器で保管
手順3	再度吸引チューブ使用時は，c「消毒薬洗浄用の滅菌水」でチューブを洗浄してから使用	
交換	吸引チューブ，消毒液は，24時間おき 洗浄液は8時間おき	吸引チューブは24時間おき 保管容器の消毒は24時間おき 洗浄液は8時間おき
備考	気管内チューブの浸漬消毒薬は7〜8％エタノール含有の0.1％塩化ベンザルコニウムや0.1%クロルヘキシジンを使用する 浸漬用消毒剤の使用期限は24時間〜4日間，滅菌水の使用期限は12〜24時間とされているが，その汚染は頻回な吸引，手指消毒や清潔操作に影響される	この方法は，十分乾燥する前に使用するような吸引回数が多い状況下においては，菌汚染が報告されており，適切ではないので，注意すべきである

注：手順1で「消毒目的でアルコールの吸引」を加えれば，通水は水道水でもよいなど，「滅菌水」を「水道水」（塩素を含む）としているものもあるが，両者の違いについて，明確なエビデンスはない。

＊中山優季：在宅医療でよく行う医療手技を再考する！，吸引，在宅新療0-100，4（8）：748-756，2019.

319 思いを伝える手段をもちたい

Q 気管切開をし，人工呼吸器装着となったALS患者。それまでは呂律不全がありながらも，何とか会話で意思を伝えていましたが，今では言葉にならず，もどかしい様子です。手の動きも悪く，パソコンも使えなくなってしまいました。お金をあまりかけられないと言っていますが，どうしたらよいでしょうか？

A 近年のICT技術の進歩には目覚ましいものがあり，スマートフォンなどでは，標準でアクセシビリティ対応が施されています。音声入力や視線入力などがフリーソフトで実施できるようになっており，使い慣れたものをできる限り使い続けられるとよいでしょう。

意思伝達に対する支援制度は，障害者総合支援法に位置づけられ，地域生活支援事業の中の「日常生活用具給付（情報・意思疎通支援用具)」と補装具費支給の中の「重度障害者用意思伝達装置」に給付根拠があります。制度上の区分けを次頁の表に示します。

本体のみで入力が可能で，携帯性を重視した携帯型会話補助装置が日常生活用具給付対象です。また，外部のスイッチ操作で入力し，据置使用を前提としたものが重度障害者用意思伝達装置であり，給付には更生相談所での判定が必要となります。近年では性能が進化し，両方の機能を満たす機種が増えてきています。

補装具費の支給の重度障害者用意思伝達装置は，重度の両上下肢および言語機能障害者であって，重度障害者用意思伝達装置によらなければ，意思の伝達が困難な者が適応となります。本体と修理基準等種目や名称，基本構造が明確に区分されています。平成30年4月より，一部借受けも可能になりました。また，視線入力については「視線検出式入力装置（スイッチ）交換」として規定され，入手しやすくなりました。実施機関数は少ないながらも，「補装具装用訓練等支援事業」が開始され，装用訓練やフォローアップを受けることが可能になりつつあります。

このような制度を活用しながら，その方に合った方法を適切に継続的に支援していくことが求められます。

制度上からみた「携帯型会話補助装置」と「重度障害者用意思伝達装置」の違い

	携帯型会話補助装置 (携帯性を重視)		重度障害者用意思伝達装置	
定義	移動中・携帯中（持ち出したとき）であっても，安定した動作が保障される 本体上のボタンを操作して，入力 日常生活用具		外部の操作スイッチによる操作（ステップ入力またはスキャン入力）で，メッセージの入力 補装具	
種類	任意の内容を選択（キーを押して），再生や文字表記（VOCA）	直接入力方式　文字綴りで文章の作成や音声で伝える機器	文字等走査入力方式	生体現象方式
製品の例	メッセージメイト 指伝話	トーキングエイド　伝の心 TCスキャン OriHime eye　eeyes		MCTOS 新心語り Cyin（サイン）
給付制度	日常生活用具の給付（障害者総合支援法・地域生活支援事業）		補装具費の支給制度（障害者総合支援法）	
実施主体	市町村		市町村（身体障害者更生相談所の判定または意見に基づく市町村長の決定が必要）	

〔参考文献〕＊日本リハビリテーション工学協会編：「重度障害者用意思伝達装置」導入ガイドライン，～公正・適切な判定のために～，平成30-令和元年度改定版，2020.
http://www.resja.or.jp/com-gl/index.html

サービス内容

320 スイッチが使えなくなっていく…

Q 進行が早い患者で，スイッチがどんどん使えなくなっていきます。このまま何も使えなくなってしまったらと心配していますが，どうしたらよいでしょうか？

A 難病の人にとって，障害に応じたコミュニケーション手段を確保することは支援の基本ですが，急速に進行するなかで，実践することは容易いことではありません。訪問時，定期的に現在のスイッチが使用者にとって安心感がもてるか，操作感，使用感があるか，圧迫される身体部位がないか，確実性のある設置や固定が安易な作業で行えているかどうかアセスメントしましょう。

スイッチの設置に毎回 5 分以上の時間を要する場合には，適合に問題があると考えられます。そのときの状態に合ったものに変更する必要がありますが，このようなコミュニケーションの代替を AAC (Augmentation and Alternative Communication) といいます。AAC には，テクノロジーを用いず身体の残存機能のみを活用する手段（非エイド）と，テクノロジー（機器）を活用する手段に分けられます。テクノロジーを用いたなかに，IT 機器を活用しない方法（ローテク）と IT 機器を活用する（ハイテク）とに分けることができ，その種類を次頁に示します。最近では，生体信号や脳血流の変化を信号とする方法も開発されています。機器の選定やスイッチの工夫などは，進行に応じて変化させていく必要があるため，継続的に支援できる体制が求められます。支援チーム内の理学療法士や作業療法士の活用が望まれます。支援チーム内で検討したり，あきらめずに挑戦していく姿勢が，患者にとっても希望につながるといえます。

近年，Brain Machine Interface など科学技術の進歩により，肉眼的な動きがなくても，スイッチ入力が可能なデバイスの開発が，急ピッチで進んでいます。生活環境における実用化までには，ノイズ除去をはじめとした機器の進化や調整，そして実施者の体調の安定へのケアが欠かせません。

意思伝達装置の種類と特徴

分類		方法	特徴	製品の例
非エイド（残存機能のみ）		発語・口話	発声。構音障害が進行すると聞き取りにくくなる。気管切開を行っていても，構音機能が保たれていれば，スピーチカニューレやスピーキングバルブなどを使用することで可能な場合がある。	スピーチカニューレ スピーキングバルブ
		ジェスチャー（サイン）	瞬き，うなずき，ブザーを鳴らすなど，聞き手からの問いかけについての可否を得る。	
テクノロジー	ローテク	筆談	筆記具などで文章を書く，または筆記具を用いない「指文字」がある。	
		文字盤	用件を羅列したものや，ひらがなや五十音や数字を書き込んだ盤を用い，指し示したり，透明アクリル盤を使用し，対面して目の動きを読み取ることで意思を伝える。 聞き手が五十音を読み上げ，非言語の合図（サイン）を送ることで会話が成立する「口文字盤」など，目の疲労を緩和する方法もある。	不透明文字盤 透明文字盤
	ハイテク（IT機器の利用）	コミュニケーションエイド ※1	携帯用会話補助装置（Voice Output Communication Aid；VOCA）：ボタンを押す，スイッチ操作で選択することにより，合成音声やあらかじめ録音したメッセージを伝えることができる。バッテリー充電することで，移動先で使用できるものもある。	トーキングエイド 伝達君W 指伝話
		意思伝達装置 ※2（文字等走査入力方式）	ワープロの機能を，療養者の残存機能にあわせたスイッチ操作で使用可能にしたもの。市販のパソコン専用に開発したコミュニケーション用のソフトを組み合わせてあるものが多い。出力スイッチは，瞬きを利用するものなど，療養者の状態によって工夫する必要がある。	伝の心 TCスキャン 話想 MiyasukuEye ConSW OriHime eye+Switch
		意思伝達装置 ※2（生体現象方式）	生体信号の検出装置と解析装置で構成され，生体現象（脳波や脳の血液量等）を利用して「はい・いいえ」を判定するもの。	新心語り MCTOS※3 Cyin※3

※1：携帯型会話補助装置に該当し，日常生活用具の給付対象
※2：重度障害者用意思伝達装置に該当し，補装具費の支給対象
※3：外部機器と接続することにより，スイッチとしても利用可能

主な入力方法（スイッチ）の種類と特徴

<table>
<tr><th>種類</th><th>特徴</th><th>製品の例</th></tr>
<tr><td>接点式</td><td>押しボタンのように，荷重をかけて機械的な接点を閉じる操作をする。</td><td>丸型プッシュスイッチ
角型プッシュスイッチ
棒状プッシュスイッチ</td></tr>
<tr><td>帯電式</td><td>身体の静電気に反応する（静電容量の変化を検知する）
タッチセンサ。</td><td>タッチスイッチ
ピンタッチスイッチ</td></tr>
<tr><td>筋電式</td><td>腕やあごなど大きな筋肉が収縮するときに発生する筋電を皮膚表面に貼り付けた電極で検知する。</td><td>EMOS</td></tr>
<tr><td>光電式</td><td>対象物に光を当てて，その反射の強さを検知する入力装置。スイッチにタッチしなくても設定した距離まで近づけば反応する。</td><td>光ファイバースイッチ
ファイバースイッチ</td></tr>
<tr><td>呼気式</td><td>チューブやストローを通して呼気圧（吸気圧）を検知する入力装置で，同じスイッチで「吹く」と「吸う」の２つの入力まで可能。</td><td>呼気スイッチDF</td></tr>
<tr><td>圧電素子式</td><td>身体の動きによってピエゾ素子と呼ばれる薄板がたわみ，発生した電圧を検知する装置。</td><td rowspan="2">ピエゾニューマティック
センサースイッチ
PPSスイッチ</td></tr>
<tr><td>空気圧式</td><td>エアバッグを身体の様々な部位で押すことによって，その空気圧の変化を検知する装置。エアバッグを押す強さは感度調整で変えられる</td></tr>
<tr><td>視線検出式</td><td>視線の動きをカメラ（センサ）で捉え，信号処理によって出力を得る装置。設置にあたっては，キャリブレーションが必要となる。</td><td>トビー PCEye
アイスイッチ
EyeTech TM5-mini
市販のアイトラッカー</td></tr>
</table>

※重度障害者用意思伝達装置の中の「修理基準」に該当し，対象の状態にあったものを選定するとよい。

Ⅱ-7　精神障害者への訪問看護

報酬

321　令和6年度診療報酬改定の内容

Q 令和６年度の診療報酬改定において，精神障害者への訪問看護に関するもので変更されたことがあれば教えてください。

A 令和６年度診療報酬改定において、精神科在宅患者支援管理料の算定患者に、在宅医療の提供に係る一定の基準を満たす患者（「在宅医療における包括的支援マネジメント導入基準」において、コア項目を１つ以上満たす者または５点以上である者）および精神科地域包括ケア病棟入院料を算定する病棟から退院した患者が追加されました。

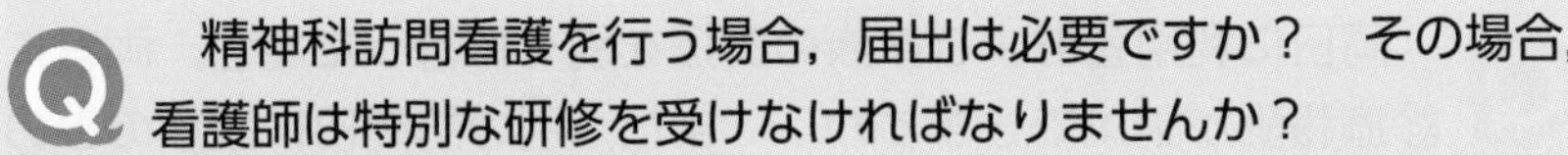

制度

322 精神障害者の訪問看護に届出は?

Q 精神科訪問看護を行う場合，届出は必要ですか？　その場合，看護師は特別な研修を受けなければなりませんか？

A 平成 24 年度診療報酬改定において，精神科訪問看護の質の向上のための研修および経験について解釈が統一されていなかったため，平成 26 年度の報酬改定で明確化されました。届出については，次のいずれかに該当する者でなければ，精神科訪問看護はできません。次の①〜③に該当しない者は，研修を受けなければなりません。

①精神科を標榜する保険医療機関において，精神科病棟または，精神科外来に勤務した経験を 1 年以上有する者
②精神疾患を有する者に対する訪問看護の経験を 1 年以上有する者
③精神保健福祉センターまたは保健所等における精神保健に関する業務の経験を 1 年以上有する者
④専門機関等が主催する修了証が交付される研修を修了している者（20 時間以上の研修で，以下の内容を含むもの）
　㋐精神疾患を有する者に関するアセスメント
　㋑病状悪化の早期発見・危機介入
　㋒精神科薬物療法に関する援助
　㋓医療継続の支援
　㋔利用者との信頼関係構築，対人関係の援助
　㋕日常生活の援助
　㋖多職種との連携
　㋗ GAF 尺度による利用者の状態の評価方法

※研修修了者は，最寄りの地方厚生（支）局に届け出ねばなりません。各月の月末までに受理されたものはその翌月から，月の最初の開庁月に受理された場合は当該月の 1 日から，精神科訪問看護の診療報酬の算定が可能になります。

制度

323 精神科訪問看護の対象者の拡大

Q 同日に利用者および家族の支援を別々に行った場合，両者に診療報酬が請求できますか？　また，別の訪問日に家族のみの支援を行った場合，請求できますか？

A 精神科訪問看護は，同居家族の方にも訪問しています。家族が抱え込みすぎたり，対応のまずさから暴力行為の引き金になったりすることもあります。また，家族にキーパーソンになるような方が不在だったり多問題家族だったりと家族調整が必要になります。そのため精神科訪問看護では，利用者を取り巻く家族を支援することにより病状の改善がみられることが多々あります。

平成 24 年度の診療報酬改定で，精神科訪問看護の対象者が利用者（患者）と家族等に拡大されましたので，家族の相談で訪問しても診療報酬は請求できます。また，利用者・家族含めて週 3 回まで訪問できます。ただし，同日に両者の請求はできません。さらに，精神科医の精神科訪問看護指示書および精神科訪問看護計画書にもとづき家族支援も行います。

Column

家族への支援

頻回の入退院を繰り返すAさんの事例を紹介します。

入院するとすぐに安定しますが，退院すると服薬中断し，受診も次第に途絶えがちとなり，家族へ暴力をふるって再入院するといったパターンを繰り返しています。

母親の過保護の下で育ったAさんは，退院後も日常生活は母親任せで，自宅に閉じこもりがちとなっていきました。受診や服薬を促す母親に暴力をふるい，「命令するな。子ども扱いするな。おまえはモスラだ」と大声を出していました。

この家族に訪問看護が導入されることで，父親不在の家庭であったことや父親からの暴力，母親との共依存関係などがAさんの暴力の原因であることが確認できるようになっていきました。そこで，両親に病気の理解と自立の必要性を伝えると同時に，家族の大変さを傾聴しながら支援することが重要な関わりとなりました。

制度

324 精神科訪問看護の特別指示書は?

Q 週4日目以降の訪問看護ができると聞きましたが，特別指示書は必要でしょうか？ また，特別指示書の限度日数について教えてください。

A 近年，全国的に精神科病院の長期入院者の地域移行が推進されてきましたが，いまだに社会的入院の方たちが入院を続けている現状があります。退院直後の利用者は，慣れない地域での生活のしづらさや不安を抱えています。また，医療継続のためにも集中的な訪問看護等の支援が必要になります。さらに，精神疾患の特徴として病状の波があることが多く，病状悪化時に集中的に訪問し乗り越えることで，再発防止・頻回の入院防止が可能になります。

平成24年度の改定で，訪問看護ステーションからも医療機関と同じく，退院後3か月以内の利用者には，週5回まで精神科訪問看護が可能となりました。ただし，退院後3か月を超えている利用者で週4日以上訪問看護を要する場合は，精神科特別訪問看護指示書が必要です。

精神科特別訪問看護指示書は，精神症状が急性増悪し頻回の訪問看護が必要であると精神科医が判断した場合に交付されます。交付の日から起算して14日以内に行った場合は，月1回に限り，14日を限度として所定額を算定できます。

また，精神科特別訪問看護指示書が交付された利用者に対する訪問看護については，利用者の病状等を十分に把握し，一時的に頻回に訪問看護が必要な理由を看護記録に記載し，訪問看護計画書の作成および訪問看護の実施等において，主治医と連携を密にする必要があります。

325 ステーションからOT・PSWのみの訪問看護はできる?

Q 訪問看護ステーションから１人の利用者に，作業療法士または精神保健福祉士のみの精神科訪問看護ができますか？　また，複数名訪問看護や24時間対応体制についても教えてください。

A 医療機関では作業療法士（OT）も精神保健福祉士（PSW）も単独で訪問できます。

訪問看護ステーションでは，作業療法士は１人の利用者に単独で訪問でき回数も訪問の範囲内で可能ですが，訪問看護ステーションの人員配置基準には精神保健福祉士は含まれないので，制度上は精神保健福祉士が単独で訪問することはできません。精神保健福祉士または看護補助者が看護師または保健師に同行する場合（30分未満は除く）は，週１回に限り複数名精神科訪問看護加算を算定できます（3,000円）。ただし，利用者またはその家族等の同意を得て，両者が同時に滞在する一定の時間を確保しなければなりません。

また，作業療法士や精神保健福祉士が24時間対応体制の連絡相談を担当することはできません。届出基準により，24時間対応体制に関する連絡相談を担当する者は，原則として当該訪問看護ステーションの保健師，看護師とされています。

ただし，令和6年度の診療報酬改定により，条件を満たしている場合は，保健師または看護師以外の職員（看護師等以外の職員）でも差し支えない，となりました（148頁参照）。

326 外泊者への精神科訪問看護

Q 退院準備として外泊をする入院中の方がいます。当訪問看護ステーションから退院後の精神科訪問看護を行うことが決まっていますが，この外泊中に訪問看護を提供した場合，基本療養費の算定はできるのでしょうか？

A 精神科病院に長期在院している方や頻回の入院を繰り返している方が退院する際には，退院準備が必要になります。訪問看護であれば，外泊中に，退院後に関わる訪問看護師が訪問し，病状の観察や服薬状況，在宅での環境調整などを行うことになるでしょう。

平成 24 年度の改定で精神科訪問看護基本療養費（Ⅳ）が追加され，算定できるようになりました。これは，退院後に訪問看護を受けようとする方に対して，入院先の主治医の指示書に基づき，退院準備として一時的に外泊をする際に訪問看護ステーションの看護師等が指定訪問看護を行った場合に，入院中 1 回に限り算定できるものです。ただし，基準告示第 2 の 1 に規定する疾病等の利用者（105 頁参照）で，外泊が必要と認められた方に関しては，入院中 2 回まで算定可能です。この場合の外泊とは，1 泊 2 日以上の外泊です。また，同一日に訪問看護管理療養費は算定できません。

327 個別の訪問看護を実施した場合

Q グループホームに入居中の利用者に対して，個別の訪問看護を実施した場合に，精神科訪問看護基本療養費（Ⅰ）を算定することはできますか？

A グループホームなどに入居中の精神障害者に対して個別の訪問看護を実施した場合には，精神科訪問看護基本療養費（Ⅰ）を算定することが可能です。なお，精神科訪問看護基本療養費（Ⅰ）または（Ⅲ）を算定する場合は，訪問看護記録書，訪問看護報告書に，月の初日の訪問看護時におけるGAF尺度（450頁参照）により判定した値を記載します。

施設を利用している方は，集団の中での人間関係や訓練について悩みごとや困りごとを抱えていることが少なくありません。また，利用期間が限られていることから，次の生活の準備をはじめる必要も出てきます。施設職員からも関わりや日常的な支援を受けていますが，訪問看護師は個別の訪問のなかで利用者のニーズに沿った形での相談ができる相手となります。時間をかけて相談に乗り一緒に考えていくことができます。また，施設のスタッフは福祉の専門家であることが多いものの，資格をもっていない人もいます。本人やスタッフから医療面でのニーズに応えてほしいと期待されることも多いと思います。また，医療の専門家として，時には医療機関と連絡を取り必要な情報を本人だけでなく施設スタッフへ伝える必要も出てきます。本人への支援者が多くなると，本人の希望や強みが生かされるように支援者同士で情報交換し，利用者を交えて支援の調整を行う必要も出てきます。

施設の利用者に対して，個別の対応をした場合には精神科訪問看護基本療養費（Ⅰ）を算定することが可能ですが，同一建物に同一ステーションのスタッフが訪問した場合には精神科訪問看護基本療養費（Ⅲ）になり，30分未満と30分以上とでは報酬が異なることに注意が必要です。

制度

328 自立支援医療制度とは?

Q 障害者総合支援法に規定されている自立支援医療制度とは，どのようなものなのでしょうか？

A 精神通院医療，更生医療，育成医療に分かれていた公費負担医療が統合されたのが自立支援医療制度です。

自立支援医療制度における精神通院医療は，障害者自立支援法（現・障害者総合支援法）が施行される前に精神障害者通院医療費公費負担制度として行われていたもので，精神疾患による外来通院等にかかる医療費の自己負担を減免し，地域での治療が適切に継続されるように支援する制度です。

自立支援医療制度を利用すると，自己負担額は医療費に応じた定率負担（1 割）となります。ただし，所得等に応じて 1 か月当たりの自己負担額に上限が設定されます。また，市町村民税（所得割）が 23 万 5,000 円以上の世帯に属する人は給付対象外となります。

329 自立支援医療制度の手続きは?

Q 自立支援医療制度の手続きは，どのようにすればよいのでしょうか？　また, いつから利用できるようになるのでしょうか？　更新はできるのでしょうか？

A 申請の窓口は住所地の市町村役所で，提出するものは，申請書(印鑑)・診断書・保険証ですが，市町村により若干の違いがありますので, 事前に問い合わせておくとよいでしょう。また, 申請時に「重度かつ継続」の申請を合わせて行う場合には，医師の意見書が必要な場合があります。

自立支援医療制度では，支給決定がなされると受給者証が 1 枚交付され，それを利用者自身が保管し，管理することになっています。受給者証には，利用する医療機関や薬局等の事業所名が記入されており，それ以外の病院や薬局等を利用する際にはあらかじめ手続きが必要になります。手続きを行わずに利用したときには医療保険の一般請求となります。それとあわせて，自己負担額の上限を明記した上限額管理票が届きます。利用者は，上限額管理票を病院や薬局に持参し，そこで支払った自己負担額を記入して捺印してもらいます。訪問看護を受けたときにも同様です。そして，上限額に達した場合には，それ以降の自己負担分は支払わなくてもよいことになります。

自立支援医療費の新規申請の場合，利用開始は申請日から利用できますが，支給認定が決定されるまでに一定期間かかる場合があります。また，すでに医療機関で自立支援医療費の申請をしている方でも訪問看護をはじめるときには追加申請の必要がありますので，更新は毎年行う必要があります。受給者証に記入されている期日の 3 か月前から更新の手続きができ，更新の申請に必要なものは受給者証の原本と申請書（印鑑）です。診断書の提出は 2 年に 1 回です。なお，受給者証に記入されている内容（住所・保険・医療機関等）に変更が生じた場合には，変更届出が必要になります。

330 自立支援医療制度の対象になる人

Q 自立支援医療制度の対象になるのは，どのような人なのでしょうか？　対象となるのに条件などがあったら教えてください。

A 自立支援医療制度の対象になるのは，従来の更生医療，育成医療，精神通院医療の対象者で一定所得未満の人です。自立支援医療制度では，収入によって自己負担額が段階的に分かれることになります。一定所得以上とは，市町村民税（所得割）が 23 万 5,000 円以上の一定所得以上の世帯に属する人です。中間所得層では，市町村民税（所得割）が 3 万 3,000 円未満の場合（中間所得層 1）と 3 万 3,000 円以上 23 万 5,000 円未満（中間所得層 2）に分かれます。一定所得以下の世帯に属する場合には，生活保護世帯，市町村民税非課税で本人の収入が 80 万円以下の人（低所得 1）と本人の収入が 80 万円を超える人（低所得 2）に分かれます。一定所得以上については対象になりません。つまり，ある程度収入のある人の場合，医療保険と同じ 3 割負担となり，自己負担額が増えることになります。しかし，所得の少ない人については収入に応じた減免措置を講じるということです。

収入については，医療保険の加入状況で世帯の収入を判断します。例えば，家族と同居していても国民健康保険に 1 人で加入して被扶養者でなければ単身世帯とみなされ，受給者 1 人だけの課税額，収入に基づいて自己負担上限額が決定します。しかし，「重度かつ継続」の範囲であると判断されれば，自己負担額の減免措置があります。その「重度かつ継続」に該当するのは，精神障害者の場合は統合失調症，感情（気分）障害・うつ病，てんかん，認知症等の脳機能障害，薬物関連障害（依存症等）の者，または，精神医療に一定以上の経験を有する医師が継続的集中的治療が必要と判断する者となっており，更生医療・育成医療については，腎臓機能，小腸機能，免疫機能障害の者とされています。これらの疾患名にかかわらず，精神通院，更生，育成において医療保険の多数該当者で高額な費用負担が継続する者となっています。

331 職場を訪問することはできる?

Q 精神科訪問看護の指示をもらっている医師より，利用者の職場への訪問依頼がありました。訪問看護として，職場に行くことは可能ですか？

A 訪問看護ステーションの場合，利用者の居宅以外への訪問看護を算定することはできません。したがって，どうしても職場への訪問が必要で実施する場合は，利用者に全額自己負担（あるいはオプション契約）をしていただくか，ステーションからの持ち出しということになります。

精神障害者を対象とした訪問看護は，若年の利用者が少なくありませんので，利用者の職場や学校といった自宅以外の活動の場との連携が必要不可欠です。しかし，現在の制度ではそれが算定できる仕組みにはなっていないので，文書による情報交換をしたり，利用者の承諾・関係者の協力を得て，利用者宅に関係者が集まってのケア会議の開催等，連携可能な方法を探す努力が求められます。

Column

地域の関係機関との連携が大事

精神科訪問看護の利用者の多くが，精神疾患があっても「仕事をしたい。人の役に立つことをしたい。友達がほしい」などの希望を訴えています。生活の転機に，職場や自宅以外の場所に同行してほしいという依頼が入ることも多々あります。しかし，ローテーションで動いている訪問看護師が，いつも同行できるとは限りません。

とはいえ，利用者にとっては，「待ったなしの要望」であることが多いため，地域の社会資源につなげたり，他職種に担ってもらうことも大切です。地域の社会資源として，地域活動支援センターや相談支援事業所，就労支援事業所など，本人を支える福祉的サポートが様々にありますので，その存在を知ることがまず重要です。各市町村が情報を把握しています。まずは気軽に問い合わせることで，連携の輪が広がる一歩につながるかもしれません。

制度

332 自立支援医療制度と介護保険の併用

Q 現在，自立支援医療制度で精神科の訪問看護を行っていますが，要介護認定がおりました。自立支援医療制度と介護保険の併用は可能ですか？

A 平成24年度から，精神疾患の利用者は精神科訪問看護指示書のもとに精神科訪問看護を行ってきました。その際に，要支援・要介護被保険者に対する精神科訪問看護は，急性増悪等の場合を除いて介護保険からの給付でしたが，平成26年度診療報酬改定から医療保険給付となりました。医療保険で自立支援医療を利用します。

ただし，主病名が認知症（精神科在宅患者支援管理料の算定者除く）については，医療保険は利用できず介護保険給付となります。介護保険の訪問看護でも，自立支援医療は利用できます。

報酬

333 複数名精神科訪問看護加算

Q 精神科訪問看護指示書での複数名による訪問看護の場合，2名とも精神科訪問看護基本療養費の算定要件を満たしていなければ訪問できないでしょうか？

A 主たる訪問者である保健師または看護師が算定要件を満たしていれば，同行する看護師等が算定要件を満たしていなくとも訪問できます。ただし，複数名精神科訪問看護加算を算定する場合は，精神科訪問看護指示書に「複数名訪問の必要性」とその理由が記載されている必要があります。緊急な場合は，主治医に報告し指示を受けた旨を記録に残しておき，指示書の修正をしてもらいます。

334 生活習慣病の精神障害者への対応

Q 糖尿病を合併している統合失調症の方で，運動療法が必要な方がいます。近くの公園で現地集合，現地解散をしてもよいでしょうか？

A 訪問看護ステーションからの訪問看護は，利用者の自宅以外に訪問した場合には算定することができないので，運動療法を目的として現地集合，現地解散という内容で算定することはできません。しかし，精神科訪問看護の利用者には，肥満や糖尿病の合併等の身体的問題を抱えている方も少なくありません。運動療法の指導や実施という内容の訪問看護が求められる場合もあります。

そもそも，糖尿病をはじめとする生活習慣病の運動療法や食事療法を適切に継続していくことは一般的に難しく，多くの困難を伴います。正しい知識と本人の自覚と努力がなければ，継続することは難しいといえます。生活習慣病を抱える利用者に対しては，疾患を正しく理解してもらうための教育が必要です。主治医や薬剤師，栄養士等と連携をとりながら，疾患や治療についてわかりやすい方法で説明する必要があります。

精神障害者の場合，糖分の摂りすぎや過食等の食生活の偏り，活動性の低下による運動不足，内服薬の適切かつ継続的な服用の困難等，複数の難しい問題を抱えるケースもあります。そこで，説明による指導だけでなく，目で見てわかるような冊子の作成等，疾患の理解を促すための工夫をしなければなりません。

このような教育的支援は訪問看護において利用者のペースに合わせて進めていくことができます。１人で続けることが非常に難しいと予想される運動療法等については，自宅での指導だけでは限界があります。そこで，訪問看護のなかで運動療法の必要性を説明し，利用者に実行可能な計画を提案し，どうすれば継続することができるかを本人と時間をかけて話し合うことが必要です。そして，訪問看護の終了時に利用者を運動療法に送り出す，運動療法終了直後の時間帯に訪問看護を設定して，訪問看護中に評価していく等の何らかの工夫が必要になります。

335 パーソナリティ障害の利用者

Q パーソナリティ障害の利用者から，訪問予定日に再三キャンセルを受け，電話対応が中心になっています。キャンセル料等の請求は可能でしょうか？　また，今後どのように関わればよいのでしょうか？

A 急にキャンセルされた場合でも，キャンセル料を請求することはできません。また，利用者からの電話相談に長時間対応しても，それに係る料金を請求することはできません。契約をして訪問日時を約束していたにもかかわらず，頻回にキャンセルされるような場合には，契約自体を早急に見直すことが必要です。

特に，パーソナリティ障害のケースでは，支援関係者全員が定期的に主治医の治療方針を確認し，それに沿った内容の支援を実施することが重要です。主治医が対応に苦慮して１人でも多くの支援者に関わってもらいたいと考えている場合は少なくありません。利用者自身も依存傾向が強いため，いろいろなところに支援を求めたりすることも多いのです。また，本人は１対１の関係を強く求める傾向にあり，支援者同士で情報交換をするということになりにくいため，結果として方針の異なる複数の支援が，違う場所で提供されるという状況が発生します。そこで，利用者に関わる支援者は意識的に連絡を取り合い，主治医の治療方針に沿った支援を行うように心がけることが必要になります。つまり，特定の支援者が利用者を特別扱いしないよう関わるということです。

また，訪問のキャンセルだけでなく様々な問題行動も予測されるので，問題行動発生時の対応についても事前に主治医に確認しましょう。そして，必要に応じてケア会議を行い，利用者と支援者の間で起きていることを整理し，支援者間で共通認識をもつことも大切です。パーソナリティ障害の方は周囲の人を巻き込み操作する傾向があるので，担当者１人だけに判断をさせることが難しく，かえってよくない結果を招くおそれもあります。そのため，訪問看護を行うために守ってほしいことを，契約の際に主治医・利用者と確認しておくことが望ましいと思われます。

336 ACTとは?

Q 精神科訪問看護，多職種による訪問支援において，ACT という言葉を聞きますが，どのようなものでしょうか？

A ACT（Assertive Community Treatment）は，日本では包括型地域生活支援などと表現され，重い精神障害のある人であっても地域で自分らしい生活が送れることを目標にし，訪問支援を包括的に実施するケアマネジメントモデルです。1970 年代初頭にアメリカではじまり，今では多くの国に普及している効果が実証されたサービスです。

構造的特徴としては，①看護師・精神保健福祉士・作業療法士・就労支援の専門家・精神科医などがチームとして支援を行うこと，② 365 日，24 時間のサービスを行うこと，③スタッフ 1 人に対し，利用者を 10 人以下にすること，④利用者の生活の場へ訪問（アウトリーチ）することが支援の中心であることなど，その他いくつかの確立された基準をもっています。

支援の特徴としては，ケアマネジメントの手法を用いて担当のケースマネジャーが副担当と協力し，ケアプランに基づいて利用者のニーズや希望に沿った支援をタイムリーに行うとともに，チーム全体が共有します。

医療的支援や危機介入（生活的危機も含む），生活支援，日常生活技術のトレーニング，就労支援，住居の確保や維持に関する支援，家族支援，経済的問題に関する支援，フォーマル・インフォーマルな資源を活用した支援など，医療・保健・福祉サービスを ACT チームが責任をもって直接提供する支援プログラムです。

現在は，一般社団法人コミュニティ・メンタルヘルス・アウトリーチ協会（アウトリーチネット）という組織があり，全国でアウトリーチ活動に関する啓発，情報発信，質の向上を目的に活動しています。アウトリーチネットは 5 つの部会，3 つの委員会で構成され，その中にある「ACT 部会」が従来の ACT の活動を実践しています。

Ⅱ-8　認知症の人への訪問看護

制度

337　認知症の人への訪問看護に届出は？

Q　認知症の人へ訪問看護を行う場合，どこかに届出は必要ですか？　また，特別な研修などを受ける必要はあるのでしょうか？

A　介護保険の対象となる65歳以上の第1号被保険者と，40歳以上65歳未満であって，初老期の認知症と診断された第2号被保険者については，特別な届出は必要ありません。医療保険において，精神科在宅患者支援管理料を算定する重度認知症の人へ訪問看護を行う場合は，精神科訪問看護で訪問することになります。その場合，訪問看護ステーションは地方厚生（支）局に精神科訪問看護基本療養費の届出を行っている必要があります。この療養費を算定するには訪問するステーションの保健師，看護師，准看護師または作業療法士に届出基準が設けられています。100頁を参照してください。

また，精神科在宅患者支援管理料を算定している医療機関と連携して，精神科重症患者支援管理連携加算を算定する場合も届出が必要になります。届出要件等は，163・164頁を参照ください。

認知症の人の訪問看護を行うにあたり，特別に必要な研修はありません。しかし，2025年には65歳以上の高齢者の認知症患者数は約700万人（5人に1人）になると推計されています（厚生労働省HPより）。そのため，認知症の基本知識，基本的な認知症の人に対するアセスメントとケア方法の研修は最低限受講しておくことが望ましいです。

338 看護計画のポイント

Q 認知症の人への看護計画を立てる際に，特に注意するポイントなどはありますか？

A まず，看護師が認知症と認知症の人に対して正しい知識をもつことが大切です。現代は，認知症の当事者が自分の病気への理解を訴えたり，会社からの配慮を得ながら働ける時代になりました。それに反し，いまだに多くの看護師は，浅い知識と偏見で認知症の人と接している現状があります。

また，忘れっぽい，怒りっぽい，否定的などのコミュニケーションの取りづらさが，適切にアセスメントされずに安易に認知症と判断されている現状があります。今一度，認知症の知識と認知症の人への偏見はないかを自己確認しましょう。誤った対応，誤った薬剤，誤った治療は，利用者の生活の質を低下させることになります。

看護計画を立てる際のポイントは以下の通りです。

①残された能力，隠れている能力，看護師がないものと判断してしまっている能力を見つけ出し，それらを発揮させ活かします。認知症の人の自信の回復につながります。

②認知症が進行すると，言語的コミュニケーションをとることが難しくなります。認知症の人の人生史，社会性，生活習慣，人間関係，元の性格などから非言語的サインや変化を読み取る努力をし，その人の気持ちに寄り添います。同時にサインや変化からフィジカルアセスメントを行い，状態の変化にいち早く対応します。

③中核症状の進行により，危険を回避する能力が障害されていきます。そのため，認知症の進行に合わせて積極的に安全を確保します。

④認知症の進行に伴い，介護者は介護負担や社会からの孤立感が増します。家族の支援は必須です。

サービス内容

339 否定的な言葉を受けたときの対応

Q 認知症の人が,「私は頭が悪い」「私は何もできない」などと言うとき,どのような対応をすればよいでしょうか?

A このように利用者から言われたときに,「そんなことないですよ」と安易に答えていないでしょうか? 利用者は必ずしも看護師に慰めてもらいたいわけではなく,看護師の出方を見ています。そのため,これらの言葉に利用者のどのような気持ちが込められているのかアセスメントします。

認知症の人は認知機能が低下していても,自分に起こる変化,自分の周りで起こる変化を敏感に感じ取り反応します。認知症の初期では他人に失敗を見せないよう取り繕うことがあり,生活のなかで失敗が増えていくと自分の行動に自信がなくなり,もしかしたら自分は認知症かもしれないと不安を抱くようになります。人的環境の変化では,家族や友人に失敗を指摘されたり注意されたりする場面が増えることで被害的になったり不安に陥ったりします。環境的変化では,家族がデイサービスやショートステイの回数を増やしたり,グループホームや老人ホームなどの検討を行っていることを敏感に感じとり,自分が邪魔者なのではないかと被害的になり,孤独になります。

できないことが増えたことを自覚でき,不完全ながらも言語的コミュニケーションがとれる段階であれば,なぜそのように否定的に思うのか直接問うてみましょう。生活のなかでの失敗談やできていたことができなくなってきたこと,それに対しての心境の変化を教えてくれるかもしれません。そのときは利用者の言葉をゆっくりと傾聴し,共感しましょう。また,自分から説明できない場合は家族や介護支援専門員など利用者に関わる人たちと情報共有やカンファレンスをしましょう。上記にあげた人的環境変化や環境的変化の発見があるかもしれません。それが発見されたら,関わる人々は統一した対応をとるようにしましょう。

340 記憶障害のためか不在が多い…

Q 訪問しても不在のことが多く，家族の相談だけになってしまうことがあります。その場合，算定はできますか？ このような利用者との約束はどのようにすればよいですか？

A 家族の相談に応じたり，指導を行ったりしたとしても，利用者が不在であれば算定はできません。しかし，精神科訪問看護指示書が出ている場合は家族への指導のみでも算定できます。

認知症は，中核症状に記憶障害と見当識障害があります。認知症の進行具合に応じて，記憶障害の程度，言語理解の程度，文字理解の程度，見当識障害の程度などをアセスメントし，約束の方法を検討しなければいけません。軽度の認知症で，言語理解，文字理解が可能な場合は，メモやカレンダーに訪問看護師が訪問する日を記載しておきます。中等度の認知症で，記憶障害，見当識障害が進行した利用者の場合は，メモやカレンダーに注意が向かないため無効です。筆者の経験では，訪問日の前日と当日の朝に電話で訪問することを伝え，家に到着したときもチャイムを鳴らす前に電話を入れ，あらかじめ約束しておいた訪問であることを伝え，利用者の了承を得てから訪室するようにしています。

認知症は記憶障害と見当識障害という中核症状があるため，利用者と約束をし，それを覚えておいてもらおうという考え方は，認知症の進行程度によっては適しません。何かを約束するという方法ではなく，利用者がどのようにしたら安全に在宅生活を過ごせるのかを優先し，訪問看護師だけでなく，家族，介護支援専門員，ホームヘルパーなどとチームを組み，チームで安全を確保していくことが大切です。訪問をして不在の場合が多いのであれば，いつならば家にいるのか，１人の時間帯はいつなのか，１人の時間で安全を脅かす問題は何かを明らかにし，チームで情報を共有し，どのように対処していくのか，適宜サービス内容を見直していくことが重要です。

制度／サービス内容

341 家で暴れている利用者への対応

Q 利用者の同居家族から利用者が家で暴れているとステーションに電話がありました。このような場合，どう対応をすればよいでしょうか？

A このような電話を受けたら，看護師は慌てずに家族の訴えを聞きましょう。それと同時に通話中の周りの音を聞き，利用者がどの程度興奮しているのか確認します。家族の動揺が大きい，通話中に利用者の叫ぶ声が聞こえるなどで緊急で訪問が必要だと判断しても，看護師が到着するまでにアクシデントが起こる可能性は十分にあります。そのため，電話を受けた時点で家族に指示を出す必要があります。優先すべきことは，利用者と利用者の家族の安全の確保です。利用者の興奮が強く家族が恐怖を感じている場合は，無理に利用者の興奮をおさめようとせず，別の部屋に移る，扉を閉めるなどして利用者から離れてもらいます。利用者本人は，記憶障害により自分がなぜ興奮しているのか時間の経過とともに忘れていくことが多いです。距離と時間を置いても興奮がおさまらない場合は，看護師の到着を待たずに警察の協力を得て安全を確保するよう伝えます。

このような事態を避けるために看護師は日頃から利用者をアセスメントし，対策をとっておく必要があります。利用者の元々の性格，認知症の進行度，BPSD の有無，BPSD の要因，同居家族との関係性，使用している薬剤，全身状態，療養環境を踏まえ，利用者が強い混乱（暴れる）を起こす要因を事前に取り除く，もしくは最小限にしておくことが基本です。利用者が易怒的になりやすい状態であれば，早めに医師に相談し，不穏時の指示をもらっておいてもよいでしょう。さらに，このような事態が起きた際の利用者への対応方法を家族に教育しておくことも大事です。

普段から危険物（割れ物，刃物，杖など）を利用者の身近に置かないようにすることも安全を守るうえで大切になってきます。

342 家族が認知症を受け入れられない…

Q 家族が，利用者が認知症であることを受け入れることができません。このようなとき，どのように関わっていけばよいのでしょうか？

A 認知症は脳の器質的病変を伴うため，これまでの人格とは異なった表情や言動を見せることがあります。そのため，家族の戸惑いや動揺も大きくなるでしょう。

家族の受容を左右する因子として，家族構成，家族歴，家族関係，健康状態，家族それぞれの役割，価値観，支援体制，経済状況などが関係します。受容過程として，「とまどい，否定的なケアをする段階（第1段階）」「身内が認知症であることを認め，否定から脱しようとする段階（第2段階）」「認知症の人に期待をつなぐ段階（第3段階）」「あきらめ，放棄する段階（第4段階）」「新たなケアの試みの段階（第5段階）」を経て，利用者が認知症であることを受容していきます。看護師は，家族が受容過程のどの段階にいるのかアセスメントし，段階に応じた対応をします。第1段階では家族の訴えを傾聴し，認知症と診断されていないのであれば適切な医療機関への受診を促します。第2段階から第4段階にかけては，見守り，傾聴，励まし，認知症の知識の提供，サービスの知識の提供，介護教室や家族会の紹介を行います。この期間は，家族は利用者に対し怒ったり，失望したり，期待したりと強く葛藤しています。そのため，指導するのではなく，看護師がケアモデルとなって模範となる接し方を何気なく提示します。第5段階になると，家族は利用者にあった対応ができるようになってきます。この時期は，サービスやケアに関するアドバイスをしたり，介護教室や家族会を勧めたりします。

看護師は，利用者をつらくさせるとわかっていながら，怒りをぶつけなければならない家族の気持ちに寄り添い，「つらいながらも，ここまで頑張ってくれてありがとうございます」と家族を労い，家族に逃げ道を作ってあげることも必要です。

〔参考文献〕＊六角僚子：認知症ケアの考え方と技術，p.25-33，医学書院，2005.

サービス内容

343 独居の認知症の人への訪問

Q 独居の認知症の利用者を担当します。訪問する際や，ケアをする際に注意することはありますか？

A まず大事なことは，1人の看護師で抱え込まずに，他の看護師も訪問できる体制をとり，家族や他職種とチームで認知症の利用者を守るということです。

独居の認知症の利用者は認知症の進行に伴い，セルフケアを行うことが難しくなり，独居生活が困難となります。記憶障害により訪問日時や訪問看護を受けていることを忘れていきますし，見当識障害により自分の今いる時間，場所，自分と看護師との関係性がわからなくなっていきます。そうすると，内服ができない，食事ができない，清潔が保てない，全身状態が悪化するなど悪い連鎖が生じ，認知症の進行を加速させてしまいます。

看護師が訪問しても，利用者に不審者ととらえられてしまえば，家に入ることが不可能となります。こうなると，訪問看護師1人の力ではどうにもなりません。利用者の記憶にかすかに残っている人たちの力を借りて家に入るなり，いったん引き返すなりしなければなりません。そのときがだめでも，時間や人が変わればすんなりと家に入れることが結構あります。大切なのは，いつもと違う人が訪問しても利用者が混乱しないように，訪問看護師間，ケアチーム間でケアの統一と接し方の統一を図っておくことです。

利用者の状態によってケア内容やサービス内容は変化していきますが，この変化に伴って訪問看護師はどのような役割がとれるか，連携するメンバーに具体的に明示しておくとメンバーが動きやすくなります。特に家族にわかりやすく説明しておくと良いです。また，気がついたことや困っていることは逐一介護支援専門員に報告，連絡，相談します。ケアマネジメントする介護支援専門員に情報を集約させておくと，チームで動く際に効率的で，問題の早期対処につながります。

344 うまく連携するポイント

Q 認知症の人へのケアにあたっては，他職種との連携が大事になると思いますが，うまく連携するポイントなどを教えてください。

A 同じ利用者を担当するにも職種が異なれば，1人の利用者をそれぞれの専門的視点でとらえることになります。看護師として，“この利用者はこのようにとらえるべき”“こう考えるのは当然”と考えていることが，職種が異なれば今までになかったとらえ方や視点であったり，理解しがたい考え方であったりします。また，同じ看護師であっても，価値観や家庭背景，教育課程，これまで働いてきた職場などが異なれば，共感することや理解し合うことが難しいこともあります。つまり，職種に限らず，自分以外の人とうまく連携することは簡単ではないのです。

まずは，それぞれの職種の人々の意見や考え方に耳を傾け，利用者をどのようにとらえているか，優先して取り組んでいる課題は何か，ケアをする上で大切にしているものは何かを，自分なりに考えてみることが必要です。職種が異なれば，利用者のとらえ方やケアに対する重きの置き所が異なるのは当然です。看護師は看護学的，医学的アセスメントを行い，認知症の人の生活の質を低下させている要因を明らかにし，優先して解決すべき問題点をあげ，解決に向かうためにはどの職種の協力を得れば解決につながりやすいのか，客観的に判断すべきだと考えます。

多くの職種が関わればケアがうまくいく，というわけではありません。その反面，特定のメンバーが独走することもあってはなりません。認知症の人が置かれている状況により，リーダーは流動的であるべきで，看護師はこのチームの中でどのような役割をとるべきか考え，協力すべき職種の人と積極的にコミュニケーションをとるべきでしょう。連携するのが難しいと感じたときこそじっくりと相手の職種の人と話し合い，互いの意見に耳を傾け，それぞれの役割を尊重し，信頼関係を構築していくことが大切です。

345 認認介護の夫婦への介入

Q 認認介護の夫婦の利用者を担当することになりました。家族は遠方におり協力を得ることが難しいです。どう介入すればよいでしょうか。

A 認認介護とは認知症の人が認知症の人を介護している状態をいいます。認認介護の場合，第一段階としてキーパーソンとなる家族を把握し，連絡がとれるようにしておくことです。緊急時や契約等の判断が必要なときの連絡網の確保はとても重要です。キーパーソンとなる人がいない場合は，早急に地域包括支援センターと連携し，福祉の面からサポートできる体制をとっておきます。認認介護の場合，利用者への支援は広範囲に及ぶことが多いので，早い段階で介護支援専門員と連絡を密にとり，合同カンファレンスには地域包括支援センターにも参加してもらうとよいでしょう。

介入方法は利用者のサービスの受け入れの程度によって変わってきます。本人たちが困っているならば，訪問看護はスムーズに導入できますが，本人たちが困っていないと感じているなら，訪問看護の必要性を理解してもらえません。その場合，生活全般の管理ができていないとわかっても，命にかかわる緊急の状態でなければ，焦らずに「看護師の○○です。心配なのでお顔を見に来ました」と短時間の訪問を重ね，生活状況を把握しつつ少しずつ滞在時間を増やしていきます。入室できるようになったら健康を害する要因を把握しケアの優先順位をアセスメントします。利用者にあれこれ聞きたい，いろいろと整理したいという気持ちになっても安易に手を出してはいけません。本人たちに生活に不便を感じていないか聞き出し，不便を感じていなければ，「看護師として私は○○が心配です。お手伝いしても良いですか」と伝え，介助できる範囲を増やしていきます。安全な環境を作るには訪問看護だけでは限界があるので，アセスメントしたことを介護支援専門員に報告し，必要なサービスを検討していきます。

346 若年性認知症の人への訪問

Q 若年性認知症の人に訪問することになりました。高齢者と違い，気をつける点はありますか？

A 若年性認知症とは65歳未満で発症する認知症疾患の総称です。この年代は働き世代にあたり，この世代が認知症になると，本人，家族とも大きな打撃を受けます。看護計画を立案する際には，利用者の家族構成，家族役割，家族の介護力，配偶者・子ども・両親の心理的負担などを考慮する必要があります。また，利用者が経済的な大黒柱の場合，経済的負担が大きな問題となります。自立支援医療制度，介護保険制度，傷病手当金の申請など，利用できる制度にスムーズにつながるよう，医療機関のソーシャルワーカーや市町村の窓口を紹介しましょう。また，運転免許証の返納についても助言しましょう。

若年性認知症の世代は，ミスが重なる，疲れやすくなったと自覚しても，疲労やストレス，うつ状態が原因と考えやすく，認知症の専門治療につながるのが遅れがちになる傾向があります。訪問看護が導入になった際には，①本人への告知の有無，②認知症の治療内容，③合併症の予防とコントロールの状況，④家族の受け止め（336頁参照），⑤本人および家族の将来の生活設計ができているかを確認し，それらを踏まえてサービス内容を検討する必要があります。

この世代は高齢者と異なり体力があるため，認知症症状やBPSDが力強く出現する可能性があります。本人と周囲の人々の安全を確保するために，利用者のフィジカルアセスメントは欠かせません。逆に，体力があるため，残された能力や得意な能力を生かして軽作業やボランティアに参加することができます。若年性認知症の人向けの交流会やカフェもあるので，紹介するのも良いと思います。

若年性認知症の場合，介護者が就労や就学していることが多いので，利用者が一人で過ごす時間の安全を確保する必要があります。GPS機器や地域の協力を得ることも必要です。

Ⅱ-9　小児患者への訪問看護

制度

347　小児に関する公費負担医療は?

Q 小児に関する公費負担医療に関わるものとしては，どのようなものがあるのでしょうか？

A 小児の公費負担医療制度には，未熟児養育医療，自立支援医療(旧育成医療・更生医療・精神通院医療)，小児慢性特定疾病医療支援があります。未熟児養育医療とは，出生時の体重が 2,000 g以下，または身体の発育が未熟なまま出生した1歳未満の乳児であって指定医療機関へ入院し，養育が必要な子どもを対象に医療の給付を行う制度で，入院中の治療費が対象となります。所得に応じて一部自己負担があります。

訪問看護に関わる公費負担医療は自立支援医療と小児慢性特定疾病医療支援があります。自立支援医療は，18 歳未満であれば育成医療が対象となります。更生医療は 18 歳以上が対象です。精神通院医療は，精神疾患で通院が必要なもので年齢は関係ありません。

基本的には定率の1割負担ですが，所得に応じて負担限度額を設定したり，高額医療が長期にわたり継続しなければならない（重度かつ継続）者，育成医療の中間所得層については，さらに軽減措置を実施しています。

小児慢性特定疾病医療支援は，18 歳未満（引き続き治療が必要と認められる場合には 20 歳未満）の児童が厚生労働大臣が定める疾病（16 疾患群（343 頁表参照），788 疾病が対象）に罹った場合に対象となり，所得に応じて自己負担限度額が定められています。医療保険各法による薬局での保険調剤および指定訪問看護についても，一部負担金が生じます。

制度

348 公費負担医療の届出方法は?

Q 公費負担医療の届出はどこに申請すればよいのか教えてください。

A 届出方法は，自立支援医療の育成医療は保健所が窓口となり，精神通院医療は，市町村が窓口となります。有効期間は 1 年間で，継続の場合は有効期限の 3 か月前から受付をするので，早めの届出が必要となります。申請が承認されると受給者証が交付されます。

小児慢性特定疾病医療支援は，保健所が窓口となります。小児慢性特定疾病の公費負担で訪問看護を利用する場合は，指定医療機関となったステーションを利用する必要があります。小児慢性特定疾病の医療受給者証の有効期限は 1 年間で，継続の場合は有効期限の 3 か月前から申請できるので，早めの届出が必要となります。

平成 27 年 1 月から施行された「難病の患者に対する医療等に関する法律」と「児童福祉法の一部を改正する法律」によって，小児慢性特定疾病の医療費助成の対象となる疾病は，従来の小児慢性特定疾患治療研究事業にあった 11 疾患群（514 疾病）から，令和 3 年 11 月には 16 疾患群（788 疾病）にまで拡大されました（次頁の表参照）。

また，法改正により，自己負担額の割合や負担の上限額も変わりました。医療費の自己負担は 3 割から 2 割に引き下げられ，自己負担の上限額を定めた分類に整理されます。自己負担上限額は指定難病で定められた額の 2 分の 1 とされています（所得によって負担が異なります）。これまで助成を受けていた方のなかには負担が増す方もいます。

令和 3 年 11 月 1 日に新しく追加されている疾病があります。小児慢性特定疾病情報センターの情報（https://www.shouman.jp/disease/R031101add）を参照してください。

小児慢性特定疾病（16 疾患群）

1	悪性新生物（白血病，リンパ腫，組織球症，固形腫瘍，中枢神経腫瘍等）
2	慢性腎疾患（ネフローゼ症候群，慢性糸球体腎炎，腎奇形等）
3	慢性呼吸器疾患（気道狭窄，気管支喘息，気管支拡張症等）
4	慢性心疾患（洞不全症候群，ファロー四徴症，心室中隔欠損症等）
5	内分泌疾患（成長ホルモン分泌不全性低身長症，甲状腺機能亢進症等）
6	膠原病（若年性特発性関節炎，強皮症等）
7	糖尿病（1 型糖尿病，2 型糖尿病等）
8	先天性代謝異常（フェニルケトン尿症，ウィルソン病等）
9	血液疾患（血友病Ａ，再生不良性貧血等）
10	免疫疾患（複合免疫不全症，慢性肉芽腫症等）
11	神経・筋疾患（レット症候群，筋ジストロフィー，難治てんかん脳症等）
12	慢性消化器疾患（胆道閉鎖症，ヒルシュスプルング病等）
13	染色体または遺伝子に変化を伴う症候群（18 トリソミー症候群等）
14	皮膚疾患（眼皮膚白皮症，表皮水疱症等）
15	骨系統疾患（骨形成不全症，ラーセン症候群等）
16	脈管系疾患（巨大静脈奇形，リンパ管腫等）

349 乳児医療・小児医療

乳児医療・小児医療について教えてください。

A 医療保険給付は，平成 14 年 10 月に少子化対策の観点から 3 歳未満の乳幼児の自己負担額が 2 割に軽減され，さらに平成 20 年 4 月に義務教育就学前（6 歳に達したのちの 3 月末）まで対象年齢が拡大されました。よって，義務教育就学前までの医療負担は 2 割負担で，就学以降は 3 割負担となります。小児の訪問看護基本利用料金はこれを基準に考えられています。前述した自立支援医療や小児慢性特定疾病医療支援を使用すれば自己負担額を軽減することができます。

また，現在すべての自治体で乳幼児医療費助成が制度化され，医療保険でかかる自己負担額が全額公費負担となっていますが，義務教育就学以降は自治体により違いがあります。例えば，東京都では，6 歳になる日以降の最初の 3 月末までの乳幼児に対しては，乳幼児医療費助成（マル乳医療証）が交付されます。また，義務教育就学期にある児童に対しては，義務教育就学児医療費の助成（マル子医療証）が交付されるため，15 歳になる日以降の最初の 3 月末までは，医療保険の対象となる医療費や薬剤費などの自己負担がかかりません。さらに，令和 5 年 4 月からは助成対象を高校生等まで拡大したマル青医療証が交付され，18 歳になる日以降の最初の 3 月末までの医療費の 3 割負担の一部助成が開始されました。ただし，①国民健康保険や健康保険など各種医療保険に加入していない児童，②生活保護を受けている児童，③施設などに措置により入院している児童は対象除外となるほか，児童を養育している方（保護者）の所得による制限もあります。

各自治体で対象年齢や助成内容には違いがあるため確認をする必要があるでしょう。医療証には有効期限が設けられていることが多いので忘れずに確認しましょう。

〔参考文献〕こども家庭庁：令和 4 年度・5 年度「こどもに係る医療費の援助についての調査」
https://www.cfa.go.jp/policies/boshihoken/kodomoiryouhityousa-r4r5/

制度

350 身体障害者手帳・療育手帳

身体障害者手帳・療育手帳について教えてください。

A 身体障害者手帳は，身体障害者福祉法に定める身体上の障害がある者に対して，都道府県知事，指定都市市長または中核市市長が交付します。申請には都道府県知事の定める医師の診断書を添えて申請します。ただし，本人が 15 歳未満である場合は，その保護者が代わって申請を行います。障害の程度は，「身体障害者障害程度等級表」において，障害の種類別に 1 級～ 6 級の等級が定められています（7 級の障害は，単独では交付対象となりませんが，7 級の障害が 2 つ以上重複する場合または 7 級の障害が 6 級以上の障害と重複する場合は対象となります）。

療育手帳は，知的障害児・者への一貫した指導・相談を行うとともに，これらの者に対して各種の援助措置を受けやすくするため，児童相談所または知的障害者更生相談所において知的障害と判定された者に対して，都道府県知事，指定都市市長または児童相談所を設置する中核市の市長が交付します。障害の程度としては，知能指数が 35 以下であり，日常生活の介助を必要とする，または問題行動を有する者，そして知能指数が 50 以下であり，盲，ろうあ，肢体不自由を有する者は A（重度）判定となり，それ以外は B 判定となります。法律に基づくものではないため全国統一の基準は存在せず，名称は療育手帳が基本ですが，愛の手帳や緑の手帳など別の名称を使う自治体もあります。

身体障害者手帳 1・2 級と療育手帳 A 判定を取得した障害児・者に関しては，「重度障害者医療証」や「心身障害者医療証」，東京都では通称「マル障受給者証」を持っているか確認しましょう。各自治体が自己負担分の一部を助成する制度があり，自治体により対象者や内容が異なるので確認が必要でしょう。

両手帳とも有効期限があることが多いので，確認しておきましょう。

351 小児利用者と機能強化型訪問看護ステーション

Q 機能強化型訪問看護ステーションの要件の，15歳未満の超・準超重症児について教えてください。

A 平成28年度の診療報酬改定で，機能強化型訪問看護ステーションの要件見直しが行われた際に追加されました。基本的な考え方の中に「超重症児などの小児の訪問看護に積極的に取り組む訪問看護ステーションを評価する」とあります。

具体的な内容として，機能強化型訪問看護管理療養費1では，それまでの要件であった「ターミナルケア件数の合計が年間20以上」のほかに，次の項目が追加されました（138～140頁参照）。

①ターミナルケア件数を合計した数が年（前年度）に15以上かつ，**15歳未満の超・準超重症児の利用者数が常時4人以上**

②**15歳未満の超・準超重症児の利用者数が常時6人以上**

また，機能強化型訪問看護管理療養費2では，それまでは「ターミナルケア件数の合計が年間15以上」とありましたが，以下の項目が追加されています。

③ターミナルケア件数を合計した数が年（前年度）に10以上かつ，**15歳未満の超・準超重症児の利用者数が常時3人以上**

④**15歳未満の超・準超重症児の利用者数が常時5人以上**

これにより，ターミナルケア件数の条件を満たしていなくても，15歳未満の超・準超重症児の利用者を受け入れていれば，機能強化型訪問看護ステーションの申請がしやすくなったのです。

※超・準超重症児とは，判定基準に基づき，10点以上の方になります（次頁参照）。

超重症児（者）・準超重症児（者）の判定基準

以下の各項目に規定する状態が６か月以上継続する場合※1 それぞれのスコアを合算する。

1　運動機能：座位まで			
2　判定スコア	(スコア)		(スコア)
⑴ レスピレーター管理※2	10	⑻ 経口摂取（全介助）※3 経管（経鼻・胃ろう含む）※3	3 5
⑵ 気管内挿管・気管切開	8	⑼ 腸ろう・腸管栄養※3 持続注入ポンプ使用（腸ろう・腸管栄養時）	8 3
⑶ 鼻咽頭エアウェイ	5	⑽ 手術・服薬にても改善しない過緊張で，発汗による更衣と姿勢修正を３回／日以上	3
⑷ O_2吸入またはSpO_2　90％以下の状態が10％以上	5	⑾ 継続する透析（腹膜灌流を含む）	10
⑸ １回／時間以上の頻回の吸引 ６回／日以上の頻回の吸引	8 3	⑿ 定期導尿（３回／日以上）※4	5
⑹ ネブライザー６回／日以上または継続使用	3	⒀ 人工肛門	5
⑺ IVH	10	⒁ 体位交換　６回／日以上	3
〈判定〉 １の運動機能が座位までであり，かつ，２の判定スコアの合計が25点以上の場合を超重症児（者），10点以上25点未満である場合を準超重症児（者）とする。			点

※１　新生児集中治療室を退室した児であって当該治療室での状態が引き続き継続する児については，当該状態が１か月以上継続する場合とする。ただし，新生児集中治療室を退室した後の症状増悪，または新たな疾患の発生についてはその後の状態が６か月以上継続する場合とする。

※２　毎日行う器械的気道加圧を要するカフマシン・NPPV・CPAPなどは，レスピレーター管理に含む。

※３　⑻⑼は経口摂取，経管，腸ろう・腸管栄養のいずれかを選択。

※４　人工膀胱を含む。

Column

医療的ケア児等医療情報共有システム（MEIS）

医療的ケアが必要な小児等が救急時や予想外の災害，事故に遭遇した際に，クラウドを使い医師・医療機関（特に救急医）が迅速に必要な情報を全国どこでも共有できるシステムで，令和２年７月運用開始となっています。

352 緊急時の対応

Q 医療的ケア児の訪問看護による緊急時対応としてどのようなことに注意が必要ですか？

A 医療的ケア児の安心安全な在宅生活には，常日頃のリスクマネジメントによる予防や備えが重要です。

例えば，気管切開をしている小児では，人工呼吸器を装着している場合，ある程度のリークがないと肺の過膨張で気胸になりやすく，また気管粘膜も弱いためにカフなしの気管カニューレを選択していることが多く，中には活発に動く小児もいるため事故（自己）抜去のリスクが高いです。また肺の機能も弱く気管も細く，大人に比べカニューレ内は痰による閉塞を起こしやすいため，必ずカニューレ交換や蘇生バッグの押し方の指導を受けてから退院してもらいます。気管カニューレの定期交換は原則的に医師が実施しますが，退院後も外来受診や訪問診療時に，家族によるカニューレ交換練習を継続してもらうことも有効です。挿入しにくい場合に慌てないようワンサイズ細い気管カニューレの準備や潤滑材を一緒に置いておくなどの備えも大切です。他にも経鼻胃管では家族で挿入や位置確認ができること，また，胃ろうや腸ろうでは事故抜去時にろう孔の狭窄を防ぐために入れておく代用チューブ（吸引用やネラトン）の準備など，緊急時の対処を家族で慌てずできる状況を作っておくことも重要です。訪問看護の 24 時間対応体制では，これらの緊急時に臨時訪問して一緒に対処するのか，すぐに受診を勧めるのか，救急搬送を選択するのかを判断し，それまでの対処法を含め家族に助言しながらサポートします。高度な医療的ケアが必要なほど連絡先や情報のシート，緊急対応プロトコルの整備も必要です（前頁コラム参照）。

なお平成 27 年 10 月施行となった「特定行為に係る看護師の研修制度」における 38 の特定行為区分には気管カニューレ，胃瘻カテーテルやボタン等の交換も含まれています。医師の指示の下，手順書により当該手順書の対象となる小児の定期交換を，特定行為研修修了者が実施することも可能となっています。

353 障害児の障害福祉サービスを利用するには?

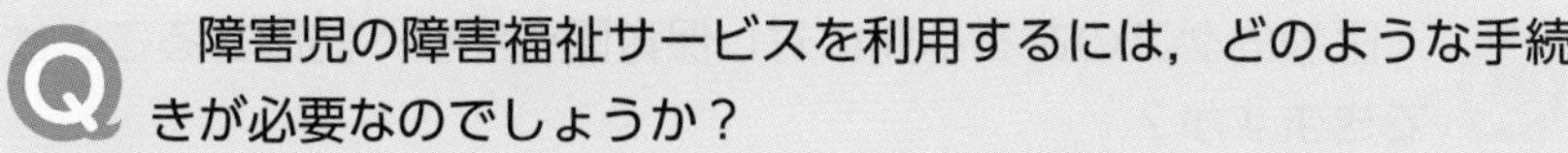

障害児の障害福祉サービスを利用するには，どのような手続きが必要なのでしょうか？

障害児の障害福祉サービスには，障害者総合支援法に基づく居宅サービスと児童福祉法に基づく通所サービスがあります。これらのサービスを円滑に利用するために，利用者は相談支援専門員による相談支援を利用することができます。居宅サービスには居宅介護，同行援助，行動援護などがあります。通所サービスには児童発達支援，放課後等デイサービス，保育所等訪問支援などがあります。

サービスを利用するための手続きは，まずはじめに市区町村の窓口に申請し，障害支援区分の認定を受ける必要があります。そして次に，サービス等利用計画案や障害児支援利用計画案を市区町村に提出します(サービス等利用計画案や障害児支援利用計画案は指定特定相談支援事業，指定障害児相談支援事業者が立案します。なお，指定特定相談支援事業者以外の者が作成したサービス等利用計画案（セルフプラン）を提出することもできます)。提出された計画案や勘案すべき事項を踏まえ，支給決定がされます。その後，サービス担当者会議を経て，実際に利用するサービス等利用計画，障害児支援利用計画の作成後から，サービス利用が開始されます。

障害児の相談支援

居宅サービス	**指定特定相談支援事業者** •計画相談支援（個別給付） サービス利用支援，継続サービス利用支援 •基本相談支援
通所サービス	**指定障害児相談支援事業者➡障害児支援利用計画の作成** •障害児相談支援（個別給付） 障害児支援利用援助，継続障害児支援利用援助

※障害児入所サービスについては児童相談所が支援しますので，相談支援の対象にはなりません。

〔参考文献〕 ＊東京都福祉保健局障害者施策推進部計画課：障害福祉サービスの利用について，2016.

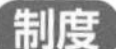

354 訪問看護の提供場所

Q 医療的ケアのある小児に対し保育園や学校へ訪問することはできますか？

A 訪問看護は原則として居宅において提供されるものです。よって，保育園や学校への訪問では医療保険による訪問看護は算定できません。

令和３年９月に医療的ケア児及びその家族に対する支援に関する法律（医療的ケア児支援法）が施行され，これまで努力義務とされてきた国および地方自治体，保育所や学校の設置者等の医療的ケア児とその家族への支援が責務となりました。近年増加傾向にある医療的ケア児等特別な支援を必要とする小児に対して，福祉サービスによる療育施設や，特別支援学校のみならず，地域の幼稚園や小・中学校においても教育を行うインクルーシブ教育体制の拡充が求められています。健常児との様々な感情や体験の共有は相互の理解と成長に有効です。各自治体では登下校時の送迎車両への同乗，校外学習時の付き添い等を含め，医療的ケア看護職員の配置や訪問看護ステーションへの委託等の支援を増やし，様々な先駆的取り組みもみられます。前例も参考に家族，教育関係者，各都道府県や管轄する自治体と協議を重ねながら実施していく必要があります。

就学前から学齢期，社会参加までの切れ目ない支援体制の整備により，医療的ケアや障害の有無に関わらず誰もがその能力を発揮できる地域共生社会実現のために，これまで以上に教育現場の教職員や医療・福祉職との情報共有や連携も訪問看護に求められています。

報酬／制度

355 長時間の訪問看護

Q 気管切開をしていて，知的発達に問題がなく歩ける医療的ケア児のお母様より長時間のお留守番のご希望があります。どのように訪問看護が提供できるでしょうか？

A 長時間訪問看護加算の対象者は 15 歳未満の超重症児・準超重症児，特掲診療料の施設基準等別表 8 に掲げる疾病の者（105 頁参照），特別訪問看護指示書，精神科特別訪問看護指示書に係るものとされ，通常週 1 日まででしたが，平成 30 年の診療報酬改定からは 15 歳未満であれば超重症児・準超重症児のみならず特掲診療料の施設基準等別表 8 に掲げる疾病の者は週 3 日まで算定が可能となっています。これは医療的ケア児とその家族への支援の充実が目的です。

その他にも近年，訪問看護ステーション等の看護師が家族の代わりに医療的ケアや介護を提供し，家族の休息や介護負担の軽減，きょうだい児と過ごす時間の確保や親の就業を目的とする「医療的ケア児等在宅レスパイト事業」を実施する自治体も増えています。1 回あたり 4 時間程度までの利用を可能とする自治体が多く，医療保険の訪問看護と組み合わせることでより長時間のレスパイトが提供できる工夫も検討できます。各自治体により，申請方法，対象児，年間や月間の利用時間や回数制限，自己負担金の有無，自宅以外の提供場所の可否など利用条件は様々であるため確認が必要です。

Column

医療的ケア児支援センターとは

都道府県が設置し，医療的ケア児とその家族への相談援助や，専門性の高い相談支援を行えるよう関係機関等をネットワーク化して，相互の連携の促進，医療的ケア児に係る情報の集約・関係機関等への発信を行うとともに，医療的ケア児の支援者への研修や，医療的ケア児とその家族の日中の居場所作りや活動の支援を総合的に実施します。養成研修を受けた医療的ケア児等コーディネーターが配置されています。

356 学校等に対する訪問看護情報提供療養費

Q 自治体や学校に対する訪問看護情報提供療養費について教えてください。

A 訪問看護情報提供療養費１は自治体への情報提供でしたが，令和４年の診療報酬改定で，指定特定相談支援事業者および指定障害児相談支援事業者が追加されました。また，算定対象者はこれまで，⑴特掲診療料の施設基準等別表第７（105 頁参照）に掲げる疾病等の者，⑵特掲診療料の施設基準等別表第８に掲げる者，（105 頁参照）⑶精神障害を有する者またはその家族等，⑷ 15 歳未満の小児となっていましたが，同改定により，⑷については 18 歳未満の児童に変更となりました（174・175 頁参照）。

訪問看護情報提供療養費２は学校への情報提供ですが，情報提供先として保育所，幼稚園，小・中学校の義務教育学校，特別支援学校の小・中学部に加え，令和４年の診療報酬改定により高等学校，特別支援学校の幼稚・高等部や，高等専門学校，専修学校が含まれることになり，算定対象者もこれまでの 15 歳未満から 18 歳未満に変更されました。また，「利用者１人につき各年度１回に限り算定，入園もしくは入学または転園もしくは転学等により当該学校等に初めて在籍することとなる月については，当該学校等につき月１回に限り別に算定可能」という要件に加え，利用者に対する医療的ケアの実施方法等を変更した月についても別に算定可能となりました（176 頁参照）。

これらは，子どもが過ごす家庭以外の場所と訪問看護との情報共有強化が求められているということです。

357 虐待を見逃さないためのポイント

Q 近年，子どもへの虐待が増加していますが，訪問看護師として，虐待を見逃さないために，どのような点を確認すればよいでしょうか？

A こども家庭庁によれば，児童相談所における児童虐待相談対応件数は令和４年度は 219,170 件（速報値）で，平成 11 年度に比べて約 19 倍の過去最多となりました。虐待による死亡事件は毎年 50 ～ 60 件程度発生し，週に１回のペースで起こっています。

平成 12 年に児童虐待防止法が制定され，児童虐待の定義や発見時の通告義務が示されました。平成 16 年の児童虐待防止法と児童福祉法の改正では，定義の見直しにより，同居人による虐待放置も対象となり，通告義務の拡大として虐待を受けていたと思われる場合も対象となりました。また，平成 24 年の児童福祉法の改正により，２年を上限とする親権停止制度や，施設長や里親の子育てに対する不当な主張の禁止，法人の未成年後見や複数での未成年後見人を認めること，親権のない子に関しては児童相談所長が親権を代行することが認められました。そして，令和元年の児童福祉法の一部改正では，親権者や施設長等はしつけに体罰を加えてはならないこと，児童相談所の体制強化や関係機関での連携強化が示されました。

訪問看護師は，利用者の身体の安全が確保されているか否かについて常に観察しています。また，家族支援においては家族成員が各々の役割を果たし，家族全体が発達段階において障害がないかを観察しています。自宅という密室に他者として入り，しかも身体の観察ができる訪問看護師は，子どもの虐待について，いち早く気づくことができる存在であるといえます。何よりも，予防が大切であり，どのような家庭にリスク要因があるかを知ることや，虐待の徴候としてどのようなものがあるか知っておくことも必要となります。また，虐待を発見した場合はどのように対処するかについても，訪問看護師は知っておく必要があります。それぞれのポイントは次頁の表を参照ください。

家庭のリスク要因

保護者側	妊娠から出産，育児によるもの 予期しない妊娠，計画しない妊娠，妊婦健康診査未受診，早産，多胎等による長期入院による愛着形成の未確立など 性格や精神疾患によるもの マタニティーブルー，産後うつ，精神疾患，知的障害，アルコール依存，薬物依存，保護者自身が虐待を受けていた，元来性格が攻撃的・衝動的であるなど
子ども側	未熟児，障害児等による発達の遅れや慢性疾患をもち育てにくさがある
養育環境	未婚の単身世帯，夫婦不和，配偶者からの暴力，子連れ同士の再婚，失業などによる貧困，近隣者や実家との関係が疎遠で孤立しているなど

気にかけるべき子どもと親の様子

子どもの様子	身体に関するもの 発育不良，発達の遅れ，外傷の頻度が多い，治療を適切に受けさせない，不潔（入浴させていない，着衣を着替えさせていない，おむつをほとんど替えていない，異臭） 検診や予防接種を受けていない 情緒に関するもの **[乳児期]** あやしても泣きやまない，疼痛や空腹があっても泣かない，笑わない，視線が合わない，おびえたような表情，うつろな表情など [幼児期] チック，夜尿，抜毛，不眠，自傷，拒食や過食など **[学童期]** 不登校，家出など，子どもが保護を求めたり，養育が適切に行われていないことを示す発言がある
親の様子	親の都合に子どもを合わせる，育児不安，無関心（泣いてもあやさない，話しかけない，視線を合わさない），発達にそぐわないしつけをする，乱暴な扱いをする，極端なしかり方をする，きょうだいによる不適切な養育を放置している（ヤングケアラー）
家庭の様子	家事が遂行されていない（ゴミが山積，食材が見当たらない） 夫婦関係が不和，家族の健康状態に変化があった 他者と交流している様子がない，転居を繰り返している

虐待かと思ったら…

通告	児童相談所，市町村 児童相談所全国共通ダイヤル（189　いちはやく）（令和3年からフリーダイヤル）
関係機関連携	児童相談所（都道府県），こども家庭センター（市区町村），保健所・保健センター，学校や保育所，幼稚園，病院などと連携し援助方針を決める ↓ 子どもへのケア，親へのケアをどのように行うかを具体的に決める

Ⅱ-10 高齢者虐待

制度

358 高齢者虐待の範囲と対応

Q 実際の事例では高齢者虐待の範囲について迷うことが多くあります。虐待の範囲とその対応をどう考えたらよいのでしょうか？

A 高齢者虐待の防止，高齢者の養護者の支援等に関する法律（以下，高齢者虐待防止法）では，高齢者を65歳以上と定義しています。ただし，65歳未満であって養介護施設に入所したりサービスを利用する障害者については，高齢者とみなして同法の規定が適用されます。虐待の行為について，①身体的虐待：高齢者の身体に外傷が生じ，または生じるおそれのある暴行を加えること，②介護・世話の放棄・放任：高齢者を衰弱させるような著しい減食または長時間の放置，養護者以外の同居人による虐待行為の放置等，養護を著しく怠ること，③心理的虐待：高齢者に対する著しい暴言または著しく拒絶的な対応その他の高齢者に著しい心理的外傷を与える言動を行うこと，④性的虐待：高齢者にわいせつな行為をすることまたは高齢者をしてわいせつな行為をさせること，⑤経済的虐待：養護者または高齢者の親族が当該高齢者の財産を不当に処分することそのほか当該高齢者から不当に財産上の利益を得ること，の5種類を規定（第2条第4項）しています。これらは，高齢者虐待を「高齢者が他者からの不適切な扱いにより権利利益を侵害される状態や生命，健康，生活が損なわれるような状態に置かれること」ととらえ，高齢者虐待防止法の対象を規定したものです。

対象年齢や虐待の種類などがここに示した範囲でない事例であっても，高齢者の権利が侵害されていたり，生命や健康，生活が損なわれるような状態に置かれている場合は，同法の取り扱いに準じて，適切な援助を提供する必要があります。また，障害者虐待の防止，障害者の養護者に対する支援等に関する法律にも留意する必要があります。

Column

障害者虐待への対応

障害者虐待の防止，障害者の養護者に対する支援等に関する法律（以下，障害者虐待防止法）は，虐待の種別や通報先など，高齢者虐待防止法と類似する点が多いですが，異なる点もあります。

障害者虐待防止法では「使用者による虐待」が規定されています。「使用者」とは，障害者を雇用する事業主または事業の経営担当者などです。なお，使用者による障害者虐待については，年齢にかかわらず（18歳未満や65歳以上でも），障害者虐待防止法が適用されます。

65歳以上の障害者については，高齢者虐待防止法，障害者虐待防止法のいずれも対象になるため，被虐待者の状況に応じて各法の規定を組み合わせるなどして適切に対応する必要があります。

	高齢者虐待防止法	障害者虐待防止法
対象	高齢者（65歳以上。65歳未満の養介護施設入所等障害者を含む）	障害者（身体・知的・精神障害（発達障害を含む）その他心身の機能の障害がある者であって，障害および社会的障壁により継続的に日常生活・社会生活に相当な制限を受ける状態にあるもの）
虐待の種別	①養護者による高齢者虐待，②養介護施設従事者等による高齢者虐待	①養護者による障害者虐待，②障害者福祉施設従事者等による障害者虐待，③使用者による障害者虐待
虐待の類型	①身体的虐待，②介護・世話の放棄・放任（ネグレクト），③心理的虐待，④性的虐待，⑤経済的虐待	①身体的虐待，②放棄・放置，③心理的虐待，④性的虐待，⑤経済的虐待
発見時の通報先	市町村	市町村（使用者による虐待は市町村と都道府県）

Column

保健・医療・福祉関係者の責務—虐待の予防と早期発見のために—

保健・医療・福祉等関係者は，虐待や虐待に陥りやすいハイリスク状態を発見しやすい立場にあることを自覚し，予防と早期発見に努めなければなりません。また，国および地方公共団体が講ずる虐待防止のための施策に協力するよう努める必要があります。訪問看護師や介護支援専門員は，高齢者や障害者の生活状況を把握し，適切にアセスメントすることができる専門職です。虐待を早期に発見し，市町村等に相談・通報することが期待されています。また，市町村が虐待認定や緊急性の判断を行う際の必要な調査や，情報収集における情報提供などに協力することも求められます。

359 介護保険での高齢者虐待防止と事例援助

Q 介護保険制度では，高齢者虐待防止と事例援助について，どのように定められていますか？

A 関連する法制度には，高齢者虐待防止法のほか，障害者虐待防止法，老人福祉法，成年後見制度等があります。介護保険法では，地域支援事業（包括的支援事業）の一つとして，市町村に対し権利擁護業務の実施が義務付けられています。地域包括支援センターは地域支援事業の中核で，高齢者虐待に関する支援等の窓口にもなります。虐待が疑われる事案を発見したら，地域包括支援センターや市町村に速やかに相談しましょう。

360 養介護施設従事者等の範囲

Q 高齢者虐待防止法に定める「養介護施設従事者等」の範囲を教えてください。

A 「養介護施設」または「養介護事業」の業務に従事する職員が，その範囲です。「養介護施設」または「養介護事業」に該当する施設・事業は表の通りです。施設内の従事者だけでなく，在宅の利用者へのサービスに従事している職員もすべて含むことになります。

高齢者虐待防止法に定める「養介護施設従事者等」の範囲

	養介護施設	養介護事業	養介護施設従事者等
老人福祉法による規定	老人福祉施設 有料老人ホーム	老人居宅生活支援事業	「養介護施設」または「養介護事業」の業務に従事する者
介護保険法による規定	介護老人福祉施設 介護老人保健施設 介護療養型医療施設 介護医療院 地域密着型介護老人福祉施設 地域包括支援センター	居宅サービス事業 地域密着型サービス事業 居宅介護支援事業 介護予防サービス事業 地域密着型介護予防サービス事業 介護予防支援事業	

※上記に該当しない施設（有料老人ホームに該当しないサービス付き高齢者向け住宅等）において虐待が発生した場合は，養介護施設従事者等による虐待の規定は適用されませんが，「養護者による虐待」として対応する必要があります。

361 市町村・地域包括支援センターの役割

Q 高齢者虐待に関する市町村と地域包括支援センターの役割分担と，実際に事例に直面したときの支援の求め方について教えてください。

A 高齢者虐待防止法においては，市町村が第一義的な責任をもつ主体です。地域包括支援センターは市町村の業務を委託する施設として位置づけられています。センターに委託可能な高齢者虐待の事務の内容は，①相談，指導および助言（第６条），②通報または届出の受理（第７・９条），③高齢者の安全確認，事実確認のための措置（第９条），④養護者の負担軽減のための措置（第 14 条），⑤財産上の不当取引による被害の相談，関係機関の紹介（第 27 条）となっています。立ち入り調査は委託することができません。また，「虐待の有無」「緊急対応の必要性」「虐待対応の終結」「市町村権限の行使」については，市町村担当部署の管理職が出席する会議において，市町村が責任をもって判断することとされています。

介護保険法では地域包括支援センターの業務として，総合相談支援業務，権利擁護業務，包括的・継続的ケアマネジメント支援業務など，かなり広範な業務内容が規定されています。そのためセンターはこれらの業務を通じて高齢者虐待対応の実務を担う中核的な機関となっています。なお，地域包括支援センターは，市町村直営がのぞましいとされていますが，業務を適切な事業者に委託することも可能で，多くの地域包括支援センターが市町村から事業者に事業委託されています。委託か直営かによっても市町村とセンターの役割分担が異なるので，利用者が住む市町村の状況をよく把握しておくと同時に，日頃から連携を密にしておくことが大切です。

362 通報などの対応は?

Q 家族の利用者への暴力行為がひどくなり，緊急一時保護が必要と判断した場合，通報など，どのように対応すればよいでしょうか？

A 高齢者と家族，あるいはスタッフとのそれまでの関係にもよりますが，高齢者がけがをしていたり，そのおそれがある場合は，市町村の高齢保健福祉担当者や地域包括支援センターの職員に連絡してください。現在の状況とこれまでの経過を話し，すぐに介護者と分離する必要があると判断した状況（緊急性）と，生命や健康への重大な影響があると判断した状況（重大性）等について的確に伝えます。それは，例えば，緊急保護や一時保護のための施設の確保が必要か，警察の支援が必要か，あるいは市町村長の権限で行われる「立ち入り調査」を必要とするかなどを判断する情報として必要となります。なお，できるだけ自分一人の判断や行動を避けるべきですが，けがをしていたり，病状が重篤な場合は，直接，救急車や警察に連絡する必要があります。緊急一時保護になった場合，あるいは緊急な事態が収まって在宅生活を続けることになった場合でも，その後の対応については，市町村や地域包括支援センターなどの担当者と協力して，高齢者や家族の意向を確認しながら，対応を決めていくことになります。

なお，状況や経過をきちんと記録しておく必要があります。これは家族とのトラブルを防ぐことにもつながります。相談・通報をする際に最低限確認すべき情報は，虐待については，「虐待の具体的な状況」「緊急性の有無とその判断理由」など，高齢者本人，虐待者と家族の状況としては，「高齢者本人の氏名，居所，連絡先」「高齢者本人の心身の状況，意思表示能力，要介護状態」「虐待者と高齢者の関係，心身の状況，他の家族等の状況」「家族関係」などがあげられます。

サービス内容

363 虐待を疑っているが確証がない…

Q 訪問時に虐待を受けているのではないかと感じたが，確証がない場合はどうすればよいでしょうか？

A 訪問看護師が「虐待を受けているかもしれない」と感じたことはとても重要なことです。確証がなくてもそのまま放置せずにまずは上司，同僚に相談してください。おそらく“いつもと違う”“何かを言いたそうですが隠している感じがする”“他の家庭とは違う”というような違和感を覚えたのであれば，どのような場面で感じたのかを記録に残してください。

例えば，「お金の話をすると表情が曇り，話題を変えられる」「いつもは優しいご家族なのに今日は怒った表情で強い口調で話していた」等具体的な状況や様子がわかるような記録が良いでしょう。

高齢者虐待は高齢者虐待防止法により，身体的虐待，心理的虐待，経済的虐待，性的虐待，介護放棄（ネグレクト）の行為が規定され，身体的虐待が最も多い[1]ですが，多くは複合的で要因も様々です。

虐待かどうかの確証がない場合には，まず生命の危険のリスクのアセスメントを行い，地域包括支援センターや市町村の虐待担当部署と会議を行い，訪問看護師としてのアセスメントを伝えてください。考え方として重要なことは，介護者も虐待せざるを得ない環境に陥っている可能性もありますので，その対応には慎重さが必要で一人では対応せず組織としての支援が重要です。

〔引用文献〕 1）厚生労働省：令和4年度「高齢者虐待の防止，高齢者の養護者に対する支援等に関する法律」に基づく対応状況等に関する調査結果 https://www.mhlw.go.jp/content/12304250/001224157.pdf
2024年4月12日 アクセス

364 緊急性が高い状況は?

Q 「緊急性が高い」と判断する状況はどのような場合なのでしょうか?

A 「緊急性が高い」と判断するには，高齢者・介護者等を取り巻く環境が個別に異なるため，一概にその状況から断定するのは難しいですが，東京都高齢者虐待対応マニュアル（https://www.fukushi.metro.tokyo.lg.jp/zaishien/torikumi/doc/gyakutai_manual.pdf）では，以下のような場合に「緊急性が高い」と判断しています。

①生命が危ぶまれるような状況が確認される，もしくは予測される
②本人や家族の人格や精神状況に歪みを生じさせている，もしくはそのおそれがある
③虐待が恒常化しており，改善の見込みが立たない
④高齢者本人が保護を求めている

365 会わせてくれない介護者への対応

Q 高齢者を自宅に囲い込んで，サービス提供の機関や事業所のスタッフに会わせない介護者がいます。どのように対応したらよいのでしょうか？

A 意図的に高齢者を他の人に会わせないことも，身体的虐待の範囲に含まれます。外傷はないが，身体拘束や隔離状態に置かれ，さらに適切な世話や必要な受診が行われなかったために，衰弱がひどく重篤な状態に陥った，という事例が実際にも多くあります。

そのような事態が予測される事例の場合は，地域包括支援センターなど市町村の担当者に連絡をとり，相談しましょう。「高齢者の生命または身体に重大な危険が生じているおそれがあること」を裏づける情報や資料を確認し，「ご健康を確認するために，ご本人に会わせてください」と安否確認ができるように依頼することになります。

その結果，立ち入り調査ということになれば，関連情報が重要な資料となるので，日頃から，訪問記録などにきちんと経過を記録しておく必要があります。

サービス内容

366 被虐待者に自覚がないときは?

Q 被虐待者本人に虐待を受けている認識がない場合や，被虐待者本人が介入を望まない場合でも，虐待対応が必要でしょうか？

A 被虐待者本人の自覚の有無にかかわらず，客観的に高齢者の利益が侵害されていると確認できる場合には，虐待の疑いがあると考えて対応する必要があります。自覚はあっても「介護してもらっているから」と我慢して介入を望まない場合でも，状況の改善を図る必要があります。まずは発見者が市町村や地域包括支援センターに相談することが求められます。

制度／連携

367 守秘義務との関連

Q 高齢者虐待が考えられるケースが生じた場合に，他機関職員と情報交換をすることになりますが，守秘義務との関連を教えてください。

A ケース会議等では，個人の情報を共有する必要がありますが，知り得た情報や通報者に関する情報は，個人の極めて繊細な性質のものなので，個人情報を保護するための対応も必要です。

個人情報保護法では本人の同意を得ずに第三者に提供してはならないことが規定されていますが，例外規定として，法令に基づく場合，人の生命，身体・財産の保護のために必要があって，本人の同意を得ることが困難であるとき等が定められています。

高齢者虐待の対応では上記の例外規定として取り扱われる場合もありますが，市町村で定める個人情報保護条例の運用規定との調整を図り，相談窓口が複数になる場合には，相談記録など取り扱いルールを定めることが必要でしょう。

368 被虐待高齢者を保護する手段

Q 虐待されている高齢者を保護する場合，どのような手段がありますか？

A 高齢者の生命や身体に関わる危険性が高く，重大な結果を招くおそれが予測される場合や，他の方法では虐待の軽減が期待できない場合などには，高齢者を保護する必要があります。保護する手段として，契約による介護保険サービスの利用（短期入所，施設入所等），市町村による措置（やむを得ない事由による特別養護老人ホームや短期入所への措置，養護老人ホームへの措置等），医療機関への一時入院，市町村独自事業による一時保護などの方法があります。高齢者虐待防止法では，市町村は，養護者による虐待を受けた高齢者について，措置を行うために必要な居室を確保するとされています（第10条）。ただし，地域によって居室の空き状況などが異なります。

なお，介護報酬の取り扱いとして，介護老人福祉施設が高齢者虐待に係る高齢者を入所させた場合は，定員を超過した場合でも減算の対象とならないとされています。

高齢者を保護したことで，虐待事案に対する対応が終了するわけではありません。保護は高齢者と養護者の生活を支援する過程における手段の一つととらえ，高齢者や養護者が安心してその人らしく生活を送ることができるようになることを最終的な目標とします。目標達成のためには地域の関係機関の協力や，住民による見守り活動などとの連携が求められます。高齢者虐待防止法では，市町村による関係機関や民間団体等との連携協力体制整備が規定されています。訪問看護ステーションや医療機関は，市町村による体制整備に積極的に協力することを期待されています。

サービス内容

369 介護者が飲酒しているが…

Q 介護者が日中から飲酒をし，職員に怒鳴ることもあり，訪問看護がうまく機能しません。どうすべきですか？

A 介護者は社会と隔絶した生活を送っており，訪問看護が唯一の社会との接点となっている事例は少なくありません。飲酒せざるを得なくなった介護者の気持ちを理解することは大切なことです。しかし，問題飲酒がある介護者への訪問では，要介護者へ暴力はないか（身体的虐待・心理的虐待），食事やおむつ交換等必要な介護がされているか（ネグレクト），酒代は年金から搾取していないか（経済的搾取），また何より生命の危険を脅かされるような状況ではないか等の判断が必要です。要介護者の安全の確保と介護者のアルコール問題への対応について，訪問看護だけで対応するのではなく，介護支援専門員や役所の高齢福祉担当課，保健所，専門医療機関等につなげて関わっていきましょう。

サービス内容

370 介護をせざるを得なくなった男性…

Q 以前は嫁が介護していましたが，離婚したため，現在は要介護５の母親を息子が介護しています。そのためか，室内犬の排泄物などが散乱しており，室内は足の踏み場もない状態。どう対応すべきですか？

A 早急にケアプランの見直しが必要です。とくに途中から介護をせざるを得なくなった男性介護者には，介護方法のみならず，家事もよくわからず，また困っていても相談できない人もいます。男性介護者の閉ざしている心情を察しながら，母親の身体的状況（生命の危険に及ぶ可能性も大きいこと）を具体的に伝えることが大切です。経済的な問題を含んでいる場合には，市町村の福祉課に相談するとよいでしょう。地域によっては，「介護者の会」や「男性介護者の会」などもありますので，調べた上で勧めてみましょう。

サービス内容

371 介護放棄が考えられる家族への対応

Q 50 歳代長男夫婦と同居ですが，最近高齢者が痩せてきて心配です。どのように対応すればよいですか？

A “高齢者の痩せ”の問題は，十分な栄養がとれていないというだけでなく，何かしらの疾患が潜んでいることも念頭に置き，健康状態の観察をしてください。食事の摂取状況，体重，皮膚，その他全身状態などの変化を確認する必要性があります。義歯が合っておらず食事をうまくとれない場合もあります。

また，重要なことは介護の実態を把握することです。長男夫婦の健康状態や就労状況，夫婦各々の介護役割の分担等の確認も必要です。

介護者の病気や介護家族が別居していたり，単身赴任，仕事の多忙等々介護者自身の生活に変化もあります。

早急にどのような介護が行われているかを把握することが大切です。就労しながらの介護は大変なことが多いため，介護者自身も困っている場合があります。

本人や家族の意向を十分に聞き取り，ケース会議などを行い現在の状態が改善できるようにしてください。

372 虐待をする家族とは思えない…

Q 認知症が疑われる高齢者（要介護 2）に痣を発見しました。虐待をする家族ではないように思うのですが，どのように対応すればよいでしょうか？

A 「まさかあの家族が虐待をするはずがない」「本人には聞けない」と思わずに，まずは利用者本人に「痣はどうなさったのですか？」のように尋ね，そのときの高齢者の反応も確認してください。本人がお話しされた内容と痣の部位に矛盾が生じている場合もあります。痣の色が混在している場合は，数回にわたる虐待の可能性も考えられますので，部位や大きさ，色等を正確に記録することは重要です。しかし，信頼関係を壊すようなすべてを聞き出す質問をする必要はありません。介護支援専門員に連絡をして，一緒に対応を考えていきましょう。複雑な事例に関しては訪問看護だけで対応せず，役所の高齢福祉担当者や地域包括支援センターとともにケース会議を行い，方針を決定して組織的に関わっていく必要があります。

373 施設内虐待への対応

Q 介護保険施設に利用者が入所中の家族から，「お尻や内股に不自然な痣がある」と相談されました。どのように対応すればよいでしょうか？

A 施設の従業員による暴力行為があるのではないかという相談だと思いますが，いろいろな状況が考えられますので，「通報」という事態になるにしても，まずは，できるだけ早く利用者の状態を確認することが大切です。しかし，施設の担当者と入所者の関係が悪くなっては困るので，どのようにするかを家族と十分話し合うことが必要です。そして，例えば，在宅で生活していたときに担当の訪問看護師であった立場で，家族から「退院（退所）の可能性と退院後のことについて助言を求められた」などの理由で，看護師（介護）長などの責任者に，電話でそれとなく状況を聞いてみるとか，可能であれば「実際に高齢者の様子を見て助言をしてもらいたいと依頼された」ということで，施設を訪れる機会をもつことも有効と考えられます。注意しなければならないことは，寝たきりや衰弱が著しい高齢者の場合は，入浴時やオムツ交換，移動介助の際などに，思わぬところに痣様の跡ができたりすることがあるので，そのことを十分考慮して状況を把握したり，観察することが必要です。

虐待が疑われる場合は，上司に相談したり，職場のカンファレンスで検討を行った上で，市町村または地域包括支援センターに相談をするとよいと思います。「生命や健康に危険がある」または「生命や健康に重大な危険が生じているおそれがある」場合は，市町村に「通報」する義務がある（第７条）との定めがあります。家族自身が相談をしてみることを勧めるのが効果的な場合もあります。

374 家族が強引に連れて帰ろうとする…

Q 地域包括ケア病棟に入院して医療管理やリハビリの提供を受けていた高齢者の家族が，まだ療養が必要な高齢者を強引に連れて帰ろうとするという連絡を受けた場合，どのように対処したらよいでしょうか？

A 訪問看護サービス利用中の高齢者の病状が悪化して，一定期間，入院・入所をする場合，訪問看護ステーションの介護支援専門員に施設のスタッフから様々な連絡や相談があります。

この相談もその１つですが，基本的には，家族に扶養義務はあっても，親権のような「居所指定権」「監護権」はありません。しかし，まず退院を急ぐ理由を確認する必要があります。理由としては，入所に伴う費用など，経済的な問題が大きいことが考えられます。その他，施設のスタッフの高齢者に対する対応に不満がある場合も考える必要があります。また，忙しい家族の場合，必要な物品や洗濯物を届けたり，見舞いに行くことなどが負担になっている場合もあります。このような理由をはっきりと介護支援専門員にいうことは少ないので，日頃から，利用者や家族との信頼関係を築くよう心がける必要があります。

状況を把握したら，施設の医師やスタッフから，利用者の状態を確認して，今後の見通しを伝えることで安心してもらえることもあります。また，高齢者や家族の退院の希望が強く，しかも病状に影響が少ない場合には，退院して往診，訪問看護，ホームヘルプサービスなどを導入することにより，在宅生活が可能になることもあります。病院のスタッフの意見を聞いた上で，高齢者や家族，その他の関係者と連絡を取り合い，段取りを整えるとよいでしょう。そして，退院当初は訪問看護師が中心となって病状を観察し，必要な処置が受けられるようにする必要があります。また，虐待の可能性もありますので，その点についても十分留意しておくことも必要です。

サービス内容／連携

375 ゴミが散乱した中で生活している…

Q 独居で要支援２の利用者。不要品等を拾い室内にため込み，台所も使えない状態で小虫も出ていますが気にしていません。週１回の訪問看護サービスのみで他は拒否しています。どのように対応すればよいのでしょうか？

A 劣悪な環境で生活し，栄養状態も悪く拒否もあり，セルフ・ネグレクト状態ともいえる状況です。訪問看護師は健康状態を観察しつつ拒否されない関係をつくることが重要です。そのためには，「ゴミ」「捨てる」などという言葉を使わず，むしろ室内の「物」に対して関心を示し，利用者に寄り添う対応も効果的といえます。しかし，主治医や精神科医の診察も必要な事例と思われますので，早急に行政機関も含めたチームでの対応を検討してください。なにより，利用者もSOSは出さないものの，困っていると思い対応する必要があります。

Column

セルフ・ネグレクトとは?

日本においてセルフ・ネグレクトに関する法的な定義はありませんが，津村らは「高齢者が通常一人の人として，生活において当然行うべき行為を行わない，あるいは行う能力がないことから，自己の心身の安全や健康が脅かされる状態に陥ること」と定義しています[1)]。また岸らは，支援が必要なセルフ・ネグレクトの状態を「不潔で悪臭のある身体」「不衛生な住環境」「生命を脅かす治療やケアの放置」「奇異に見える生活状況」「不適当な金銭・財産の管理」「地域の中での孤立」とし，いわゆる「ゴミ屋敷」は，１つのパターンと考えています[2)]。No.376の事例のような場合は，「ゴミ」の片づけはゴールではなく，まずは本人の自己決定を支援し，これまでの生活を理解した上で，その人らしい生き方を支援することが重要です。しかし支援者は，単に見守るだけでなく，各関係機関とともに状態や状況が変化した際の準備をしておくことが必要です。

〔引用文献〕

1）津村智恵子，入江安子他：高齢者のセルフ・ネグレクトに関する課題，大阪市大看誌，2：1-10，2006.
2）岸恵美子編集代表：セルフ・ネグレクトの人への支援，p.6-9．中央法規出版，2015.

サービス内容／連携

376 訪問を拒否するセルフ・ネグレクトの高齢者

Q 脳卒中後遺症と糖尿病で入退院を繰り返している独居高齢者。退院から数日後に訪問しましたが，暴言などがあり，サービスを拒否します。家の中は異臭がし，あちこちにゴミが散らかり放題でした。何度訪問しても拒否されるので，これ以上訪問を続けることは困難です。もし，このような訪問拒否の高齢者の病状が悪化し，生命に関わる深刻な事態が生じた場合，担当者の法的な責任が問われるでしょうか？　また，対応法も教えてください。

A 日本では，高齢者虐待防止法の定義に「セルフ・ネグレクト」は含まれていないので，法的な責任を問われることはありません。しかし，厚生労働省老健局の通知（平成 27 年老推発 0710 第 2 号）では，セルフ・ネグレクトは権利が侵害されている状態として高齢者虐待の類型であり，高齢者虐待に準じて必要な援助を行っていく必要があるとされています。

疾病をもつ「セルフ・ネグレクト」の高齢者への基本的な対応としては，まず，保健センターの保健師や市区町村の福祉担当者，地域包括支援センター等に連絡を取って高齢者について情報交換をし，同伴訪問をして，疾病などの健康状態や生活状況等を確認していきます。もし，生命または身体に重大な危険が生じているおそれがあると認められれば，一時的に保護するため，迅速に老人福祉法に規定する老人短期入所施設等に入所させる等の措置を講じる必要性があります。ただし，法に基づく権限行使の根拠規定がありませんので，高齢者の意思意向をできるだけ尊重しながら，医療的な対応を取ることが必要です。

その後，市区町村の担当者にも参加してもらい，地域ケア会議等を行って援助方針を決めます。それぞれの役割を確認した上で，チームでサービス提供をしていきます。高齢者の場合は，健康面と生活面・経済面，人間関係等，多くの課題を抱えているので，多職種・多機関との連携，さらに高齢者が生活する近隣や地域の協力も重要であることを理解する必要があります。

制度

377 経済的虐待の場合の成年後見制度の利用

Q 家族が認知症高齢者の年金を無断で使い込んだため，介護保険サービスの利用料が支払えない状態に陥っています。成年後見制度を利用したほうがよいと思いますが，どのようにしたらよいでしょうか？

A 本人の合意なしに財産を使用したり，入院や受診，介護保険サービスなどに必要な費用を支払わないことは，経済的虐待に当たります。このような場合は成年後見制度を利用することが有効です。

成年後見制度は，認知症高齢者・知的障害者・精神障害者など，判断能力の十分でない人々が，財産を侵害されたり，人間としての尊厳が損なわれたりすることがないように，家庭裁判所により選任された後見人等が法律面や生活面を支援する制度です。成年後見制度には，「法定後見制度」と「任意後見制度」とがあります。「法定後見制度」は「補助・保佐・後見」の３種類があり，判断能力の程度など本人の事情に応じて選ばれるようになっています。「任意後見制度」とは，判断能力が不十分になる前に，自分の権利を守ったり，財産管理をしてくれる任意後見人を選ぶ制度です。

法定後見制度を利用するためには，まず，後見等開始の審判を本人の住所地の家庭裁判所に申し立てる必要があります。申し立てができるのは，本人・配偶者・４親等内の親族などです。

市区町村に設置されている中核機関や地域包括支援センター，社会福祉協議会等の相談窓口で，成年後見制度を利用するための手続き，必要な書類，成年後見人になってくれる方について，あらかじめ相談ができます。この高齢者の場合，まずはこれらの相談窓口に相談するとよいでしょう。

Column

成年後見制度のタイプ

区分	本人の判断能力	援助者	
後見	まったくない	成年後見人	監督人を選任することがあります。
保佐	特に不十分	保佐人	
補助	不十分	補助人	
任意後見	本人の判断能力が不十分になったときに，本人があらかじめ結んでおいた任意後見契約にしたがって任意後見人が本人を援助する制度です。家庭裁判所が任意後見監督人を選任したときから，その契約の効力が生じます。		

※援助者は，必要に応じて，複数の人や法人を選任することもあります。

Column

成年後見制度—市町村長による申し立て—

成年後見制度の利用が必要な状況であるにもかかわらず，本人，親族ともに申立てを行うことが難しい場合や，虐待のため親族による申立てが適切でない場合など，特に必要があるときは市町村長が申立てをすることができます（老人福祉法第 32 条）。高齢者虐待防止法でも，適切に市町村長による成年後見制度利用開始の審判請求を行うことが規定されています（第9条）。

親族から経済的虐待を受けている場合など，成年後見制度の利用が必要な高齢者を発見した場合は，市町村が設置している「権利擁護センター」「成年後見支援センター」「中核機関」や地域包括支援センターに相談し，早期に市町村長による申立ての検討などの支援に結び付けることが必要です。

378 日常生活自立支援事業とは?

日常生活自立支援事業のサービスについて教えてください。

A 日常生活自立支援事業は，高齢や障害により，日常生活に不安のある方が地域で安心して生活が送れるよう，社会福祉協議会が本人との契約に基づき，福祉サービスの利用援助などを行うものです。援助内容は，①福祉サービス利用援助（情報提供・相談，契約のお手伝い）②日常的金銭管理サービス（福祉サービス利用料金や医療費の支払い手続き，年金や手当の受領手続き）③書類等預かりサービス（年金証書・預貯金通帳などの書類預かり）などです。本人にこのサービスを利用する意思があり，契約の内容がある程度理解できる方と社会福祉協議会が対等な立場で契約することが前提です。障害などにより，本人に社会福祉協議会と契約できるだけの判断能力がなくなった場合には，この事業以外で本人にふさわしい援助につないだり，成年後見制度の利用を支援します。

Ⅱ-11 感染対策

サービス内容

379 感染対策の基本

Q 訪問看護の利用者に対する感染対策について教えてください。医療機関での対応策とは違う点などはありますか？

A 基本となるのは，標準予防策（スタンダードプリコーション）です。これは，「すべての人の血液，体液，汗を除く分泌物，排泄物，粘膜，損傷のある皮膚は感染性があると考えて標準的に行う感染予防策」です。それに加え，感染経路に応じた対応を行います。

訪問看護の場合は，看護の提供場所が利用者の住まいです。利用者だけでなく，家族も含めた生活環境や価値観に配慮した対応が必要です。感染対策の必要性について，利用者・家族へわかりやすく説明することが大切です。手洗いや手袋をする意味や，日常生活での注意事項など，不快な思いを抱かせないよう，また，必要以上に怖がらせないよう正しい情報を提供しましょう。説明するためのリーフレットなど作成しておくと便利です。

また，在宅では療養生活を支える様々なサービスが関わっています。感染症がある場合（疑いがある場合も），他のサービス事業者と連携し対応を統一しておくことが必要です。他のサービス事業者への連絡が必要な旨を，利用者・家族へ説明し理解を得ておきましょう。

※事業者は運営に関する基準において，感染症対策，業務継続に向けた取り組みを行う必要があります（233頁参照）。

標準予防策の項目

(1)	手指衛生（①石鹸と流水による手洗い，②速乾性擦式手指消毒　※目に見える汚れがある場合は①）
(2)	個人防護具（手袋，ガウン，マスクなど）
(3)	環境整備
(4)	患者の配置
(5)	患者のケア用の機器，器具，機材
(6)	呼吸器衛生／咳エチケット
(7)	リネンと洗濯物
(8)	安全な注射処置
(9)	特殊な腰椎穿刺処置のための感染防御面での実務
(10)	従業員の安全

主な感染経路

感染経路	感染の特徴	主な病原体（微生物）
空気感染	直径5μm以下の飛沫核に微生物が混じって空気中に長時間浮遊することで伝播する。非常に軽く，空気の流れによって拡散する。	・結核菌・麻疹ウイルス・水痘 ・帯状疱疹ウイルス など
飛沫感染	直径5μm以上の大きい飛沫に微生物が混じって伝播する。通常1m程度の距離を飛散し落下し，空気中は浮遊しない。	・インフルエンザウイルス ・風疹ウイルス・髄膜炎菌 ・百日咳菌・マイコプラズマ など
接触感染	接触により微生物が伝播する。感染者との直接接触や汚染された医療器具等を介した間接接触により伝播する。	・MRSA・O－157・VRE ・ロタウイルス・ノロウイルス ・ヒゼンダニ（疥癬） など

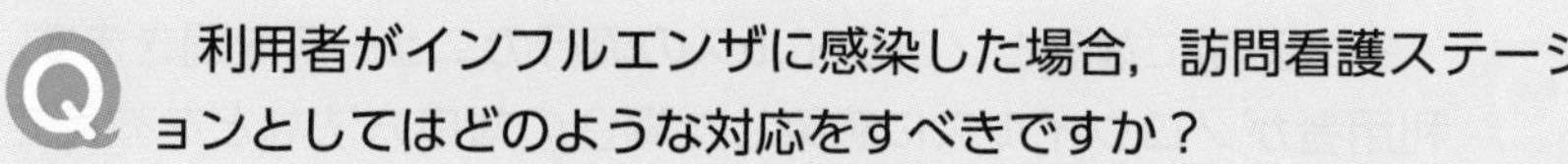

380 インフルエンザの対応

Q 利用者がインフルエンザに感染した場合，訪問看護ステーションとしてはどのような対応をすべきですか？

A インフルエンザは，咳やくしゃみなどによる飛沫感染ですので，飛沫感染予防策を実施します。インフルエンザの特徴および対応について，表にまとめました。

インフルエンザの特徴と対応

潜伏期間	1～5日（平均3日）
感染期間	発症前日から発症後3～5日（長い場合は7日）
感染経路	飛沫感染（もしくは飛沫のしぶきを浴びた環境表面からの接触感染）
主症状	• 急激に発症する38℃以上の高熱 • 頭痛，関節痛，筋肉痛など全身の痛み • 通常は1週間程度で軽快するが，小児や高齢者，基礎疾患をもつ人では脱水，気管支炎，肺炎，脳炎など併発し重症化する場合がある • 11～4月が流行期
治療	抗インフルエンザ薬
感染予防	• 流行前にワクチン接種（療養者・家族・ケア提供者） • 流行期にサージカルマスクを着用し自己管理する • 環境調整（適度な湿度（50～60%）保持）
症状のある利用者へのケア	• 訪問前よりサージカルマスクを着用し，家を出た後に外し，手指消毒 • エプロン，ガウンの着用 • 手洗い，手指消毒の励行 • 可能であれば，療養者，家族もサージカルマスクの着用
その他	• 食器類の洗浄は市販の洗剤で構わない • リネン類は通常通りの洗濯で構わない • 季節性インフルエンザでは，ケア提供者が罹患した場合，法的な就業制限はなく，各事業所の規定によるが，学校保健安全法での出席停止期間に準じ，発症後5日を経過し，かつ，解熱後2日（乳幼児にあっては3日）を経過するまでは就業しないことが望ましい

381 ノロウイルスの対応

Q 冬の時期になるとノロウイルスの流行のニュースを聞きます。利用者がノロウイルスに感染した場合の対応方法などを教えてください。

A ノロウイルスに感染し，感染性胃腸炎を引き起こしている利用者に対応する場合の注意点などを表にまとめます。

ノロウイルスの特徴と対応

潜伏期間	12時間～48時間
感染期間	・症状消失後1～3週間は糞便中にウイルスの排出が続く ・感染者の30～50％が不顕性感染といわれ，感染に気づかず他人に感染させる可能性がある ・1年を通して発生するが，冬季が多い
感染経路	接触感染もしくは飛沫感染
主症状	・急激な下痢　・嘔吐　・腹痛
治療	有効な抗ウイルス剤はなく，脱水等に対する対症療法
感染予防	・吐物，下痢便を処理する際は，必ず手袋を着用し，汚物中のウイルスが飛び散らないように便や吐物をペーパータオル等で静かにふき取る（乾燥しないうちに行う）。アルコールはあまり効果がなく，次亜塩素酸ナトリウムを含む塩素系消毒薬0.02％による清掃を行う ・オムツ等は，速やかに閉じて便などを包み込む ・オムツやふき取りに使用したペーパータオル等はビニール袋に密閉して廃棄する（ビニール袋には廃棄物が十分に浸る量の次亜塩素酸ナトリウムを含む塩素系消毒薬0.1％を入れることが望ましい） ・リネン類は下洗いした後，85℃1分以上の熱水洗濯（熱水洗濯ができない場合は，次亜塩素酸ナトリウムを含む塩素系消毒薬0.02％に30分程度浸し洗濯） ・環境消毒（ドアノブ，トイレなど頻繁に触れる箇所は次亜塩素酸ナトリウムを含む塩素系消毒薬0.02％で清掃） ・体温計や血圧計は利用者専用にするのがよい
症状のある利用者へのケア	・サージカルマスクの着用　・ガウンの着用 ・手洗い・手指消毒の励行
その他	・ケア提供者が発症した場合，日本では法的な就業制限はないが，CDC（米国疾病対策センター）では症状が消失後，48時間以上経過してからの復帰を推奨している（症状消失後もウイルスの排出があるため，手洗いを厳重に行う）

〔参考文献〕

Ⅰ-訪問看護に関する報酬編

＊訪問看護業務の手引，令和６年４月版，社会保険研究所，2024.
＊医科点数表の解釈，令和６年４月版，社会保険研究所，2024.
＊介護報酬の解釈１（単位数表編），令和６年４月版，社会保険研究所，2024.

Ⅱ-訪問看護実践編

⑩高齢者虐待

＊厚生労働省老健局：市町村・都道府県における高齢者虐待への対応と養護者支援について，令和５年３月.
＊厚生労働省社会・援護局障害保健福祉部障害福祉課地域生活・発達障害者支援室：市町村・都道府県における障害者虐待の防止と対応の手引き，令和５年７月

⑪感染対策

＊日本訪問看護財団：2022年度　訪問看護ｅラーニング.
＊厚生労働省：令和5年度　インフルエンザQ&A．令和5年10月13日版（https://www.mhlw.go.jp/stf/seisakunitsuite/bunya/kenkou_iryou/kenkou/kekkaku-kansenshou/infulenza/QA2023.html#Q1）
＊厚生労働省：ノロウイルスに関するQ&A．令和3年11月19日改定．（http://www.mhlw.go.jp/file/06-Seisakujouhou-11130500-Shokuhinanzenbu/0000209627.pdf）
＊厚生労働省老健局：介護現場における（施設系　通所系　訪問系サービスなど）感染対策の手引き第3版，令和5年9月.
＊NPO法人HAICS研究会　PICSプロジェクト：訪問看護師のための在宅感染予防テキスト，メディカ出版，2020.
＊松本哲哉監修：福祉現場のための感染症対策入門，中央法規出版，2021.

資料

- ◎ 訪問看護指示書・在宅患者訪問点滴注射指示書
- ◎ 特別訪問看護指示書・在宅患者訪問点滴注射指示書
- ◎ 精神科訪問看護指示書
- ◎ 精神科特別訪問看護指示書・在宅患者訪問点滴注射指示書
- ◎ 訪問看護計画書（介護保険）
- ◎ 訪問看護報告書（介護保険）
- ◎ 理学療法士，作業療法士又は言語聴覚士による訪問看護の詳細
- ◎ 訪問看護計画書（医療保険）
- ◎ 訪問看護報告書（医療保険）
- ◎ 精神科訪問看護計画書
- ◎ 精神科訪問看護報告書
- ◎ 訪問看護の情報提供書
- ◎ 褥瘡対策に関する看護計画書
- ◎ DESIGN-R®2020 褥瘡経過評価用
- ◎ 緊急時（介護予防）訪問看護加算・緊急時対応加算・特別管理体制・ターミナルケア体制に係る届出書
- ◎ 専門管理加算に係る届出書
- ◎ 遠隔死亡診断補助加算に係る届出書
- ◎ 看護体制強化加算に係る届出書
- ◎ 口腔連携強化加算に関する届出書
- ◎ 口腔連携強化加算に係る口腔の健康状態の評価及び情報提供書
- ◎ サービス提供体制強化加算に関する届出書
- ◎ 精神科訪問看護基本療養費に係る届出書
- ◎ 24 時間対応体制加算・特別管理加算に係る届出書
- ◎ 専門の研修を受けた看護師に係る届出書
- ◎ 精神科複数回訪問加算・精神科重症患者支援管理連携加算に係る届出書
- ◎ 機能強化型訪問看護管理療養費に係る届出書
- ◎ 専門管理加算に係る届出書
- ◎ 遠隔死亡診断補助加算に係る届出書
- ◎ 訪問看護医療 DX 情報活用加算に係る届出書
- ◎ 訪問看護管理療養費に係る届出書
- ◎ 訪問看護ベースアップ評価料（Ⅰ）の施設基準に係る届出書
- ◎ 訪問看護ベースアップ評価料（Ⅱ）の施設基準に係る届出書
- ◎ 賃金引き上げ計画書作成のための計算シート
- ◎（訪問看護ステーション）賃金改善計画書
- ◎（訪問看護ステーション）賃金改善実績報告書
- ◎ 特別事情届出書
- ◎ 第 2 号被保険者の特定疾病・厚生労働大臣が定める疾病等
- ◎ 指定難病
- ◎ 医療を提供しているが，医療資源の少ない地域
- ◎ 該当する疾病等のコード
- ◎ GAF（機能の全体的評定）尺度

◎訪問看護指示書・在宅患者訪問点滴注射指示書

(別紙様式16)

訪 問 看 護 指 示 書
在宅患者訪問点滴注射指示書

※該当する指示書を○で囲むこと
訪問看護指示期間（　　　年　月　日　～　　年　月　日）
点滴注射指示期間（　　　年　月　日　～　　年　月　日）

患者氏名	生年月日　　年　月　日（　　歳）		
患者住所	電話（　　）　－		
主たる傷病名	(1)	(2)	(3)
傷病名コード			

現在の状況（該当項目に○等）		
病状・治療状態		
投与中の薬剤の用量・用法	1. 3. 5.	2. 4. 6.
日常生活自立度	寝たきり度	J1　J2　A1　A2　B1　B2　C1　C2
	認知症の状況	I　IIa　IIb　IIIa　IIIb　IV　M
要介護認定の状況		要支援（ 1 2 ）　要介護（ 1 2 3 4 5 ）
褥瘡の深さ		DESIGN-R2020分類　D3　D4　D5　NPUAP分類　III度　IV度
装着・使用医療機器等	1．自動腹膜灌流装置　2．透析液供給装置　3．酸素療法（　　　l/min） 4．吸引器　5．中心静脈栄養　6．輸液ポンプ 7．経管栄養　（経鼻・胃瘻：サイズ　　，　　日に1回交換） 8．留置カテーテル（部位：　　サイズ　　，　　日に1回交換） 9．人工呼吸器　（陽圧式・陰圧式：設定　　） 10．気管カニューレ（サイズ　　） 11．人工肛門　12. 人工膀胱　13. その他（　　）	

留意事項及び指示事項
I　療養生活指導上の留意事項

II 1．理学療法士・作業療法士・言語聴覚士が行う訪問看護
[1日あたり（　　）分を週（　　）回]
2．褥瘡の処置等
3．装着・使用医療機器等の操作援助・管理
4．その他

在宅患者訪問点滴注射に関する指示（投与薬剤・投与量・投与方法等）

緊急時の連絡先
不在時の対応法

特記すべき留意事項（注：薬の相互作用・副作用についての留意点，薬物アレルギーの既往，定期巡回・随時対応型訪問介護看護及び複合型サービス利用時の留意事項等があれば記載して下さい。）

他の訪問看護ステーションへの指示
（ 無 有 ： 指定訪問看護ステーション名　　　　）
たんの吸引等実施のための訪問介護事業所への指示
（ 無 有 ： 訪問介護事業所名　　　　）

上記のとおり，指示いたします。　　　　年　月　日

医療機関名
住　　所
電　　話
（ＦＡＸ）
医師氏名　　　　　印

事業所　　　　　殿

◎特別訪問看護指示書・在宅患者訪問点滴注射指示書

(別紙様式18)

特 別 訪 問 看 護 指 示 書
在宅患者訪問点滴注射指示書

※ 該当する指示書を○で囲むこと

特別看護指示期間（　　年　月　日 ～　　年　月　日）
点滴注射指示期間（　　年　月　日 ～　　年　月　日）

患者氏名		生年月日	年　月　日（　　歳）
病状・主訴： 一時的に訪問看護が頻回に必要な理由：			
留意事項及び指示事項（注：点滴注射薬の相互作用・副作用についての留意点があれば記載してください。）			
点滴注射指示内容（投与薬剤・投与量・投与方法等）			
緊急時連絡先等			

上記のとおり，指示いたします。

年　月　日

医療機関名
住　　所
電　　話
（ＦＡＸ）
医師氏名　　　　　　　　　印

事業所　　　　　　　　　　殿

資料

◎精神科訪問看護指示書

(別紙様式17)

精神科訪問看護指示書

指示期間（　　年　月　日 ～　年　月　日）

患者氏名		生年月日　　年　月　日（　歳）	
患者住所	電話（　）－	施設名	
主たる傷病名	(1)	(2)	(3)
傷病名コード			

現在の状況（該当項目に○等）		
	病状・治療状況	
	投与中の薬剤の用量・用法	
	病名告知	あり・なし
	治療の受け入れ	
	複数名訪問の必要性	あり・なし 理由： 1．暴力行為，著しい迷惑行為，器物破損行為等が認められる者 2．利用者の身体的理由により一人の看護師等による訪問看護が困難と認められる者 3．利用者及びその家族それぞれへの支援が必要な者 4．その他（　）
	短時間訪問の必要性	あり・なし
	複数回訪問の必要性	あり・なし
	日常生活自立度	認知症の状況（Ⅰ　Ⅱa　Ⅱb　Ⅲa　Ⅲb　Ⅳ　M）

精神訪問看護に関する留意事項及び指示事項
1 生活リズムの確立
2 家事能力，社会技能等の獲得
3 対人関係の改善（家族含む）
4 社会資源活用の支援
5 薬物療法継続への援助
6 身体合併症の発症・悪化の防止
7 その他

緊急時の連絡先
不在時の対応法

主治医との情報交換の手段

特記すべき留意事項

上記のとおり，指定訪問看護の実施を指示いたします。

年　月　日

医療機関名
住　所
電　話
（FAX）
医師氏名　　印

指定訪問看護ステーション　　殿

◎精神科特別訪問看護指示書・在宅患者訪問点滴注射指示書

(別紙様式17の2)

精神科特別訪問看護指示書
在宅患者訪問点滴注射指示書

※ 該当する指示書を○で囲むこと

特別看護指示期間（　　　年　月　日 ～　年　月　日）
点滴注射指示期間（　　　年　月　日 ～　年　月　日）

患者氏名		生年月日	年　月　日（　　歳）

病状・主訴：

一時的に訪問看護が頻回に必要な理由：

留意事項及び指示事項（注：点滴注射薬の相互作用・副作用についての留意点があれば記載してください）
(該当する項目に○をつけてください)

複数名訪問の必要性　　　あり　・　なし
理由：
1．暴力行為，著しい迷惑行為，器物破損行為等が認められる者
2．利用者の身体的理由により一人の看護師等による訪問看護が困難と認められる者
3．利用者及びその家族それぞれへの支援が必要な者
4．その他（　　　　　　　　　　）
短時間訪問の必要性　　　あり　・　なし
理由：(　　　　　　　　　　)

特に観察を要する項目（該当する項目に○をつけてください)
1　服薬確認
2　水分及び食物摂取の状況
3　精神症状（観察が必要な事項：　　　　　）
4　身体症状（観察が必要な事項：　　　　　）
5　その他（　　　　　　　　　）

点滴注射指示内容（投与薬剤・投与量・投与方法等）

緊急時の連絡先等

上記のとおり，指示いたします。

年　月　日

医療機関名
住　　所
電　　話
（FAX）
医師氏名　　　　　　印

事業所　　　　　　　殿

◎訪問看護計画書（介護保険）

別紙様式1

訪問看護計画書

利用者氏名		生年月日	年　月　日（　　歳）
要介護認定の状況	要支援（1　2）　要介護（1　2　3　4　5）		
住　所			

看護・リハビリテーションの目標

年　月　日	療養上の課題・支援内容	評価

衛生材料等が必要な処置の有無		有　・　無
処置の内容	衛生材料（種類・サイズ）等	必要量

備考（特別な管理を要する内容，その他留意すべき事項等）

作成者①	氏　名：	職　種：看護師・保健師
作成者②	氏　名：	職　種：理学療法士・作業療法士・言語聴覚士

上記の訪問看護計画書に基づき指定訪問看護又は看護サービスの提供を実施いたします。

年　月　日

事業所名

管理者氏名

殿

◎訪問看護報告書（介護保険）

別紙様式２

訪問看護報告書

利用者氏名		生年月日	年　月　日（　　歳）
要介護認定の状況	要支援（1　2）　要介護（1　2　3　4　5）		
住　所			
訪　問　日	年　月 1 2 3 4 5 6 7 8 9 10 11 12 13 14 15 16 17 18 19 20 21 22 23 24 25 26 27 28 29 30 31 年　月 1 2 3 4 5 6 7 8 9 10 11 12 13 14 15 16 17 18 19 20 21 22 23 24 25 26 27 28 29 30 31 訪問日を○で囲むこと。理学療法士，作業療法士又は言語聴覚士による訪問看護を実施した場合は◇，特別訪問看護指示書に基づく訪問看護を実施した日は△で囲むこと。緊急時訪問を行った日は×印とすること。 なお，右表は訪問日が２月にわたる場合使用すること。		
病状の経過			
看護の内容			
家庭での介護の状況			
衛生材料等の使用量および使用状況	衛生材料等の名称：（　　） 使用及び交換頻度：（　　） 使用量：（　　）		
衛生材料等の種類・量の変更	衛生材料等（種類・サイズ・必要量等）の変更の必要性：　有　・　無 変更内容		
特記すべき事項			
作成者	氏　名：	職　種：　看護師・保健師	

上記のとおり，指定訪問看護又は看護サービスの提供の実施について報告いたします。

年　月　日

事業所名

管理者氏名

殿

◎理学療法士，作業療法士又は言語聴覚士による訪問看護の詳細

別紙様式２－⑴

理学療法士，作業療法士又は言語聴覚士による訪問看護の詳細

別添

<table>
<tr><td>利用者氏名</td><td colspan="6"></td></tr>
<tr><td>日常生活自立度</td><td colspan="6">自立　J1　J2　A1　A2　B1　B2　C1　C2</td></tr>
<tr><td>認知症高齢者の日常生活自立度</td><td colspan="6">自立　Ⅰ　Ⅱa　Ⅲb　Ⅲa　Ⅲb　Ⅳ　M</td></tr>
<tr><td>理学療法士，作業療法士又は言語聴覚士が行った訪問看護，家族等への指導，リスク管理等の内容</td><td colspan="6"></td></tr>
<tr><td rowspan="19">評　価</td><td colspan="2">項　目</td><td>自　立</td><td>一部介助</td><td>全介助</td><td>備考</td></tr>
<tr><td rowspan="12">活動</td><td>食　事</td><td>10</td><td>5</td><td>0</td><td></td></tr>
<tr><td>イスとベッド間の移乗</td><td>15</td><td>10←監視下
座れるが移れない→ 5</td><td>0</td><td></td></tr>
<tr><td>整　容</td><td>5</td><td>0</td><td>0</td><td></td></tr>
<tr><td>トイレ動作</td><td>10</td><td>5</td><td>0</td><td></td></tr>
<tr><td>入　浴</td><td>5</td><td>0</td><td>0</td><td></td></tr>
<tr><td>平地歩行</td><td>15</td><td>10←歩行器
車椅子操作が可能→ 5</td><td>0</td><td></td></tr>
<tr><td>階段昇降</td><td>10</td><td>5</td><td>0</td><td></td></tr>
<tr><td>更　衣</td><td>10</td><td>5</td><td>0</td><td></td></tr>
<tr><td>排便コントロール</td><td>10</td><td>5</td><td>0</td><td></td></tr>
<tr><td>排尿コントロール</td><td>10</td><td>5</td><td>0</td><td></td></tr>
<tr><td>合計点</td><td colspan="3">／100</td><td></td></tr>
<tr><td>コミュニケーション</td><td colspan="4"></td></tr>
<tr><td rowspan="4">参加</td><td>家庭内の役割</td><td colspan="4"></td></tr>
<tr><td>余暇活動
(内容及び頻度)</td><td colspan="4"></td></tr>
<tr><td>社会地域活動
(内容及び頻度)</td><td colspan="4"></td></tr>
<tr><td>終了後に行いたい社会参加等の取組</td><td colspan="4"></td></tr>
<tr><td colspan="2">看護職員との連携状況，看護の視点からの利用者の評価</td><td colspan="4"></td></tr>
<tr><td colspan="6"></td></tr>
<tr><td colspan="7">特記すべき事項</td></tr>
<tr><td colspan="7"></td></tr>
<tr><td>作成者</td><td colspan="3">氏名：</td><td colspan="3">職種：　理学療法士・作業療法士・言語聴覚士</td></tr>
</table>

◎訪問看護計画書（医療保険）

別紙様式1

訪問看護計画書

ふりがな 利用者氏名		生年月日	年　月　日（　　歳）
要介護認定の状況	自立　要支援（ 1　2 ）　要介護（ 1　2　3　4　5 ）		
住　所			

看護・リハビリテーションの目標

年　月　日	療養上の課題・支援内容	評　価

衛生材料等が必要な処置の有無		有 ・ 無
処置の内容	衛生材料（種類・サイズ）等	必要量

訪問予定の職種（※当該月に理学療法士等による訪問が予定されている場合に記載）

備考

上記の訪問看護計画書に基づき指定訪問看護又は看護サービスの提供を実施いたします。

年　月　日

事業所名

管理者氏名　　　　　印

殿

資料

◎訪問看護報告書（医療保険）

別紙様式2

訪問看護報告書

<table>
<tr><td>ふりがな
利用者氏名</td><td></td><td>生年月日</td><td>年　月　日（　　歳）</td></tr>
<tr><td>要介護認定の状況</td><td colspan="3">自立　要支援（ 1　2 ）　要介護（ 1　2　3　4　5 ）</td></tr>
<tr><td>住　所</td><td colspan="3"></td></tr>
<tr><td>訪　問　日</td><td colspan="3">年　月
1 2 3 4 5 6 7
8 9 10 11 12 13 14
15 16 17 18 19 20 21
22 23 24 25 26 27 28
29 30 31

年　月
1 2 3 4 5 6 7
8 9 10 11 12 13 14
15 16 17 18 19 20 21
22 23 24 25 26 27 28
29 30 31

保健師，助産師，看護師又は准看護師による訪問日を○，理学療法士，作業療法士又は言語聴覚士による訪問日を◇で囲むこと。特別訪問看護指示書に基づく訪問看護を実施した日を△で囲むこと。1日に2回以上訪問した日を◎で，長時間訪問看護加算を算定した日を□で囲むこと。
なお，右表は訪問日が2月にわたる場合使用すること。</td></tr>
<tr><td>病状の経過</td><td colspan="3"></td></tr>
<tr><td>看護・リハビリテーションの内容</td><td colspan="3"></td></tr>
<tr><td>家族等との関係</td><td colspan="3"></td></tr>
<tr><td>衛生材料等の使用量および使用状況</td><td colspan="3">衛生材料等の名称：（　　）
使用及び交換頻度：（　　）
使用量：（　　）</td></tr>
<tr><td>衛生材料等の種類・量の変更</td><td colspan="3">衛生材料等（種類・サイズ・必要量等）の変更の必要性：　有　・　無

変更内容</td></tr>
<tr><td>情報提供</td><td colspan="3">訪問看護情報提供療養費に係る情報提供先：（　　）
情報提供日：（　　）</td></tr>
<tr><td colspan="4">特記すべき事項（頻回に訪問看護が必要な理由を含む）</td></tr>
<tr><td colspan="4"></td></tr>
</table>

上記のとおり，指定訪問看護の実施について報告いたします。

年　月　日

事業所名

管理者氏名　　　　　　印

殿

◎精神科訪問看護計画書

別紙様式3

精神科訪問看護計画書

ふりがな 利用者氏名		生年月日	年　月　日(　歳)
要介護認定の状況	自立　要支援(1　2)　要介護(1　2　3　4　5)		
住　所			

看護の目標

年　月　日	療養上の課題・支援内容	評　価

衛生材料等が必要な処置の有無		有・無
処置の内容	衛生材料(種類・サイズ)等	必要量

訪問予定の職種(※当該月に作業療法士による訪問が予定されている場合に記載)

備考

上記の訪問看護計画書に基づき指定訪問看護を実施いたします。

年　月　日

事業所名

管理者氏名　印

殿

資料

◎精神科訪問看護報告書

別紙様式4

精神科訪問看護報告書

ふりがな 利用者氏名		生年月日	年　月　日（　歳）
要介護認定の状況	自立　要支援（ 1　2 ）　要介護（ 1　2　3　4　5 ）		
住所			
訪問日	年　月 1 2 3 4 5 6 7 8 9 10 11 12 13 14 15 16 17 18 19 20 21 22 23 24 25 26 27 28 29 30 31 年　月 1 2 3 4 5 6 7 8 9 10 11 12 13 14 15 16 17 18 19 20 21 22 23 24 25 26 27 28 29 30 31 保健師，看護師又は准看護師による訪問日を○，作業療法士による訪問日を◇で囲むこと。精神科特別訪問看護指示書に基づく訪問看護を実施した日を△で囲むこと。1日に2回以上訪問した日を◎で，長時間精神科訪問看護加算を算定した日を□で囲むこと。30分未満の訪問看護を実施した日に✓印をつけること。 なお，右表は訪問日が2月にわたる場合使用すること。		
病状の経過			
看護の内容			
家族等との関係			
衛生材料等の使用量および使用状況	衛生材料等の名称：（　） 使用及び交換頻度：（　） 使用量：（　）		
衛生材料等の種類・量の変更	衛生材料等（種類・サイズ・必要量等）の変更の必要性：　有　・　無 変更内容		
情報提供	訪問看護情報提供療養費に係る情報提供先：（　） 情報提供日：（　）		

特記すべき事項（頻回に訪問看護が必要な理由を含む）	G A F
	点（　年　月　日） （※月の初日の指定訪問看護時の値を記載）

上記のとおり，指定訪問看護の実施について報告いたします。

年　月　日

事業所名

管理者氏名　　印

殿

◎訪問看護の情報提供書

別紙様式１

年　月　日

訪問看護の情報提供書

（情報提供先）　殿

指定訪問看護ステーションの所在地及び名称
電話番号
管理者氏名

以下の利用者に関する訪問看護の情報を提供します。

利用者氏名
性別（男　女）生年月日　年　月　日生（　歳）職業
住　所
電話番号（　）　ー

主治医氏名		
住　所		
主傷病名		
日常生活活動（ADL）の状況（該当する事項に○）		
移動　自立　・一部介助　・全面介助	食事　自立　・一部介助　・全面介助	
排泄　自立　・一部介助　・全面介助	入浴　自立　・一部介助　・全面介助	
着替　自立　・一部介助　・全面介助	整容　自立　・一部介助　・全面介助	
要介護認定の状況（該当する事項に○）		
自立　要支援（1　2）　要介護（1　2　3　4　5）		
病状・障害等の状態		
1月当たりの訪問日数（訪問看護療養費明細書の実日数を記入すること）　日（　回）		
家族等及び主な介護者に係る情報		
看護の内容		
必要と考えられる保健福祉サービス		
その他特記すべき事項		

【記入上の注意】
1　必要が有る場合には，続紙に記載して添付すること。

◎訪問看護の情報提供書

別紙様式２

年　月　日

訪問看護の情報提供書

（情報提供先）　　　殿

指定訪問看護ステーションの所在地及び名称
電話番号
管理者氏名

以下の利用者に関する訪問看護の情報を提供します。

利用者氏名
性別（男　女）生年月日　　　年　月　日生（　　歳）職業
住　　所
電話番号　（　　　）　　　―

主治医氏名
住　　所
主傷病名
日常生活等の状況 1　食生活，清潔，排泄，睡眠，生活リズム等について 2　服薬等の状況について 3　作業（仕事），対人関係等について
要介護認定の状況（該当する事項に○） 自立　要支援（1　2）　要介護（1　2　3　4　5）
1月当たりの訪問日数（訪問看護療養費明細書の実日数を記入すること） 日

家族等及び主な介護者に係る情報	
看護の内容	
必要と考えられる保健福祉サービス	
その他特記すべき事項	

【記入上の注意】
1　必要が有る場合には，続紙に記載して添付すること。

◎訪問看護の情報提供書

別紙様式3

年　月　日

訪問看護の情報提供書

（情報提供先）　　殿

指定訪問看護ステーションの所在地及び名称
電話番号
管理者氏名

以下の利用者に関する訪問看護の情報を提供します。

利用者氏名
性別　（男　女）　生年月日　　　年　月　日生（　　歳）
住　　所
電話番号　（　　）　　—

主治医氏名	
住　　所	
主傷病名	
日常生活等の状況 1　食生活，清潔，排泄，睡眠，生活リズム等について 2　服薬等の状況について 3　家族等について	
1月当たりの訪問日数（訪問看護療養費明細書の実日数を記入すること） 日	
看護の内容	
医療的ケア等の実施方法及び留意事項	
その他特記すべき事項	

【記入上の注意】
1　必要が有る場合には，続紙に記載して添付すること。

◎訪問看護の情報（療養に係る情報）提供書

別紙様式4

年　月　日

訪問看護の情報（療養に係る情報）提供書

（主治医　医療機関名）

殿

指定訪問看護ステーションの所在地及び名称
電 話 番 号
管理者氏名

（入院又は入所先医療機関等）

以下の利用者に関する訪問看護の情報を提供します。

利用者氏名	
性別（男　女）生年月日　年　月　日生（　歳）職業	
住　所	
電話番号	（　）　ー

主治医氏名	
医療機関名 住　所	
主傷病名	
既往歴	
要介護認定等	要介護認定の状況（該当する事項に○） 自立　要支援（1　2）　要介護（1　2　3　4　5）
	その他（利用しているサービス等）
日常生活等の状況	（食生活，清潔，排泄，睡眠，生活リズム等） （服薬等の状況） （家族，主な介護者等）
看護に関する情報	（看護上の問題等） （看護の内容） （具体的ケア方法における留意点，継続すべき看護等）
その他	

【記入上の注意】
必要が有る場合には，続紙に記載して添付すること。

◎褥瘡対策に関する看護計画書

褥瘡対策に関する看護計画書（例示）

氏 名＿＿＿＿＿＿＿＿＿殿　男　女　　　　　　　　　　　　　　計画作成日＿＿.＿＿.＿＿

年　月　日 生（　　歳）　記入看護師名＿＿＿＿＿＿＿＿＿＿＿＿

褥瘡の有無	1. 現在　なし　あり（仙骨部，坐骨部，尾骨部，腸骨部，大転子部，踵部，その他（　　））	褥瘡発生日＿＿.＿＿.＿＿
	2. 過去　なし　あり（仙骨部，坐骨部，尾骨部，腸骨部，大転子部，踵部，その他（　　））	

<日常生活自立度の低い利用者>

	日常生活自立度　J（1，2）　A（1，2）　B（1，2）　C（1，2）			対処
危険因子の評価	・基本的動作能力（ベッド上　自力体位変換）	できる	できない	「あり」もしくは「できない」が1つ以上の場合，看護計画を立案し実施する
	（イス上　坐位姿勢の保持，除圧）	できる	できない	
	・病的骨突出	なし	あり	
	・関節拘縮	なし	あり	
	・栄養状態低下	なし	あり	
	・皮膚湿潤（多汗，尿失禁，便失禁）	なし	あり	
	・皮膚の脆弱性（浮腫）	なし	あり	
	・皮膚の脆弱性（スキン - テアの保有，既往）	なし	あり	

両括弧内は点数（※1）

褥瘡の状態の評価（DESIGN-R2020）	深さ	(0)皮膚損傷・発赤なし	(1)持続する発赤	(2)真皮までの損傷	(3)皮下組織までの損傷	(4)皮下組織をこえる損傷	(5)関節腔，体腔に至る損傷	(DTI)深部損傷褥瘡(DTI)疑い(※2)	(U)深さ判定が不能の場合	
	滲出液	(0)なし	(1)少量：毎日の交換を要しない		(3)中等量：1日1回の交換		(6)多量：1日2回以上の交換			合計点
	大きさ(㎠) 長径×長径に直交する最大径（持続する発赤の範囲も含む）	(0)皮膚損傷なし	(3)4未満	(6)4以上16未満	(8)16以上36未満	(9)36以上64未満	(12)64以上100未満	(15)100以上		
	炎症・感染	(0)局所の炎症徴候なし	(1)局所の炎症徴候あり（創周辺の発赤，腫脹，熱感，疼痛）		(3C)(※)臨界的定着疑い（創面にぬめりがあり，滲出液が多い。肉芽があれば，浮腫性で脆弱など）		(3)(※3)局所の明らかな感染徴候あり（炎症徴候，膿，悪臭）	(9)全身的影響あり（発熱など）		
	肉芽形成 良性肉芽が占める割合	(0)創が治癒した場合，創が浅い場合，深部損傷褥瘡(DTI)疑い(※2)		(1)創面の90%以上を占める	(3)創面の50%以上90%未満を占める	(4)創面の10%以上50%未満を占める	(5)創面の10%未満を占める	(6)全く形成されていない		
	壊死組織	(0)なし	(3)柔らかい壊死組織あり		(6)硬く厚い密着した壊死組織あり					
	ポケット(㎠) 潰瘍面も含めたポケット全周（ポケットの長径×長径に直交する最大径）−潰瘍面積	(0)なし	(6)4未満	(9)4以上16未満		(12)16以上36未満		(24)36以上		

※1 該当する状態について，両括弧内の点数を合計し，「合計点」に記載すること。ただし，深さの点数は加えないこと。
※2 深部損傷褥瘡（DTI）疑いは，視診・触診，補助データ（発生経緯，血液検査，画像診断等）から判断する。
※3「3c」あるいは「3」のいずれかを記載する。いずれの場合も点数は3点とする。

	留意する項目		計画の内容
看護計画	圧迫，ズレ力の排除（体位変換，体圧分散寝具，頭部挙上方法，車椅子姿勢保持等）	ベッド上	
		イス上	
	スキンケア		
	栄養状態改善		
	リハビリテーション		

［記載上の注意］
1　日常生活自立度の判定に当たっては「「障害老人の日常生活自立度（寝たきり度）判定基準」の活用について」（平成3年11月18日　厚生省大臣官房老人保健福祉部長通知 老健第102-2号）を参照のこと。
2　日常生活自立度がＪ１～Ａ２である患者については，当該評価票の作成を要しないものであること。
3　必要な内容を訪問看護記録に記載している場合，当該評価票の作成を要しないものであること。

DESIGN-R® 2020 褥瘡経過評価用　(日本褥瘡学会／2020)

出典：http://jspu.org/jpn/info/pdf/design-r2020.pdf
DESIGN-R®　褥瘡経過評価用　©日本褥瘡学会/2020

DESIGN-R®2020 褥瘡経過評価用　カルテ番号（　　　　　）
患者氏名（　　　　　）

						月日	／	／	／	／	／	／
Depth*1 **深さ**　創内の一番深い部分で評価し，改善に伴い創底が浅くなった場合，これと相応の深さとして評価する												
d	0	皮膚損傷・発赤なし	D	3	皮下組織までの損傷							
				4	皮下組織を超える損傷							
	1	持続する発赤		5	関節腔，体腔に至る損傷							
				DTI	深部損傷褥瘡（DTI）疑い*2							
	2	真皮までの損傷		U	壊死組織で覆われ深さの判定が不能							
Exudate 滲出液												
e	0	なし	E	6	多量:1日2回以上のドレッシング交換を要する							
	1	少量:毎日のドレッシング交換を要しない										
	3	中等量:1日1回のドレッシング交換を要する										
Size 大きさ　皮膚損傷範囲を測定：[長径(cm)×短径*3(cm)]*4												
s	0	皮膚損傷なし	S	15	100以上							
	3	4未満										
	6	4以上　16未満										
	8	16以上　36未満										
	9	36以上　64未満										
	12	64以上　100未満										
Inflammation/Infection 炎症/感染												
i	0	局所の炎症徴候なし	I	3C*5	臨界的定着疑い（創面にぬめりがあり，滲出液が多い。肉芽があれば，浮腫性で脆弱など）							
				3*5	局所の明らかな感染徴候あり（炎症徴候，膿，悪臭など）							
	1	局所の炎症徴候あり（創周囲の発赤，腫脹，熱感，疼痛）		9	全身的影響あり（発熱など）							
Granulation 肉芽組織												
g	0	創が治癒した場合，創の浅い場合は，深部損傷褥瘡（DTI）疑いの場合	G	4	良性肉芽が創面の10%以上50%未満を占める							
	1	良性肉芽が創面の90%以上を占める		5	良性肉芽が創面の10%未満を占める							
	3	良性肉芽が創面の50%以上90%未満を占める		6	良性肉芽が全く形成されていない							
Necrotic tissue 壊死組織　混在している場合は全体的に多い病態をもって評価する												
n	0	壊死組織なし	N	3	柔らかい壊死組織あり							
				6	硬く厚い密着した壊死組織あり							
Pocket ポケット　毎回同じ体位で，ポケット全周（潰瘍面も含め）[長径(cm)×短径*3(cm)]から潰瘍の大きさを差し引いたもの												
p	0	ポケットなし	P	6	4未満							
				9	4以上16未満							
				12	16以上36未満							
				24	36以上							
部位［仙骨部，坐骨部，大転子部，踵骨部，その他（　　　　　）］						合計*1						

*1　深さ（Depth：d/D）の点数は合計には加えない
*2　深部損傷褥瘡（DTI）疑いは，視診・触診，補助データ（発生経緯，血液検査，画像診断等）から判断する
*3　短径とは長径と直交する最大径である
*4　持続する発赤の場合も皮膚損傷に準じて評価する
*5　「3C」あるいは「3」のいずれかを記載する。いずれの場合も点数は3点とする

http://jspu.org/jpn/info/pdf/design-r2020.pdf

◎緊急時(介護予防)訪問看護加算・緊急時対応加算・特別管理体制・ターミナルケア体制に係る届出書

(別紙16)

緊急時(介護予防)訪問看護加算・緊急時対応加算
・特別管理体制・ターミナルケア体制に係る届出書

事業所名	
異動等区分	□1 新規　□2 変更　□3 終了
施設等の区分	□1 (介護予防)訪問看護事業所(訪問看護ステーション) □2 (介護予防)訪問看護事業所(病院又は診療所) □3 定期巡回・随時対応型訪問介護看護事業所 □4 看護小規模多機能型居宅介護事業所
届出項目	□1 緊急時(介護予防)訪問看護加算 □2 緊急時対応加算 □3 特別管理加算に係る体制 □4 ターミナルケア体制

1 緊急時(介護予防)訪問看護加算又は緊急時対応加算に係る届出内容

① 連絡相談を担当する職員( )人

保健師	人	常勤 人	非常勤 人
看護師	人	常勤 人	非常勤 人

保健師,看護師以外の職員が利用者又はその家族等からの電話等に対応する体制となっているか。「有」にチェックを入れた場合,下記の欄に保健師,看護師以外の職員について記載すること。 ※緊急時(介護予防)訪問看護加算のみ	有・無 □・□

保健師,看護師以外の職員

理学療法士	人	常勤 人	非常勤 人
作業療法士	人	常勤 人	非常勤 人
言語聴覚士	人	常勤 人	非常勤 人
事務職員	人	常勤 人	非常勤 人
その他	人	常勤 人	非常勤 人

② 連絡方法

③ 連絡先電話番号

1	( )	4	( )
2	( )	5	( )
3	( )	6	( )

2 看護師等以外の職員が利用者又は家族等からの電話連絡を受ける場合に必要な体制 ※(介護予防)訪問看護事業所のみ	有・無
① 看護師等以外の職員が利用者又はその家族等からの電話等による連絡及び相談に対応する際のマニュアルが整備されていること。	□・□
② 緊急の訪問看護の必要性の判断を保健師又は看護師が速やかに行える連絡体制及び緊急の訪問看護が可能な体制が整備されていること。	□・□
③ 当該訪問看護ステーションの管理者は,連絡相談を担当する看護師等以外の職員の勤務体制及び勤務状況を明らかにすること。	□・□
④ 看護師等以外の職員は,電話等により連絡及び相談を受けた際に,保健師又は看護師へ報告すること。報告を受けた保健師又は看護師は,当該報告内容等を訪問看護記録書に記録すること。	□・□
⑤ ①から④について,利用者及び家族等に説明し,同意を得ること。	□・□

3 緊急時(介護予防)訪問看護加算(Ⅰ)に係る届出内容(①又は②は必須項目) ※ (介護予防)訪問看護事業所,定期巡回・随時対応型訪問介護看護のみ	有・無
① 夜間対応した翌日の勤務間隔の確保	□・□
② 夜間対応に係る勤務の連続回数が2連続(2回)まで	□・□
③ 夜間対応後の暦日の休日確保	□・□
④ 夜間勤務のニーズを踏まえた勤務体制の工夫	□・□
⑤ ICT,AI,IoT等の活用による業務負担軽減	□・□
⑥ 電話等による連絡及び相談を担当する者に対する支援体制の確保	□・□

備考 緊急時の(介護予防)訪問看護,特別管理,ターミナルケアのそれぞれについて,体制を敷いている場合について提出してください。2の看護師等以外の職員が電話連絡の対応を行う場合には,2の①の「マニュアル」も添付してください。

◎緊急時（介護予防）訪問看護加算・特別管理体制・ターミナルケア体制に係る届出書

（別紙16）

緊急時（介護予防）訪問看護加算・特別管理体制・ターミナルケア体制に係る届出書

事業所名	
異動等区分	□1　新規　□2　変更　□3　終了
施設等の区分	□1　（介護予防）訪問看護事業所（訪問看護ステーション） □2　（介護予防）訪問看護事業所（病院又は診療所） □3　定期巡回・随時対応型訪問介護看護事業所

4　特別管理加算に係る体制の届出内容	有・無
①　24時間常時連絡できる体制を整備している。	□・□
②　当該加算に対応可能な職員体制・勤務体制を整備している。	□・□
③　病状の変化，医療器具に係る取扱い等において医療機関等との密接な連携体制を整備している。	□・□

5　ターミナルケア体制に係る届出内容	有・無
①　24時間常時連絡できる体制を整備している。	□・□
②　ターミナルケアの提供過程における利用者の心身状況の変化及びこれに対する看護の内容等必要な事項が適切に記録される体制を整備している。	□・□

◎専門管理加算に係る届出書

(別紙17)

専門管理加算に係る届出書

事業所名	
異動等区分	□1　新規　□2　変更　□3　終了
施設等の区分	□1　(介護予防) 訪問看護事業所 (訪問看護ステーション) □2　(介護予防) 訪問看護事業所 (病院又は診療所) □3　看護小規模多機能型居宅介護事業所
届出事項	□1　緩和ケア □2　褥瘡ケア □3　人工肛門ケア及び人工膀胱ケア □4　特定行為

専門管理加算に係る届出内容

1　緩和ケアに関する専門研修

氏名	氏名

2　褥瘡ケアに関する専門研修

氏名	氏名

3　人工肛門ケア及び人工膀胱ケアに関する専門研修

氏名	氏名

4　特定行為研修

氏名	氏名

備考　1，2，3又は4の専門の研修を修了したことが確認できる文書 (当該研修の名称，実施主体，修了日及び修了者の氏名等を記載した一覧でも可) を添付すること。

◎遠隔死亡診断補助加算に係る届出書

（別紙18）

遠隔死亡診断補助加算に係る届出書

事 業 所 名	
異動等区分	□1　新規　　□2　変更　　□3　終了
施設等の区分	□1　（介護予防）訪問看護事業所（訪問看護ステーション） □2　（介護予防）訪問看護事業所（病院又は診療所） □3　看護小規模多機能型居宅介護事業所
届 出 項 目	遠隔死亡診断補助加算

遠隔死亡診断補助加算に係る届出内容

情報通信機器を用いた在宅での看取りに係る研修を受けた看護師

氏名	氏名

備考　研修を修了したことが確認できる文書（当該研修の名称，実施主体，修了日及び修了者の氏名等を記載した一覧でも可）を添付すること。

◎看護体制強化加算に係る届出書

別紙８－２

看護体制強化加算に係る届出書（（介護予防）訪問看護事業所）

○訪問看護事業所

事　業　所		異動等区分	1　新規　　2　変更　　3　終了
届出項目	1　看護体制強化加算（Ⅰ）　　2　看護体制強化加算（Ⅱ）		

項目	番号	内容	人数	基準	有無
1　緊急時訪問看護加算の算定状況	①	前６か月間の実利用者の総数	人		
	②	①のうち緊急時訪問看護加算を算定した実利用者数	人	→①に占める②の割合が50%以上	有・無
2　特別管理加算の算定状況	①	前６か月間の実利用者の総数	人		
	②	①のうち特別管理加算（Ⅰ）又は（Ⅱ）を算定した実利用者数	人	→①に占める②の割合が20%以上	有・無
3　ターミナルケア加算の算定状況	①	前12か月間のターミナルケア加算の算定人数	人		
		→1人以上			有・無
		→5人以上			有・無
4　看護職員の割合	①	指定訪問看護を提供する従業員数（常勤換算法）	人		
	②	①のうち看護職員の人数（常勤換算法）	人	→①に占める②の割合が60%以上	有・無

○介護予防訪問看護事業所

事　業　所		異動等区分	1　新規　　2　変更　　3　終了
届出項目	1　看護体制強化加算		

項目	番号	内容	人数	基準	有無
1　緊急時介護予防訪問看護加算の算定状況	①	前６か月間の実利用者の総数	人		
	②	①のうち緊急時介護予防訪問看護加算を算定した実利用者数	人	→①に占める②の割合が50%以上	有・無
2　特別管理加算の算定状況	①	前６か月間の実利用者の総数	人		
	②	①のうち特別管理加算（Ⅰ）又は（Ⅱ）を算定した実利用者数	人	→①に占める②の割合が20%以上	有・無
3　看護職員の割合	①	指定訪問看護を提供する従業員数（常勤換算法）	人		
	②	①のうち看護職員の人数（常勤換算法）	人	→①に占める②の割合が60%以上	有・無

備考　看護体制強化加算に係る体制を敷いている場合について提出してください。

◎口腔連携強化加算に関する届出書

(別紙11)

令和　年　月　日

口腔連携強化加算に関する届出書

1 事業所名	
2 異動区分	□1　新規　□2　変更　□3　終了
3 施設種別	□1　訪問介護事業所 □2　(介護予防) 訪問看護事業所 (訪問看護ステーション) □3　(介護予防) 訪問リハビリテーション事業所 □4　(介護予防) 短期入所生活介護事業所 □5　(介護予防) 短期入所療養介護事業所 □6　定期巡回・随時対応型訪問介護看護事業所
4 歯科医療機関との連携の状況	(下記1～3)

1．連携歯科医療機関

歯科医療機関名	
所在地	
歯科医師名	
歯科訪問診療料の算定の実績	年　月　日
連絡先電話番号	

2．連携歯科医療機関

歯科医療機関名	
所在地	
歯科医師名	
歯科訪問診療料の算定の実績	年　月　日
連絡先電話番号	

3．連携歯科医療機関

歯科医療機関名	
所在地	
歯科医師名	
歯科訪問診療料の算定の実績	年　月　日
連絡先電話番号	

注1 「連携歯科医療機関」とは，利用者の口腔の健康状態に係る評価を行うに当たって，歯科医療機関の歯科医師又は歯科医師の指示を受けた歯科衛生士に対して，口腔の健康状態の評価の方法や在宅歯科医療の提供等について相談できる体制を確保している歯科医療機関である。

注2 「連携歯科医療機関」は1つ以上の記載が必要である。なお，記入欄が不足している場合には，「歯科医療機関との連携の状況」のみを追加記載した様式を別途添付しても差し支えない。

注3 「歯科訪問診療料の算定の実績」とは，歯科診療報酬点数表の区分番号C000に掲げる歯科訪問診療料の算定の実績であり，直近の算定日を記載すること。

※ 要件を満たすことが分かる根拠書類を準備し，指定権者からの求めがあった場合には，速やかに提出してください。

◎口腔連携強化加算に係る口腔の健康状態の評価及び情報提供書

（別紙様式６）

口腔連携強化加算に係る口腔の健康状態の評価及び情報提供書

年　月　日

情報提供先（歯科医療機関・居宅介護支援事業所）
名称
担当　　　　殿

介護事業所の名称
所在地
電話番号
FAX番号
管理者氏名
記入者氏名

利用者氏名	（ふりがな） 年　月　日生	男・女	〒　ー 連絡先　（　）

基本情報	要介護度	□ 要支援（□１　□２）　□ 要介護（□１　□２　□３　□４　□５）
	基礎疾患	□脳血管疾患　□骨折　□誤嚥性肺炎　□うっ血性心不全　□尿路感染症　□糖尿病 □高血圧症　□骨粗しょう症　□関節リウマチ　□がん　□うつ病　□認知症　□褥瘡 （※上記以外の）□神経疾患　□運動器疾患　□呼吸器疾患　□循環器疾患　□消化器疾患　□腎疾患 □内分泌疾患　□皮膚疾患　□精神疾患　□その他
	誤嚥性肺炎の発症・既往	□あり（直近の発症年月：　年　月）　□ なし
	麻痺	□あり（部位：□手　□顔　□その他）　□ なし
	摂食方法	□経口のみ　□一部経口　□経管栄養　□静脈栄養
	現在の歯科受診について	かかりつけ歯科医　□ あり　□ なし 直近１年間の歯科受診　□ あり（最終受診年月：　年　月）　□ なし
	義歯の使用	□ あり（□部分・□全部）　□ なし
	口腔清掃の自立度	□自立　□ 部分介助（介助方法：　）　□全介助
	現在の処方	□ あり（薬剤名：　）　□ なし

【口腔の健康状態の評価】

項目番号	項目	評価	評価基準
1	開口	□できる□できない	• 上下の前歯の間に指2本分（縦）入る程度まで口があかない場合（開口量３ｃｍ以下）には「できない」とする。
2	歯の汚れ	□ なし　□ あり	• 歯の表面や歯と歯の間に白や黄色の汚れ等がある場合には「あり」とする。
3	舌の汚れ	□ なし　□ あり	• 舌の表面に白や黄色，茶，黒色の汚れなどがある場合には「あり」とする。
4	歯肉の腫れ，出血	□ なし　□ あり	• 歯肉が腫れている場合（反対側の同じ部分の歯肉との比較や周囲との比較）や歯磨きや口腔ケアの際に出血する場合は「あり」とする。
5	左右両方の奥歯でしっかりかみしめられる	□できる□できない	• 本人にしっかりかみしめられないとの認識がある場合または義歯をいれても奥歯がない部分がある場合は「できない」とする。
6	むせ	□ なし　□ あり	• 平時や食事時にむせがある場合や明らかな「むせ」はなくても，食後の痰がらみ，声の変化，息が荒くなるなどがある場合は「あり」とする。
7	ぶくぶくうがい※1	□できる□できない	• 歯磨き後のうがいの際に口に水をためておけない場合や頬を膨らませない場合や膨らました頬を左右に動かせない場合は「できない」とする。
8	食物のため込み，残留※2	□ なし　□ あり	• 食事の際に口の中に食物を飲み込まずためてしまう場合や飲み込んだ後に口を開けると食物が一部残っている場合は「あり」とする。
その他	（自由記載）		• 歯や粘膜に痛みがある，口の中の乾燥，口臭，義歯の汚れ，義歯がすぐに外れる，口の中に薬が残っている等の気になる点があれば記載する。

※１ 現在，歯磨き後のうがいをしている場合に限り確認する。（誤嚥のリスクも鑑みて，改めて実施頂く事項ではないため空欄可）
※２ 食事の観察が可能な場合は確認する。（改めて実施頂く事項ではないため空欄可）

歯科医師等※による口腔内等の確認の必要性	□ 低い □ 高い	• 項目１－８について「あり」または「できない」が１つでもある場合は，歯科医師等による口腔内等の確認の必要性「高い」とする。 • その他の項目等も参考に歯科医師等による口腔内等の確認の必要性が高いと考えられる場合は，「高い」とする。

※ 歯科医師又は歯科医師の指示を受けた歯科衛生士

歯科医療機関への連絡事項	（自由記載）
介護支援専門員への連絡事項	（自由記載）

◎サービス提供体制強化加算に関する届出書

別紙12－2　　　　　　　　　　　　　　　　　　　　　　　　令和　　年　　月　　日

サービス提供体制強化加算に関する届出書
((介護予防) 訪問看護，(介護予防) 訪問リハビリテーション，療養通所介護)

1　事業所名	
2　異動区分	1　新規　　2　変更　　3　終了
3　施設種別	1　(介護予防) 訪問看護　　2　(介護予防) 訪問リハビリテーション 3　療養通所介護
4　届出項目	(訪問看護，訪問リハビリテーション) 1　サービス提供体制強化加算（Ⅰ）　　2　サービス提供体制強化加算（Ⅱ） (療養通所介護) 3　サービス提供体制強化加算（Ⅲ）イ　　4　サービス提供体制強化加算（Ⅲ）ロ

5　研修等に関する状況 (訪問看護のみ)	①　研修計画を作成し，当該計画に従い，研修（外部における研修を含む）を実施又は実施を予定していること。	有・無
	②　利用者に関する情報若しくはサービス提供にあたっての留意事項の伝達又は技術指導を目的とした会議を定期的に開催すること。	有・無
	③　健康診断等を定期的に実施すること。	有・無

6　勤続年数の状況

（1）サービス提供体制強化加算（Ⅰ）

<table>
<tr><td rowspan="9">勤続年数の状況</td><td rowspan="3">訪問看護</td><td colspan="3">①に占める②の割合が30%以上</td><td rowspan="3">有・無</td></tr>
<tr><td>①</td><td>看護師等の総数（常勤換算）</td><td>人</td></tr>
<tr><td>②</td><td>①のうち勤続年数７年以上の者の総数（常勤換算）</td><td>人</td></tr>
<tr><td rowspan="3">訪問リハ</td><td colspan="3">①に占める②の者が１名以上</td><td rowspan="3">有・無</td></tr>
<tr><td>①</td><td>サービスを直接提供する理学療法士，作業療法士又は言語聴覚士の総数</td><td>人</td></tr>
<tr><td>②</td><td>①のうち勤続年数７年以上の者の総数</td><td>人</td></tr>
<tr><td rowspan="3">療養通所介護</td><td colspan="3">①に占める②の割合が30%以上</td><td rowspan="3">有・無</td></tr>
<tr><td>①</td><td>サービスを直接提供する職員の総数（常勤換算）</td><td>人</td></tr>
<tr><td>②</td><td>①のうち勤続年数７年以上の者の総数（常勤換算）</td><td>人</td></tr>
</table>

（2）サービス提供体制強化加算（Ⅱ）

<table>
<tr><td rowspan="9">勤続年数の状況</td><td rowspan="3">訪問看護</td><td colspan="3">①に占める②の割合が30%以上</td><td rowspan="3">有・無</td></tr>
<tr><td>①</td><td>看護師等の総数（常勤換算）</td><td>人</td></tr>
<tr><td>②</td><td>①のうち勤続年数３年以上の者の総数（常勤換算）</td><td>人</td></tr>
<tr><td rowspan="3">訪問リハ</td><td colspan="3">①に占める②の割合が１名以上</td><td rowspan="3">有・無</td></tr>
<tr><td>①</td><td>サービスを直接提供する理学療法士，作業療法士又は言語聴覚士の総数</td><td>人</td></tr>
<tr><td>②</td><td>①のうち勤続年数３年以上の者の総数</td><td>人</td></tr>
<tr><td rowspan="3">療養通所介護</td><td colspan="3">①に占める②の割合が30%以上</td><td rowspan="3">有・無</td></tr>
<tr><td>①</td><td>サービスを直接提供する職員の総数（常勤換算）</td><td>人</td></tr>
<tr><td>②</td><td>①のうち勤続年数３年以上の者の総数（常勤換算）</td><td>人</td></tr>
</table>

備考　要件を満たすことが分かる根拠書類を準備し，指定権者からの求めがあった場合には，速やかに提出すること。

◎精神科訪問看護基本療養費に係る届出書

別紙様式1

精神科訪問看護基本療養費に係る届出書（届出・変更・取消し）

連絡先　担当者氏名：(　　　　　　　　　　)　電話番号：(　　　　　　　)

受理番号	(訪看10)　　　　　　号

受付年月日	年　　月　　日	決定年月日	年　　月　　日

(届出事項)	精神科訪問看護基本療養費に係る届出

上記のとおり届け出ます。

年　　月　　日

指定訪問看護事業者
の所在地及び名称

代表者の氏名

地方厚生（支）局長 殿

届出内容

ステーションコード	

指定訪問看護ステーションの
所在地及び名称

管理者の氏名

当該届出に係る指定訪問看護を行う看護師等

氏名	職種	当該指定訪問看護を行うために必要な経験内容
		(1) (　　) 経験内容： (2) (　　) 経験内容： (3) (　　) 経験内容： (4) (　　) 経験内容：
		(1) (　　) 経験内容： (2) (　　) 経験内容： (3) (　　) 経験内容： (4) (　　) 経験内容：
		(1) (　　) 経験内容： (2) (　　) 経験内容： (3) (　　) 経験内容： (4) (　　) 経験内容：

※職種とは，保健師，看護師，准看護師又は作業療法士の別を記載すること。
※経験内容は，以下の (1) ～ (4) うち該当するものに○を付した上で，具体的かつ簡潔に記載すること。
(1) 精神科を標榜する保険医療機関における精神病棟又は精神科外来の勤務経験 1年以上
(2) 精神疾患を有する者に対する訪問看護の経験1年以上
(3) 精神保健福祉センター又は保健所等における精神保健に関する業務経験 1年以上
(4) 精神科訪問看護に関する知識・技術の習得を目的とした20時間以上の研修の修了
（研修を修了したことが確認できる文書（当該研修の名称，実施主体，修了日及び修了者の氏名等を記載した一覧でも可）を添付すること。）

資料

◎24時間対応体制加算・特別管理加算に係る届出書

別紙様式2

24時間対応体制加算・特別管理加算に係る届出書（届出・変更・取消し）

連絡先　担当者氏名：(　　　　　　　　　　)　電話番号：(　　　　　　)

受理番号	（訪看23，24，25）　　　　号

受付年月日	年　　月　　日	決定年月日	年　　月　　日

（届出事項）
該当するものに「✓」を記入すること。
保健師又は看護師以外の職員が連絡相談を受ける場合は，「24時間対応体制加算（保健師又は看護師以外の職員が連絡相談を受ける場合)」にも「✓」を記入すること。

1. 24時間対応体制加算	
□	イ　24時間対応体制における看護業務の負担軽減の取組を行っている場合
□	ロ　イ以外の場合
□	保健師又は看護師以外の職員が連絡相談を担当する場合

2. 特別管理加算

□	特別管理加算

上記のとおり届け出ます。
　　　年　　月　　日
指定訪問看護事業者
の所在地及び名称
　　　　　　　　　　代表者の氏名
地方厚生（支）局長　殿

ステーションコード	

指定訪問看護ステーションの
所在地及び名称
　　　　　管理者の氏名

1．24時間対応体制加算に係る届出内容

○連絡相談を担当する職員（　　）人

保健師	人	常勤	人	非常勤	人
助産師	人	常勤	人	非常勤	人
看護師	人	常勤	人	非常勤	人

※連絡相談担当は保健師，助産師又は看護師の別に記載すること。

○保健師又は看護師以外の職員が連絡相談を担当する場合

● 24時間対応体制に係る連絡相談に支障がない体制

□	ア　看護師等以外の職員が利用者又はその家族等からの電話等による連絡及び相談に対応する際のマニュアルの整備
□	イ　緊急の訪問看護の必要性の判断を保健師又は看護師が速やかに行える連絡体制及び緊急の訪問看護が可能な体制の整備
□	ウ　連絡相談を担当する看護師等以外の職員の勤務体制及び勤務状況の明確化

※　アに係るマニュアルを添付すること。
※　イ及びウに係る勤務態勢及び勤務状況を明らかにした書類等については，照会に対し速かに回答できるように指定訪問看護ステ ー ションに保管すること。

◎ 24時間対応体制加算・特別管理加算に係る届出書

●連絡相談を担当する職員（　　　　）人　※保健師，看護師又は助産師以外

職種	人数		
（　　　　　　）	人	常勤　　　　人	非常勤　　　　人
（　　　　　　）	人	常勤　　　　人	非常勤　　　　人
（　　　　　　）	人	常勤　　　　人	非常勤　　　　人

○連絡方法

○連絡先電話番号

1	（　　　）	4	（　　　）
2	（　　　）	5	（　　　）
3	（　　　）	6	（　　　）

※ 連絡先電話番号については，直接連絡のとれる連絡先を複数記載すること。

○ 24時間対応体制における看護業務の負担軽減の取組

□	ア　夜間対応した翌日の勤務間隔の確保
□	イ　夜間対応に係る勤務の連続回数が 2 連続 (2 回) まで
□	ウ　夜間対応後の暦日の休日確保
□	エ　夜間勤務のニーを踏まえた勤務体制の工夫
□	オ　ICT，AI，IoT 等の活用による業務負担軽減
□	カ　電話等による連絡及び相談を担当する者に対する支援体制の確保

※　24 時間対応体制における看護業務の負担軽減の取組は，「24 時間対応体制における看護業務の負担軽減の取組を行っている場合」を届け出る場合に，該当するものに「✓」を記入すること。ア又はイのいずれかには必ず「✓」を記入すること。

※　アから力までの取組状況等については，照会に対し速やかに回答できるように指定訪問看護ステーションに保管すること。

2．特別管理加算に係る届出内容

○ 24 時間対応体制加算を算定できる体制を整備している。
　既届出の場合：受理番号（　　　　　），本届出による。（有，無）
○当該加算に対応可能な職員体制・勤務体制を整備している。（有，無）
○病状の変化，医療機器に係る取扱い等において医療機関等との密接な連携体制を整備している。（有，無）

備考：「2．特別管理加算」単独の届出は，認められないこと。

資料

◎専門の研修を受けた看護師に係る届出書

別紙様式4

訪問看護基本療養費の注２及び注４に規定する専門の研修を受けた看護師に係る届出書
（届出・変更・取消し）

連絡先　担当者氏名（　　　　　　　　　）電話番号：（　　　　　　）

受理番号	（訪看26）　　　　　号

受付年月日	年　　月　　日	決定年月日	年　　月　　日

（届出事項）　　1．緩和ケア　　2．褥瘡ケア　　3．人工肛門ケア及び人工膀胱ケア

上記のとおり届け出ます。

年　　月　　日

指定訪問看護事業者
の所在地及び名称

代表者の氏名

地方厚生（支）局長 殿

届出内容

	ステーションコード	

指定訪問看護ステーションの
所在地及び名称

管理者の氏名

1 緩和ケアに関する専門研修

氏名	氏名

2 褥瘡ケアに関する専門研修

氏名	氏名

3 人工肛門ケア及び人工膀胱ケアに関する専門研修

氏名	氏名

備考：1，2及び3の専門の研修を修了したことが確認できる文書（当該研修の名称，実施主体，修了日及び修了者の氏名等を記載した一覧でも可）を添付すること。

◎精神科複数回訪問加算・精神科重症患者支援管理連携加算に係る届出書

別紙様式5

精神科複数回訪問加算・精神科重症患者支援管理連携加算に係る届出書（届出・変更・取消し）

連絡先　担当者氏名（　　　　　　　　　　）電話番号：（　　　　　　）

受理番号	（訪看27，28　　　　）　　号

受付年月日	年　　月　　日	決定年月日	年　　月　　日

（届出事項）
1．精神科複数回訪問加算　　　　2．精神科重症患者支援管理連携加算

上記のとおり届け出ます。

年　　月　　日

指定訪問看護事業者
の所在地及び名称

代表者の氏名

地方厚生（支）局長 殿

ステーションコード	

指定訪問看護ステーションの
所在地及び名称

管理者の氏名

1．精神科訪問看護基本療養費に係る届出内容

○届出状況　　本届出時に提出　・　既届出：受理番号（　　　　　　）

2．24時間対応体制加算に係る届出内容

○届出状況　　有　（　本届出時に提出　・　既届出：受理番号（　　　　　　））
　　　　　　　無

※ 精神科複数回訪問加算を届け出る場合は，24時間対応体制加算を届け出ている必要がある。

備考：24時間対応体制加算を届け出ていない場合であって，精神科重症患者支援管理連携加算を届け出る場合は，連携する保険医療機関が24時間の往診又は精神科訪問看護・指導を行うことができる体制であることが確認できる文書を添付すること。

◎機能強化型訪問看護管理療養費に係る届出書

別紙様式６

機能強化型訪問看護管理療養費に係る届出書（届出・変更・取消し）

連絡先　担当者氏名：（　　　　　　　　　　）電話番号：（　　　　　　）

受理番号	（訪看29，30，31）　　　　号

受付年月日	年　　月　　日	決定年月日	年　　月　　日

（届出事項）
1．機能強化型訪問看護管理療養費１　　2．機能強化型訪問看護管理療養費２
3．機能強化型訪問看護管理療養費３

上記のとおり届け出ます。

年　　月　　日

指定訪問看護事業者
の所在地及び名称

代表者の氏名

地方厚生（支）局長 殿

ステーションコード	

指定訪問看護ステーションの
所在地及び名称

管理者の氏名

従たる事業所の所在地（複数ある場合は全てを記載）

同一敷地内に設置されている指定居宅介護支援事業所，
特定相談支援事業所又は障害児相談支援事業所の
所在地及び名称（機能強化型１・２）

管理者の氏名

同一敷地内に設置されている療養通所介護事業所，
児童発達支援事業所又は放課後等デイサービス事業所の
所在地及び名称（機能強化型１・２）

管理者の氏名

同一開設者で同一敷地内に設置されている保険医療機関の
所在地及び名称（機能強化型３）

◎機能強化型訪問看護管理療養費に係る届出書

1．看護職員数（機能強化型1・2・3）

	実人数	常勤換算後の員数
常勤看護職員（人）		／
うち，出張所の員数		／
非常勤看護職員（人）		
うち，出張所の員数		

※常勤とは，当該訪問看護ステーションにおける勤務時間が，当該訪問看護ステーションにおいて定められている常勤の従業者が勤務すべき時間数（週当たり32時間を下回る場合は32時間を基本とする）に達していることをいう。

※非常勤看護職員については，実人数に加えて，常勤換算後の員数（当該訪問看護ステーションにおける勤務延時間数を，当該訪問看護ステーションにおいて定められている常勤の従業者が勤務すべき時間数で除して得た数）を記載すること。

（機能強化型1・2のみ）

人員基準で求める常勤看護職員数（機能強化型1では7人，機能強化型2では5人）への非常勤看護職員の算入の有無	有　・　無

※非常勤看護職員は，常勤換算した1人分を常勤看護職員数に算入することが可能。

常勤看護職員の氏名・職種・免許証番号

氏　名	職　種	免許証番号	専門の研修の受講
			□
			□
			□
			□
			□
			□
			□
			□

※療養通所介護事業所，児童発達支援事業所又は放課後等デイサービス事業所の常勤職員については，当該事業所名を「職種」欄に併せて記載すること。

上記以外で専門の研修を受けた看護師

氏　名	氏　名

2．看護職員の割合（機能強化型1・2・3）

看護職員の員数（①）	理学療法士等の員数（②）	看護職員の割合（①／（①+②）× 100）
人	人	%

※当該訪問看護ステーションにおける職員について，常勤換算した保健師・助産師・看護師・准看護師の員数を①に，常勤換算した理学療法士・作業療法士・言語聴覚士の員数を②に記載した上で，割合を算出すること。

◎機能強化型訪問看護管理療養費に係る届出書

3．24時間対応体制の整備（機能強化型1・2・3）

24時間対応体制加算の届出状況	本届出時	・	既届出：受理番号（　　　　　）

4．ターミナルケアの実施状況（機能強化型1・2）

前年度（_______年度）のターミナルケアの実施件数　（_______件／年度）

月	A	B	C	D	月	A	B	C	D
4月					10月				
5月					11月				
6月					12月				
7月					1月				
8月					2月				
9月					3月				

※各月について，以下のA～Dの件数をそれぞれ記載する。A～Dの複数に該当する利用者にあっては，最も該当する1項目に計上すること。

A　訪問看護ターミナルケア療養費を算定した利用者
B　ターミナルケア加算を算定した利用者
C　共同で訪問看護を行った保険医療機関が在宅がん医療総合診療料を算定した利用者
D　7日以内の入院を経て連携する医療機関で死亡した利用者

5．15歳未満の超重症児及び準超重症児の受入れ状況（機能強化型1・2）

直近3ヶ月間の月別15歳未満の超重症児及び準超重症児の受入れ人数

年　月	超重症児	準超重症児	合計（人）
年　　月			
年　　月			
年　　月			

6．特掲診療料等の施設基準等の別表7・別表8に該当する利用者等の状況（機能強化型1・2・3）

【機能強化型1・2】

1月当たりの別表7に該当する利用者数（_____人／月）※②の再掲

①	直近1年間における，別表7に該当する利用者数の合計	人
②	1月当たりの別表7に該当する利用者数（①／12）	人

直近1ヶ月間における別表7に該当する利用者の疾患名又は状態

1		6	
2		7	
3		8	
4		9	

◎機能強化型訪問看護管理療養費に係る届出書

5		10	

【機能強化型3】
（1）又は（2）のいずれかを記載すること。
（イ）～（ニ）の複数に該当する利用者にあっては，最も該当する1項目に計上すること。
（イ）別表7に該当する利用者
（ロ）別表8に該当する利用者
（ハ）精神科重症患者支援管理連携加算を算定する利用者
（ニ）複数の訪問看護ステーションで共同して訪問看護を提供する利用者

（1）1月当たりの（イ），（ロ），（ハ）に該当する利用者数　　合計（＿＿＿人／月）※②の再掲

	直近1年間における，該当利用者数の合計（①）	1月当たりの該当利用者（①／12）
（イ）	人	人
（ロ）	人	人
（ハ）	人	人
合計	人	人（②）

（2）1月当たりの（ニ）に該当する利用者数　　合計（＿＿＿人／月）※②の再掲

	直近1年間における，該当利用者数の合計（①）	1月当たりの該当利用者（①／12）
（ニ）	人	人（②）

直近1ヶ月間における別表7に該当する利用者の疾患名又は状態

1		6	
2		7	
3		8	
4		9	
5		10	

※（1）で別表7に該当する利用者を計上した場合に記載する。

直近1ヶ月間における別表8に該当する利用者の状態

1		6	
2		7	
3		8	
4		9	
5		10	

※（1）で別表8に該当する利用者を計上した場合に記載する。

◎機能強化型訪問看護管理療養費に係る届出書

7．介護サービス計画，サービス等利用計画等の作成状況（機能強化型1・2）
（1）又は（2）のいずれかを記載すること。
利用者数には医療保険及び介護保険による利用者を含めること。

（1）居宅介護支援事業所における介護サービス計画，介護予防サービス計画の作成状況

①	直近1年間における当該訪問看護ステーションを利用した利用者のうちの，要介護・要支援者数	人
②	上記①のうち，同一敷地内に設置された居宅介護支援事業所により介護サービス計画又は介護予防サービス計画が作成された利用者数	人
③	当該居宅介護支援事業所による居宅サービス計画・介護予防サービス計画の作成割合（②／①×100）	%

（2）特定相談支援事業所におけるサービス等利用計画又は障害児相談支援事業所における障害児利用支援計画の作成状況

①	直近1年間における当該訪問看護ステーションを利用した利用者のうちの，障害福祉サービスや障害児支援を利用している者の数	人
②	上記①のうち，同一敷地内に設置された特定相談支援事業所又は障害児相談支援事業所によりサービス等利用計画又は障害児利用支援計画が作成された利用者数	人
③	当該特定相談支援事業所又は障害児相談支援事業所によるサービス等利用計画又は障害児支援利用計画の作成割合（②／①×100）	%

8．情報提供や研修等の実績（直近1年）
機能強化型1及び2は（1）及び（3）を，機能強化型3は（2）及び（3）を記載すること。

（1）人材育成のための研修等（機能強化型1・2）

期　間	対象及び人数	研修名等
例．●年●月●日～●年●月●日	●●大学　●年生●名	地域・在宅看護論実習

（2）地域の保険医療機関や訪問看護ステーションを対象とした研修（機能強化型3）

期　間	対象及び人数	研修名等
例．▲年▲月▲日	▲▲病院　看護職員▲名	退院支援，訪問看護研修

（3）地域の訪問看護ステーション又は住民等に対する情報提供・相談対応（機能強化型1・2・3）
（機能強化型1・2においては地域の保険医療機関に対する情報提供・相談対応を含む）

期　間	対象及び人数	研修名等
例．◆年◆月◆日	◆◆市◆◆地区　住民◆名	在宅での療養生活講座

◎機能強化型訪問看護管理療養費に係る届出書

9．地域の保険医療機関の看護職員の勤務実績（直近１年）（機能強化型３）

期　間	勤務者氏名	保険医療機関名（①）

10．9．の保険医療機関（①）以外の保険医療機関と共同して実施し，算定した退院時共同指導加算の件数（直近３月）（機能強化型３）

年　月	件　数
年　　月	件
年　　月	件
年　　月	件

11．同一敷地内に訪問看護ステーションと同一開設者の保険医療機関が設置されている場合，当該保険医療機関以外の医師を主治医とする利用者数の割合（直近３月）（機能強化型３）

同一敷地内における同一開設者の保険医療機関の設置　（　有　・　無　）

直近３ヶ月間における割合（①／②× 100）　（________%）

年　月	同一敷地内・同一開設者の医療機関以外の医師を主治医とする利用者数	１月当たりの訪問看護ステーションの利用者数
年　　月	人	人
年　　月	人	人
年　　月	人	人
３ヶ月間の合計	人（①）	人（②）

※同一敷地内における同一開設者の保険医療機関の設置がない場合は，利用者数等の記入は必要ない。
利用者数には医療保険及び介護保険による利用者を含める。

12．専門の研修を受けた看護師の配置（機能強化型１・２・３）

専門の研修を受けた看護師の人数	人
	（機能強化型１のみ記入） 専門看護師（　　　）人　認定看護師（　　　）人　特定行為研修修了看護師（　　　）人

備考：機能強化型訪問看護管理療養費１，２又は３において，それぞれの届出基準に該当する箇所に必要事項を記入すること。

：常勤看護職員の氏名・職種・免許証番号，特掲診療料の施設基準等の別表７及び別表８に該当する利用者の疾患名又は状態，情報提供や研修等の実績，地域の保険医療機関の看護職員の勤務実績については，記入欄を適宜追加し，全て記入すること。

：「12」について，専門の研修を修了していることが確認できる文書（当該研修の名称，実施主体，修了日及び氏名等を記載した一覧でも可）を添付すること。

：「12」について，令和６年３月31日において，現に機能強化型訪問看護管理療養費１に係る届出を行っている訪問看護ステーションについては，令和８年５月31日までの間に限り，専門の研修を受けた看護師の配置に係る基準に該当するものとみなす。

◎専門管理加算に係る届出書

別紙様式7

専門管理加算に係る届出書（届出・変更・取消し）

連絡先　担当者氏名：(　　　　　　　　　　)　電話番号：(　　　　　　)

受理番号	(訪看32)　　　　　　　号

受付年月日	年　　月　　日

決定年月日	年　　月　　日

（届出事項）　1．緩和ケア　2．褥瘡ケア　3．人工肛門ケア及び人工膀胱ケア
4．特定行為

上記のとおり届け出ます。

年　　月　　日

指定訪問看護事業者
の所在地及び名称

代表者の氏名

地方厚生（支）局長 殿

届出内容

ステーションコード	

指定訪問看護ステーションの
所在地及び名称

管理者の氏名

1 緩和ケアに関する専門研修

氏名	氏名

2 褥瘡ケアに関する専門研修

氏名	氏名

3 人工肛門ケア及び人工膀胱ケアに関する専門研修

氏名	氏名

4 特定行為研修

氏名	氏名

備考：1，2，3又は4の専門の研修を修了したことが確認できる文書（当該研修の名称，実施主体，修了日及び修了者の氏名等を記載した一覧でも可）を添付すること。

◎遠隔死亡診断補助加算に係る届出書

別紙様式 8

遠隔死亡診断補助加算に係る届出書（届出・変更・取消し）

連絡先　担当者氏名：(　　　　　　　　　　　)　電話番号：(　　　　　　　)

受理番号	（訪看 33）　　　　　号

受付年月日	年　月　日	決定年月日	年　月　日

（届出事項）　　遠隔死亡診断補助加算に係る届出

上記のとおり届け出ます。

年　月　日

指定訪問看護事業者
の所在地及び名称

代表者の氏名

地方厚生（支）局長 殿

届出内容

ステーションコード	

指定訪問看護ステーションの
所在地及び名称

管理者の氏名

情報通信機器を用いた在宅での看取りに係る研修を受けた看護師

氏名	氏名

備考：研修を修了したことが確認できる文書（当該研修の名称，実施主体，修了日及び修了者の氏名等を記載した一覧でも可）を添付すること。

◎訪問看護医療DX情報活用加算に係る届出書

別紙様式10

訪問看護医療DX情報活用加算に係る届出書（届出・変更・取消し）

連絡先　担当者氏名：(　　　　　　　　　　　)　電話番号：(　　　　　　　)

受理番号	(訪看34)　　　　　　号

受付年月日	年　　月　　日	決定年月日	年　　月　　日

(届出事項)	訪問看護医療DX情報活用加算に係る届出

上記のとおり届け出ます。

年　　月　　日

指定訪問看護事業者
の所在地及び名称

代表者の氏名

地方厚生（支）局長 殿

届出内容

ステーションコード	

指定訪問看護ステーションの
所在地及び名称

管理者の氏名

(□には，適合する場合「✓」を記入すること)

施設基準		
1	訪問看護療養費及び公費負担医療に関する費用の請求に関する命令第１条に規定する電子情報処理組織の使用による請求を実施している	□
2	健康保険法第３条第13項に規定する電子資格確認を行う体制が整備されてれている	□
3	医療DX推進の体制に関する事項及び情報の取得・活用等についてのウェブサイトへの掲載を行っている	□

備考：「1」は訪問看護療養費及び公費負担医療に関する費用をオンライン請求している場合に該当するものであること。

：「2」は居宅同意取得型のオンライン資格確認等システムによるオンライン資格確認を行う体制を有している場合に該当するものであること。

：「3」のウェブサイトへの掲載について，令和７年５月31日までは，訪問看護ステーションの見やすい場所に掲示されていれば，適合しているものとみなす。

：「3」のウェブサイトへの掲載について，自ら管理するホームページ等を有しない場合については，この限りではない。

◎訪問看護管理療養費に係る届出書

別紙様式9

訪問看護管理療養費に係る届出書（届出・変更・取消し）

連絡先　担当者氏名：(　　　　　　　　　　)　電話番号：(　　　　　　　)

受理番号	(訪看40，41)　　　　　号

受付年月日	年　　月　　日	決定年月日	年　　月　　日

（届出事項）　1. 訪問看護管理療養費1　　2 - 1. 訪問看護管理療養費2
2 - 2. 訪問看護管理療養費2（新規開設の場合）

上記のとおり届け出ます。
年　　月　　日
指定訪問看護事業者
の所在地及び名称

代表者の氏名

地方厚生（支）局長 殿

届出内容

ステーションコード	

指定訪問看護ステーションの
所在地及び名称

管理者の氏名

※　届出事項が「2 -2.訪問看護管理療養費2（新規開設の場合)」の場合は，以下の1から3までの記入は不要。

1. 同建物居住所の割合

直近1年間（＿月～＿月）の同一建物居住者が占める割合（＿＿＿＿％／年）※③再掲

①	直近1年間における，実利用者数の合計	人
②	直近1年間における，同一建物居住者に該当する実利用者数の合計	人
③	実利用者に占める同一建物居住者の割合（②／①× 100)	%

備考：「同一建物居住者」は，訪問看護基本療養費（Ⅱ）又は精神科訪問看護基本療養費（Ⅲ）を算定した利用者の実人数を計上すること。
：健康保険法に基づく指定を受けてから1年に満たない場合は，1か月以上の開設期間のうち，開設期間の実利用者数を記載すること。
：訪問看護基本療養費（Ⅱ）又は精神科訪問看護基本療養費（Ⅲ）の算定状況は，照会に対し速やかに回答できるように訪問看護ステーションで記録等し，保管すること。

◎訪問看護管理療養費に係る届出書

2.　特掲診療料等の施設基準等の別表第7・別表第8に該当する利用者数

1月当たりの別表第7・別表第8に該当する利用者数（＿＿＿＿人／月）※④の再掲

①	直近1年間における，別表第7に該当する利用者数の合計	人
②	直近1年間における，別表第8に該当する利用者数の合計	人
③	直近1年間における，別表第7及び別表第8に該当する利用者数の合計	人
④	1月当たりの別表第7・別表第8に該当する利用者数（(①+②−③）／12)	人

備考：健康保険法に基づく指定を受けてから1年に満たない場合は，1か月以上の開設期間のうち，開設期間の利用者数の合計を開設期間の月数で除した値をもって利用者数とすること。

：別表第7・別表第8に該当する利用者数は，照会に対し速やかに回答できるように，訪問看護ステーションで当該利用者の疾病名又は状態をまとめ，保管すること。

3.　GAF尺度による判定が40以下の利用者数

1月当たりのGAF尺度が40以下の利用者数（＿＿＿＿人／月）※②の再掲

①	直近1年間における，GAF尺度が40以下の利用者数の合計	人
②	1月当たりのGAF尺度が40以下の利用者数（①／12)	人

備考：健康保険法に基づく指定を受けてから1年に満たない場合は，1か月以上の開設期間のうち，開設期間の利用者数の合計を開設期間の月数で除した値をもって利用者数とすること。

：GAF尺度による判定が40以下の利用者数は，照会に対し速やかに回答できるように，訪問看護ステーションで当該利用者の各月のGAF尺度記録等し，保険すること。

備考：訪問看護管理療養費1又は2のいずれにおいても，1から3まで記入すること。

◎訪問看護ベースアップ評価料（Ⅰ）の施設基準に係る届出書

別紙様式11

受理番号	(訪べⅠ1)　　　　　号

受付年月日	年　　月　　日	決定年月日	年　　月　　日

訪問看護ベースアップ評価料（Ⅰ）の施設基準に係る届出書添付書類

1　訪問看護ステーションコード（7桁）　＿＿＿＿＿＿＿＿
　訪問看護ステーション名　＿＿＿＿＿＿＿＿

2　届出を行う評価料

□　訪問看護ベースアップ評価料（Ⅰ）

3　対象職員（常勤換算）数

＿＿＿＿＿＿＿＿人

※対象職員とは，主として医療に従事する職員（専ら管理者の業務に従事する者及び事務職員を除く。）をいう。
※0以上の数であること。

【記載上の注意】

1　訪問看護ベースアップ評価料（Ⅰ）の届出を行う場合は，別添1「賃金改善計画書」を添付すること。
2　「3」については，届出時点における対象職員の人数を常勤換算で記載すること。常勤の職員の常勤換算数は1とする。常勤でない職員の常勤換算数は，「当該常勤でない職員の所定労働時間」を「当該訪問看護ステーションにおいて定めている常勤職員の所定労働時間」で除して得た数（当該常勤でない職員の常勤換算数が1を超える場合は，1）とする。

◎訪問看護ベースアップ評価料（Ⅱ）の施設基準に係る届出書

別紙様式11

受理番号	（訪ベⅡ　）　　　　号

受付年月日	年　　月　　日	決定年月日	年　　月　　日

訪問看護ベースアップ評価料（Ⅱ）の施設基準に係る届出書添付書類
（新規・3，6，9，12月の区分変更）

1　訪問看護ステーションコード（7桁）　＿＿＿＿＿＿＿＿
　訪問看護ステーション名　＿＿＿＿＿＿＿＿

2　届出を行う評価料

□　訪問看護ベースアップ評価料（Ⅱ）

3　該当する届出

算出を行う月（届出基準別表3を参照）

□　新規
□　区分変更
［○3月　○6月　○9月　○12月］

※　新規の場合，届出月以前で最も近い月をチェックすること。
※　例えば令和6年6月より算定を開始する場合，令和6年3月に算出を行う。

4　対象職員（常勤換算）数

＿＿＿＿＿＿＿＿人

※　原則2.0人以上であるが，以下の項目に該当する場合はその限りではない。
対象職員（常勤換算）数が2.0人未満の場合，特定地域に所在する訪問看護ステーションに該当するか。

5　社会保険診療等に係る収入金額（※）の合計額が，総収入の80／100を超えること。
※　【記載上の注意】4を参照

6　対象職員の給与総額，訪問看護ベースアップ評価料（Ⅰ）により算定される点数の見込み，訪問看護ベースアップ評価料（Ⅱ）の区分の上限を算出する値（【A】）
（1）算出の際に用いる「対象職員の給与総額」等の期間
①算出の際に用いる「対象職員の給与総額」の対象となる期間（上記「3」の入力に連動）
□ 前年3月～2月　□ 前年6月～5月　□ 前年9月～8月　□ 前年12月～11月

②算出の際に用いる訪問看護ベースアップ評価料（Ⅰ）・医療保険の利用者割合の対象となる期間
【算出の際に用いる「訪問看護ベースアップ評価料（Ⅰ）の対象期間】（上記「3」の入力に連動）
□ 前年12月～2月　□ 3月～5月　□ 6月～8月　□ 9月～11月

◎訪問看護ベースアップ評価料（Ⅱ）の施設基準に係る届出書

（2）対象職員の給与総額

給与対象月	対象職員の給与総額
2023年3月	
2023年4月	
2023年5月	
2023年6月	
2023年7月	
2023年8月	

給与対象月	対象職員の給与総額
2023年9月	
2023年10月	
2023年11月	
2023年12月	
2024年1月	
2024年2月	

1月当たり給与総額＿＿＿＿＿＿円　（前回届出時＿＿＿＿＿＿円）

※　給与対象月は6（1）①の期間を記載すること。

※　「対象職員の給与総額」については，賞与や法定福利費等の事業主負担分を含めた金額を計上すること。（ただし，役員報酬については除く。）また，本評価料による賃金引上げ分については，含めないこと。

※　新規届出時は前回届出時欄への記載は不要。

（3）訪問看護ベースアップ評価料（Ⅰ）の算定回数・金額の見込み

①訪問看護管理療養費（月の初日の訪問の場合）の算定回数（実績）

算定月	訪問看護管理療養費 （月の初日の訪問の場合）
2023年12月	
2024年1月	
2024年2月	

▼

1月当たり算定回数＿＿＿＿＿＿回　（前回届出時＿＿＿＿＿＿回）

※　算出対象となる期間（算定月）は6（1）②の期間を記載すること。各月に算定した訪問看護管理療養費（月の初日の訪問の場合）の算定回数を記載すること。

※　自費の訪問看護のみの利用者については，計上しないこと。公費負担医療や労災保険制度等，指定訪問看護の費用額算定表に従って訪問看護療養費が算定される利用者については，計上すること。

※　新規届出時は前回届出時欄への記載は不要。

②算定される金額の見込み

訪問看護ベースアップ評価料（Ⅰ）の算定回数見込み

＿＿＿＿＿＿回（前回届出時＿＿＿＿＿＿回）

訪問看護ベースアップ評価料（Ⅰ）の算定により算定される金額の見込み

＿＿＿＿＿＿円（前回届出時＿＿＿＿＿＿円）

（4）医療保険の利用者割合（対象期間の1月当たりの平均）

算定月	医療保険の実利用者数	介護保険の実利用者数
2023年12月		
2024年1月		
2024年2月		
1月当たりの利用者数		

▼

医療保険の利用者割合＿＿＿＿＿＿　（前回届出時＿＿＿＿＿＿）

※　算出対象となる期間（算定月）は6（1）②の期間を記載すること。

※　同一月に医療保険と介護保険の両者から訪問看護を受けた利用者は，医療保険の利用者として集計すること。

資料

◎訪問看護ベースアップ評価料（Ⅱ）の施設基準に係る届出書

（5）訪問看護ベースアップ評価料（Ⅰ）により行われる給与の改善率

＿＿＿＿＿＿＿＿　（前回届出時＿＿＿＿＿＿＿＿）

（6）【A】の値

＿＿＿＿＿＿＿＿　（前回届出時＿＿＿＿＿＿＿＿）

$$【A】 = \frac{\text{対象職員の給与総額×医療保険の利用者割合×１分２厘 − 訪問看護ベースアップ評価料（Ⅰ）}}{\text{訪問看護ベースアップ評価料（Ⅱ）の算定回数見込み}}$$

7 前回届け出た時点との比較

前回届出時と比較して，

- □　対象職員の給与総額（6（2））の変化は１割以内である。
- □　訪問看護ベースアップ評価料（Ⅰ）により算定される金額の見込み（6（3））の変化は１割以内である。
- □　訪問看護ベースアップ評価料（Ⅱ）の算定回数の見込み（6（3））の変化は１割以内である。
- □　【A】の値（6（5））の変化は１割以内である。

※　上記全てに該当する場合，区分変更は不要。

8 6により算出した【A】に基づき，該当する区分

（1）　算定が可能となる区分

＿＿＿＿＿＿＿＿＿＿＿＿

（2）　届出する区分（いずれかを選択）

○	届出なし
○	訪問看護ベースアップ評価料（Ⅱ）1
○	訪問看護ベースアップ評価料（Ⅱ）2
○	訪問看護ベースアップ評価料（Ⅱ）3
○	訪問看護ベースアップ評価料（Ⅱ）4
○	訪問看護ベースアップ評価料（Ⅱ）5
○	訪問看護ベースアップ評価料（Ⅱ）6
○	訪問看護ベースアップ評価料（Ⅱ）7
○	訪問看護ベースアップ評価料（Ⅱ）8
○	訪問看護ベースアップ評価料（Ⅱ）9
○	訪問看護ベースアップ評価料（Ⅱ）10
○	訪問看護ベースアップ評価料（Ⅱ）11
○	訪問看護ベースアップ評価料（Ⅱ）12
○	訪問看護ベースアップ評価料（Ⅱ）13
○	訪問看護ベースアップ評価料（Ⅱ）14
○	訪問看護ベースアップ評価料（Ⅱ）15
○	訪問看護ベースアップ評価料（Ⅱ）16
○	訪問看護ベースアップ評価料（Ⅱ）17
○	訪問看護ベースアップ評価料（Ⅱ）18

◎訪問看護ベースアップ評価料(Ⅱ)の施設基準に係る届出書

【記載上の注意】
1　訪問看護ベースアップ評価料（Ⅱ）の届出を行う場合は，別添2「賃金改善計画書」を添付すること。
2　「4」については，届出時点における対象職員の人数を常勤換算で記載すること。
　常勤の職員の常勤換算数は1とする。常勤でない職員の常勤換算数は，「当該常勤でない職員の所定労働時間」を「当該訪問看護ステーションにおいて定めている常勤職員の所定労働時間」で除して得た数（当該常勤でない職員の常勤換算数が1を超える場合は，1）とする。
3　「4」の特定地域とは，「基本診療料の施設基準等」別表第六の二に掲げる地域を指すこと。
4　「5」の「社会保険診療等に係る収入金額」については，社会保険診療報酬のほか，労災保険制度等の収入が含まれる。
　詳細は，「訪問看護ステーションの基準に係る届出に関する手続きの取扱いについて」（令和6年3月5日保医発0305第7号）の別添届出基準の11 訪問看護ベースアップ評価料を参照すること。
5　「6(2)」の「対象職員の給与総額」については，賞与や法定福利費等の事業主負担分を含めた金額を計上すること（ただし，役員報酬については除く。）。
　また，本評価料による賃金引上げ分については，含めないこと。
6　「7」のいずれにも該当する場合は，区分の変更を行わないものとする。

◎賃金引き上げ計画書作成のための計算シート

参考

賃金引き上げ計画書作成のための計算シート
（訪問看護ベースアップ評価料（Ⅱ）を算定しない訪問看護ステーション向け）

1　訪問看護ステーションコード（7桁）＿＿＿＿＿＿＿＿＿＿
　 訪問看護ステーション名＿＿＿＿＿＿＿＿＿＿

2　該当する届出

算出を行う月

□　新規
□　区分変更

〔○3月　○6月　○9月　○12月〕

※　新規の場合，届出月以前で最も近い月をチェックすること。

3　対象職員の給与総額，訪問看護ベースアップ評価料（Ⅰ）により算定される点数の見込み，【A】の値

（1）算出の際に用いる「対象職員の給与総額」等の期間

①算出の際に用いる「対象職員の給与総額」の対象となる期間

□ 前年３月～２月　□ 前年６月～５月　□ 前年９月～８月　□ 前年12月～11月

②算出の際に用いる訪問看護ベースアップ評価料（Ⅰ）・医療保険の利用者割合の対象となる期間

□ 前年12月～２月　□ ３月～５月　□ ６月～８月　□ ９月～11月

（2）対象職員の給与総額

給与対象月	対象職員の給与総額
2023年3月	
2023年4月	
2023年5月	
2023年6月	
2023年7月	
2023年8月	

給与対象月	対象職員の給与総額
2023年9月	
2023年10月	
2023年11月	
2023年12月	
2024年1月	
2024年2月	

1月当たり給与総額＿＿＿＿＿＿＿＿＿＿円　（前回届出時＿＿＿＿＿＿＿＿円）

※　給与対象月は３(1)①の期間を記載すること。

※　「対象職員の給与総額」については，賞与や法定福利費等の事業主負担分を含めた金額を計上すること。（ただし，役員報酬については除く。）また，本評価料による賃金引上げ分については，含めないこと。

※　新規届出時は前回届出時欄への記載は不要。

◎賃金引き上げ計画書作成のための計算シート

（3）訪問看護ベースアップ評価料（Ⅰ）の算定回数・金額の見込み

①訪問看護管理療養費（月の初日の訪問の場合）の算定回数

算定月	訪問看護管理療養費（月の初日の訪問の場合）
2023年12月	
2024年1月	
2024年2月	

▼

1月当たり算定回数＿＿＿＿回　（前回届出時＿＿＿＿円）

※　算出対象となる期間（算定月）は3（1）②の期間を記載すること。各月に算定した訪問看護管理療養費（月の初日の訪問の場合）の算定回数を記載すること。

※　自費の訪問看護のみの利用者については，計上しないこと。公費負担医療や労災保険制度等，指定訪問看護の費用額算定表に従って訪問看護療養費が算定される利用者については，計上すること。

※　新規届出時は前回届出時欄への記載は不要。

②算定される金額の見込み

訪問看護ベースアップ評価料（Ⅰ）の算定回数見込み

＿＿＿＿回（前回届出時＿＿＿＿回）

訪問看護ベースアップ評価料（Ⅰ）の算定により算定される金額の見込み

＿＿＿＿円（前回届出時＿＿＿＿円）

（4）医療保険の利用者割合（対象期間の1月当たりの平均）

算定月	医療保険の実利用者数	介護保険の実利用者数
2023年12月		
2024年1月		
2024年2月		
1月当たりの利用者数		

▼

医療保険の利用者割合＿＿＿＿　（前回届出時＿＿＿＿）

※　算出対象となる期間（算定月）は3(1)②の期間を記載すること。

※　同一月に医療保険と介護保険の両者から訪問看護を受けた利用者は，医療保険の利用者として集計すること。

（5）訪問看護ベースアップ評価料（Ⅰ）により行われる給与の改善率

＿＿＿＿　（前回届出時＿＿＿＿）

【記載上の注意】

1　「3(2)」の「対象職員の給与総額」については，賞与や法定福利費等の事業主負担分を含めた金額を計上すること（ただし，役員報酬については除く。）。

　また，本評価料による賃金引上げ分については，含めないこと。

資料

◎(訪問看護ステーション)賃金改善計画書

別添1

(訪問看護ステーション)賃金改善計画書(令和　年度分)

訪問看護ステーションコード(7桁)	
訪問看護ステーション名	

Ⅰ．賃金引上げの実施方法及び賃金改善実施期間等

①賃金引上げの実施方法

○	令和6年度又は令和7年度において，一律の引上げを行う。
○	令和6年度及び令和7年度において，段階的な引上げを行う。

②賃金改善実施期間

令和　　年　　月　〜　令和　　年　　月		ヶ月

※　令和7年度の賃金改善期間の終期については，令和8年3月を原則とするが，令和8年4月及び5月についても，ベースアップ評価料を算定し，賃金引き上げを維持することを前提とすること。

③ベースアップ評価料算定期間

令和　　年　　月　〜　令和　　年　　月		ヶ月

※　「③ベースアップ評価料算定期間」中は，常にベースアップを実施する必要がある。

※　ベースアップとは，基本給又は決まって毎月支払われる手当の引上げ(以下，「ベア等」という)をいい，定期昇給は含まない。

※　また，ベア等にはベア等を実施することにより連動して引き上がる賞与や時間外手当，法定福利費等の事業主負担の増額分についても含むこととする。なお，業績に連動して引き上がる賞与分については含まない。

Ⅱ．訪問看護ベースアップ評価料(Ⅱ)の届出有無　□ 有

※　訪問看護ベースアップ評価料(Ⅱ)を届け出ない場合は，以下④の「訪問看護ベースアップ評価料(Ⅰ)による算定金額の見込み」及び「訪問看護ベースアップ評価料(Ⅰ)の算定により算定される点数の見込み」は「(参考)賃金引き上げ計画書作成のための計算シート(訪問看護ベースアップ評価料(Ⅱ)を算定しない訪問看護ステーション向け)」により計算を行うこと

Ⅲ－1．ベースアップ評価料による算定金額の見込み

④算定金額の見込み	円
訪問看護ベースアップ評価料(Ⅰ)による算定金額の見込み	円
訪問看護ベースアップ評価料(Ⅱ)による算定金額の見込み	円
訪問看護ベースアップ評価料(Ⅱ)の区分及び点数(届出なし)	円
訪問看護ベースアップ評価料(Ⅱ)の算定回数の見込み	回
⑤令和7年度への繰越予定額(令和6年度届出時のみ記載)	円
⑥前年度からの繰越額(令和7年度届出時のみ記載)	円
⑦算定金額の見込み(繰越額調整後)(④－⑤＋⑥)	円

※　「⑦算定金額の見込み」については，対象職員のベア等及びそれに伴う賞与，時間外手当，法定福利費(事業者負担分等を含む)等の増加分に充て，下記の「⑨うち，ベースアップ評価料による算定金額の見込み」と同額となること。

◎（訪問看護ステーション）賃金改善計画書

Ⅲ－２．全体の賃金改善の見込み額

⑧全体の賃金改善の見込み額		円
	⑨うち，ベースアップ評価料による算定金額の見込み（⑦の再掲）	円
	⑩うち，⑨以外によるベア等実施分	円
	⑪うち，定期昇給相当分	円
	⑫うち，その他分（⑧－⑨－⑩－⑪）	円

※ 「⑧全体の賃金改善の見込み額」については，賃金改善実施期間において，「賃金の改善措置が実施されなかった場合の給与総額」と，「賃金の改善措置が実施された場合の給与総額」との差分により判断すること。

※ 「⑨うち，ベースアップ評価料による算定金額の見込み」については，対象職員のベア等及びそれに伴う賞与，時間外手当，法定福利費（事業者負担分等を含む）等の増加分に充てること。

※ 「⑩うち，⑨以外によるベア等実施分」については，訪問看護ステーションにおける経営上の余剰等を届け出ることにより，当該年度においてベア等を実施した分を記載すること。

※ 「⑪うち，定期昇給相当分」については，賃金改善実施期間において定期昇給により改善する賃金額を記載すること。

なお，定期昇給とは，毎年一定の時期を定めて，組織内の昇給制度に従って行われる昇給のことをいい，ベア等実施分と明確に区別できる場合にのみ記載すること。

※ 「⑫うち，その他分」については，賃金改善実施期間において，定期昇給やベア等によらない，一時金による賃金改善額となること。

以下，基本給等総額，給与総額についてはそれぞれ１ヶ月当たりの額を記載してください。

Ⅳ．対象職員（全体）の基本給等（基本給又は決まって毎月支払われる手当）に係る事項

⑬対象職員の常勤換算数（賃金改善実施期間（②）の開始月時点）		人
医療保険の利用者割合		%
賃金改善する前の対象職員の基本給等総額（賃金改善実施期間（②）の開始月）		円
	⑭賃金改善する前の医療保険の利用者割合を乗じた対象職員の基本給等総額	円
賃金改善した後の対象職員の基本給等総額（賃金改善実施期間（②）の開始月）		円
	⑮賃金改善した後の医療保険の利用者割合を乗じた対象職員の基本給等総額	円
⑯⑭に対する基本給等に係る賃金改善の見込み額（１ヶ月分）（⑮－⑭）		円
	⑰うち，定期昇給相当分	円
	⑱うち，ベア等実施分	円
	⑲ベア等による賃金増率（⑱÷⑭）	%

Ⅴ．看護職員等（保健師，助産師，看護師及び准看護師）の基本給等に係る事項

⑳看護職員等の常勤換算数（賃金改善実施期間（②）の開始月時点）		人
医療保険の利用者割合		%
賃金改善する前の対象職員の基本給等総額（賃金改善実施期間（②）の開始月）		円
	㉑賃金改善する前の医療保険の利用者割合を乗じた対象職員の基本給等総額	円
賃金改善した後の対象職員の基本給等総額（賃金改善実施期間（②）の開始月）		円
	㉒賃金改善した後の医療保険の利用者割合を乗じた対象職員の基本給等総額	円
㉓㉑に対する基本給等に係る賃金改善の見込み額（１ヶ月分）（㉒－㉑）		円
	㉔うち，定期昇給相当分	円
	㉕うち，ベア等実施分	円
	㉖ベア等による賃金増率（㉕÷㉑）	%

資料

◎（訪問看護ステーション）賃金改善計画書

Ⅵ．理学療法士・作業療法士・言語聴覚士の基本給等に係る事項

㉗PT・OT・STの常勤換算数（賃金改善実施期間（②）の開始月時点）		人
医療保険の利用者割合		%
賃金改善する前の対象職員の基本給等総額（賃金改善実施期間（②）の開始月）		円
	㉘賃金改善する前の医療保険の利用者割合を乗じた対象職員の基本給等総額	円
賃金改善した後の対象職員の基本給等総額（賃金改善実施期間（②）の開始月）		円
	㉙賃金改善した後の医療保険の利用者割合を乗じた対象職員の基本給等総額	円
㉚㉘に対する基本給等に係る賃金改善の見込み額（1ヶ月分）（㉙−㉘）		円
	㉛うち，定期昇給相当分	円
	㉜うち，ベア等実施分	円
	㉝ベア等による賃金増率（㉜÷㉘）	%

Ⅶ．看護補助者の基本給等に係る事項

㉞看護補助者の常勤換算数（賃金改善実施期間（②）の開始月時点）		人
医療保険の利用者割合		%
賃金改善する前の対象職員の基本給等総額（賃金改善実施期間（②）の開始月）		円
	㉟賃金改善する前の医療保険の利用者割合を乗じた対象職員の基本給等総額	円
賃金改善した後の対象職員の基本給等総額（賃金改善実施期間（②）の開始月）		円
	㊱賃金改善した後の医療保険の利用者割合を乗じた対象職員の基本給等総額	円
㊲㉟に対する基本給等に係る賃金改善の見込み額（1ヶ月分）（㊱−㉟）		円
	㊳うち，定期昇給相当分	円
	㊴うち，ベア等実施分	円
	㊵ベア等による賃金増率（㊴÷㉟）	%

Ⅷ．その他の対象職種の基本給等に係る事項

㊶その他の対象職種の常勤換算数（賃金改善実施期間（②）の開始月時点）		人
医療保険の利用者割合		%
賃金改善する前の対象職員の基本給等総額（賃金改善実施期間（②）の開始月）		円
	㊷賃金改善する前の医療保険の利用者割合を乗じた対象職員の基本給等総額	円
賃金改善した後の対象職員の基本給等総額（賃金改善実施期間（②）の開始月）		円
	㊸賃金改善した後の医療保険の利用者割合を乗じた対象職員の基本給等総額	円
㊹㊷に対する基本給等に係る賃金改善の見込み額（1ヶ月分）（㊸−㊷）		円
	㊺うち，定期昇給相当分	円
	㊻うち，ベア等実施分	円
	㊼ベア等による賃金増率（㊻÷㊷）	%

◎(訪問看護ステーション)賃金改善計画書

【ベースアップ評価料対象外職種について】
Ⅸ. 事務職員の基本給等に係る事項

㊽事務職員の常勤換算数（賃金改善実施期間（②）の開始月時点）	人
医療保険の利用者割合	%
㊾賃金改善する前の職員の給与総額（賃金改善実施期間（②）の開始月）	円
うち，賃金改善する前の職員の基本給等総額（賃金改善実施期間（②）の開始月）	円
㊿うち，賃金改善する前の医療保険の利用者割合を乗じた対象職員の基本給等総額	円
(51)賃金改善した後の職員の給与総額（賃金改善実施期間（②）の開始月）	円
うち，賃金改善した後の職員の基本給等総額（賃金改善実施期間（②）の開始月）	円
(52)うち，賃金改善した後の医療保険の利用者割合を乗じた職員の基本給等総額	円
(53)給与総額に係る賃金改善の見込み額（1ヶ月分）（(51)－㊾）	円
(54)基本給等に係る賃金改善の見込み額（1ヶ月分）（(52)－㊿）	円
(55)うち，定期昇給相当分	円
(56)うち，ベア等実施分	円
ベア等による賃金増率（(56)÷㊿）	%

Ⅹ. 賃金引上げを行う方法

(57)賃上げの担保方法
□就業規則の見直し　□賃金規程の見直し
□その他の方法：具体的に（　　）

(58)賃金改善に関する規定内容（できる限り具体的に記入すること。）

［　　］

本計画書の記載内容に虚偽が無いことを証明するとともに，記載内容を証明する資料を適切に保管していることを誓約します。

令和　　年　　月　　日　　開設者名：

◎（訪問看護ステーション）賃金改善計画書

【記載上の注意】

1 「①賃金引上げの実施方法」は，該当する賃金引上げの実施方法について選択すること。
なお，令和７年度に新規届出を行う場合については，「令和６年度又は令和７年度において，一律の引上げを行う。」を選択すること。

2 「②賃金改善実施期間」は，原則４月（年度の途中で当該評価料の新規届出を行う場合，当該評価料を算定開始した月）から翌年の３月までの期間をいう。
ただし，令和６年６月から本評価料を算定する場合にあっては，令和６年４月から開始として差し支えない。

3 「③ベースアップ評価料算定期間」は，原則４月（年度の途中で当該評価料の新規届出を行う場合，当該評価料を算定開始した月）から翌年の３月までの期間をいう。

4 「⑦算定金額の見込み」については，対象職員のベア等及びそれに伴う賞与，時間外手当，法定福利費（事業者負担分等を含む）等の増加分に充て，下記の「⑨うち，ベースアップ評価料による算定金額の見込み」と同額となること。

5 「⑧全体の賃金改善の見込み額」については，賃金改善実施期間において，「賃金の改善措置が実施されなかった場合の給与総額」と，「賃金の改善措置が実施された場合の給与総額」との差分により判断すること。
この際，「賃金の改善措置が実施されなかった場合の給与総額」についての算出が困難である訪問看護ステーションにあっては，前年度の対象職員の給与総額の実績を元に概算するなど，合理的な方法による計算として差し支えない。

6 「⑨うち，ベースアップ評価料による算定金額の見込み」については，対象職員のベア等及びそれに伴う賞与，時間外手当，法定福利費（事業者負担分等を含む）等の増加分に充てること。

7 「⑩うち，⑨以外によるベア等実施分」については，訪問看護ステーションにおける経営上の余剰等によるベア等分を記載すること。

8 「⑪うち，定期昇給相当分」については，賃金改善実施期間において定期昇給により改善する賃金額を記載すること。
なお，定期昇給とは，毎年一定の時期を定めて，組織内の昇給制度に従って行われる昇給のことをいい，ベア等実施分と明確に区別できる場合にのみ記載すること。

9 「⑬対象職員の常勤換算数」は，当該時点における対象職員の人数を常勤換算で記載すること。常勤の職員の常勤換算数は１とする。常勤でない職員の常勤換算数は，「当該常勤でない職員の所定労働時間」を「当該訪問看護ステーションにおいて定めている常勤職員の所定労働時間」で除して得た数（当該常勤でない職員の常勤換算数が１を超える場合は，１）とする。
なお，対象職員とはベースアップ評価料による賃金引き上げの対象となる職種をいう。

10 「基本給等総額」には，賞与，法定福利費等の事業主負担分や役員報酬を除いた金額を計上すること。

11 「給与総額」には，賞与や法定福利費等の事業主負担分を含めた金額を計上すること（ただし，役員報酬については除く。）。

◎(訪問看護ステーション)賃金改善実績報告書

別添2

(訪問看護ステーション)賃金改善実績報告書(令和　年度分)

訪問看護ステーションコード(7桁)	
訪問看護ステーション名	

Ⅰ．賃金改善実施期間

①	令和　年　月 ～ 令和　年　月		ヶ月

Ⅱ．訪問看護ベースアップ評価料(Ⅱ)の実績額　□ 有

(Ⅱに該当する場合)訪問看護ベースアップ評価料(Ⅱ)の実績額

②訪問看護ベースアップ評価料(Ⅱ)の区分

	算定期間	点数の区分	金額
a	令和　年　月 ～ 令和　年　月		円
b	令和　年　月 ～ 令和　年　月		円
c	令和　年　月 ～ 令和　年　月		円
d	令和　年　月 ～ 令和　年　月		円

③算定回数

	算定期間	算定回数
a	令和　年　月 ～ 令和　年　月	回
b	令和　年　月 ～ 令和　年　月	回
c	令和　年　月 ～ 令和　年　月	回
d	令和　年　月 ～ 令和　年　月	回
	計	回

④訪問看護ベースアップ評価料(Ⅱ)による収入の実績額

	算定期間	実績額
a	令和　年　月 ～ 令和　年　月	円
b	令和　年　月 ～ 令和　年　月	円
c	令和　年　月 ～ 令和　年　月	円
d	令和　年　月 ～ 令和　年　月	円
e	令和７年度への繰り越し予定額	円
f	前年度からの繰越額(令和７年度届出時のみ記載)	円
	計	円

Ⅲ．全体の賃金改善の実績額

⑤全体の賃金改善の実績	円
⑥うち，訪問看護ベースアップ評価料(Ⅰ)による算定実績	円
⑦うち，訪問看護ベースアップ評価料(Ⅱ)による算定実績(④の再掲)	円
⑧⑥及び⑦における令和７年度への繰り越し予定額	円
⑨ベースアップ評価料の前年度からの繰越額(令和７年度届出時のみ記載)	円
⑩うち，⑥及び⑦以外によるベア等実施分	円
⑪うち，定期昇給相当分	円
⑫うち，その他分(⑤－⑥－⑦－⑧－⑨－⑩－⑪)	円
⑥及び⑦について全てベア等実施分に充当しているか。	□

問題あり

資料

◎（訪問看護ステーション）賃金改善実績報告書

※「⑤全体の賃金改善の実績額」については，賃金改善実施期間において，「賃金の改善措置が実施されなかった場合の給与総額」と，「実際の給与総額」との差分により判断すること。
※「⑥うち，訪問看護ベースアップ評価料（Ⅰ）による算定実績」及び「⑦うち，訪問看護ベースアップ評価料（Ⅱ）による算ついては，対象職員のベア等及びそれに伴う賞与，時間外手当，法定福利費（事業者負担分等を含む）等の増加分に充てること。
※「⑩うち，⑥及び⑦以外によるベア等実施分」については，訪問看護ステーションにおける経営上の余剰等によるベア等分を記載すること。
※「⑪うち，定期昇給相当分」については，賃金改善実施期間において定期昇給により改善する賃金額を記載すること。
　なお，定期昇給とは，毎年一定の時期を定めて，組織内の昇給制度に従って行われる昇給のことをいい，ベア等実施分と明確に区別できる場合にのみ記載すること。
※「⑫うち，その他分」については，賃金改善実施期間において，定期昇給やベア等によらない，一時金による賃金改善額となること。

以下，基本給等総額，給与総額についてはそれぞれ１ヶ月当たりの額を記載してください。

Ⅳ．対象職員（全体）の基本給等（基本給又は決まって毎月支払われる手当）に係る事項

⑬対象職員の常勤換算数（賃金改善実施期間（①）の開始月時点）		人
賃金改善する前の対象職員の基本給等総額（賃金改善実施期間（①）の開始月時点）		円
	⑭賃金改善する前の医療保険の利用者割合を乗じた対象職員の基本給等総額	円
賃金改善した後の対象職員の基本給等総額（賃金改善実施期間（①）の開始月時点）		円
	⑮賃金改善した後の医療保険の利用者割合を乗じた対象職員の基本給等総額	円
⑯基本給等に係る賃金改善の見込み額（１ヶ月分）（⑮－⑭）		円
	⑰うち，定期昇給相当分	円
	⑱うち，ベア等実施分	円
	⑲ベア等による賃金増率（⑱÷⑭）	%

Ⅴ．看護職員等（保健師，助産師，看護師及び准看護師）の基本給等に係る事項

⑳看護職員等の常勤換算数（賃金改善実施期間（①）の開始月時点）		人
賃金改善する前の対象職員の基本給等総額（賃金改善実施期間（①）の開始月時点）		円
	㉑賃金改善する前の医療保険の利用者割合を乗じた対象職員の基本給等総額	円
賃金改善した後の対象職員の基本給等総額（賃金改善実施期間（①）の開始月時点）		円
	㉒賃金改善した後の医療保険の利用者割合を乗じた対象職員の基本給等総額	円
㉓基本給等に係る賃金改善の見込み額（１ヶ月分）（㉒－㉑）		円
	㉔うち，定期昇給相当分	円
	㉕うち，ベア等実施分	円
	㉖ベア等による賃金増率（㉕÷㉑）	%

Ⅵ．理学療法士・作業療法士・言語聴覚士の基本給等に係る事項

㉗PT・OT・STの常勤換算数（賃金改善実施期間（①）の開始月時点）		人
賃金改善する前の対象職員の基本給等総額（賃金改善実施期間（①）の開始月時点）		円
	㉘賃金改善する前の医療保険の利用者割合を乗じた対象職員の基本給等総額	円
賃金改善した後の対象職員の基本給等総額（賃金改善実施期間（①）の開始月時点）		円
	㉙賃金改善した後の医療保険の利用者割合を乗じた対象職員の基本給等総額	円
㉚基本給等に係る賃金改善の見込み額（１ヶ月分）（㉙－㉘）		円
	㉛うち，定期昇給相当分	円
	㉜うち，ベア等実施分	円
	㉝ベア等による賃金増率（㉜÷㉘）	%

◎(訪問看護ステーション)賃金改善実績報告書

Ⅶ．看護補助者の基本給等に係る事項

㉞看護補助者の常勤換算数（賃金改善実施期間（①）の開始月時点）		人
賃金改善する前の対象職員の基本給等総額（賃金改善実施期間（①）の開始月時点）		円
	㉟賃金改善する前の医療保険の利用者割合を乗じた対象職員の基本給等総額	円
賃金改善した後の対象職員の基本給等総額（賃金改善実施期間（①）の開始月時点）		円
	㊱賃金改善した後の医療保険の利用者割合を乗じた対象職員の基本給等総額	円
㊲基本給等に係る賃金改善の見込み額（1ヶ月分）（㊱－㉟）		円
	㊳うち，定期昇給相当分	円
	㊴うち，ベア等実施分	円
	㊵ベア等による賃金増率（㊴÷㉟）	%

Ⅷ．その他の対象職種の基本給等に係る事項

㊶その他の対象職種の常勤換算数（賃金改善実施期間（①）の開始月時点）		人
賃金改善する前の対象職員の基本給等総額（賃金改善実施期間（①）の開始月時点）		円
	㊷賃金改善する前の医療保険の利用者割合を乗じた対象職員の基本給等総額	円
賃金改善した後の対象職員の基本給等総額（賃金改善実施期間（①）の開始月時点）		円
	㊸賃金改善した後の医療保険の利用者割合を乗じた対象職員の基本給等総額	円
㊹基本給等に係る賃金改善の見込み額（1ヶ月分）（㊸－㊷）		円
	㊺うち，定期昇給相当分	円
	㊻うち，ベア等実施分	円
	㊼ベア等による賃金増率（㊻÷㊷）	%

◎（訪問看護ステーション）賃金改善実績報告書

【ベースアップ評価料対象外職種について】

Ⅸ．事務職員の基本給等に係る事項

㊽事務職員の常勤換算数（賃金改善実施期間（②）の開始月時点）		人
㊾賃金改善する前の職員の給与総額（賃金改善実施期間（②）の開始月）		円
うち，賃金改善する前の職員の基本給等総額（賃金改善実施期間（②）の開始月）		円
㊿うち，賃金改善する前の医療保険の利用者割合を乗じた対象職員の基本給等総額		円
51賃金改善した後の職員の給与総額（賃金改善実施期間（②）の開始月）		円
うち，賃金改善した後の職員の基本給等総額（賃金改善実施期間（②）の開始月）		円
52うち，賃金改善した後の医療保険の利用者割合を乗じた職員の基本給等総額		円
給与総額に係る賃金改善の見込み額（1ヶ月分）（51－㊾）		円
基本給等に係る賃金改善の見込み額（1ヶ月分）（52－㊿）		円
53うち，定期昇給相当分		円
54うち，ベア等実施分		円
55ベア等による賃金増率（54÷㊿）		%

本報告書の記載内容に虚偽が無いことを証明するとともに，記載内容を証明する資料を適切に保管していることを誓約します。

令和　　　年　　　月　　　日　　　開設者名：

【記載上の注意】

1　本報告書において，「ベースアップ評価料」とは，「訪問看護ベースアップ評価料（Ⅰ）」及び「訪問看護ベースアップ評価料（Ⅱ）」のことをいう。

2　「⑬対象職員の常勤換算数」は，当該時点における対象職員の人数を常勤換算で記載すること。常勤の職員の常勤換算数は1とする。常勤でない職員の常勤換算数は，「当該常勤でない職員の所定労働時間」を「当該訪問看護ステーションにおいて定めている常勤職員の所定労働時間」で除して得た数（当該常勤でない職員の常勤換算数が1を超える場合は，1）とする。

3　「基本給等総額」には，賞与，法定福利費等の事業主負担分や役員報酬を除いた金額を計上すること。

4　「給与総額」には，賞与や法定福利費等の事業主負担分を含めた金額を計上すること（ただし，役員報酬については除く。）。

◎特別事情届出書

別添3

特別事情届出書（令和　　　年度）

基本情報

訪問看護ステーションコード（7桁）	
訪問看護ステーション名	
フリガナ	
書類作成担当者	
電話番号	

1．事業の継続を図るために対象職員の賃金を引き下げる必要がある状況について

訪問看護ステーションの収支について，利用者数の大幅な減少などにより経営が悪化し，一定期間にわたり収支が赤字である，資金繰りに支障が生じるなどの状況について記載

2．賃金水準の引下げの内容（期間，対象，金額等）

3．経営及び賃金水準の改善の見込み

※ 経営及び賃金水準の改善に係る計画等を提出し，代替することも可。

4．賃金水準を引き下げることについて，適切に労使の合意を得ていること等について

労使の合意の時期及び方法等について記載

令和　　年　　月　　日

（法人名）
（開設者名）

◎第２号被保険者の特定疾病・厚生労働大臣が定める疾病等

第２号被保険者の特定疾病 （40歳以上65歳未満（第２号被保険者）でも要介護認定によって介護保険が利用できる疾病）
①がん（医師が一般に認められている医学的知見にもとづき回復の見込がない状態に至ったと判断したものに限る）**【がん末期】** ②関節リウマチ **③筋萎縮性側索硬化症** ④後縦靭帯骨化症 ⑤骨折を伴う骨粗鬆症 ⑥初老期における認知症【アルツハイマー病，血管性認知症，レビー小体病等】 **⑦パーキンソン病関連疾患**【進行性核上性麻痺，大脳皮質基底核変性症及びパーキンソン病】 **⑧脊髄小脳変性症** ⑨脊柱管狭窄症 ⑩早老症【ウェルナー症候群等】 **⑪多系統萎縮症**【線条体黒質変性症，シャイ・ドレーガー症候群，オリーブ橋小脳萎縮症】 ⑫糖尿病性神経障害，糖尿病性腎症及び糖尿病性網膜症 ⑬脳血管疾患【脳出血，脳梗塞等】 ⑭閉塞性動脈硬化症 ⑮慢性閉塞性肺疾患【肺気腫，慢性気管支炎，気管支喘息，びまん性汎細気管支炎】 ⑯両側の膝関節または股関節に著しい変形を伴う変形性関節症
厚生労働大臣が定める疾病等 （介護保険の利用者でも訪問看護は医療保険の扱いになる疾病等）
①末期の悪性腫瘍 ②多発性硬化症 ③重症筋無力症 ④スモン ⑤筋萎縮性側索硬化症 ⑥脊髄小脳変性症 ⑦ハンチントン病 ⑧進行性筋ジストロフィー症 ⑨パーキンソン病関連疾患（進行性核上性麻痺，大脳皮質基底核変性症，パーキンソン病（ホーエン・ヤールの重症度分類がステージ３以上であって生活機能障害度がⅡ度またはⅢ度のものに限る）） ⑩多系統萎縮症（線条体黒質変性症，オリーブ橋小脳萎縮症，シャイ・ドレーガー症候群） ⑪プリオン病 ⑫亜急性硬化性全脳炎 ⑬ライソゾーム病 ⑭副腎白質ジストロフィー ⑮脊髄性筋萎縮症 ⑯球脊髄性筋萎縮症 ⑰慢性炎症性脱髄性多発神経炎 ⑱後天性免疫不全症候群 ⑲頸髄損傷 ⑳人工呼吸器を使用している状態

※**太字**の疾病は，訪問看護を医療保険で行う疾病（厚生労働大臣が定める疾病，注：パーキンソン病についてはホーエン・ヤールの重症度分類がステージ３以上であって生活機能障害度がⅡ度またはⅢ度のものに限る）

◎指定難病

番号	病名
1	**球脊髄性筋萎縮症**
2	**筋萎縮性側索硬化症**
3	**脊髄性筋萎縮症**
4	原発性側索硬化症
5	**進行性核上性麻痺**
6	**パーキンソン病**
7	**大脳皮質基底核変性症**
8	**ハンチントン病**
9	神経有棘赤血球症
10	シャルコー・マリー・トゥース病
11	**重症筋無力症**
12	先天性筋無力症候群
13	**多発性硬化症**／視神経脊髄炎
14	**慢性炎症性脱髄性多発神経炎**／多巣性運動ニューロパチー
15	封入体筋炎
16	クロウ・深瀬症候群
17	**多系統萎縮症**
18	**脊髄小脳変性症**（多系統萎縮症を除く。）
19	**ライソゾーム病**
20	**副腎白質ジストロフィー**
21	ミトコンドリア病
22	もやもや病
23	**プリオン病**
24	**亜急性硬化性全脳炎**
25	進行性多巣性白質脳症
26	HTLV-1関連脊髄症
27	特発性基底核石灰化症
28	全身性アミロイドーシス
29	ウルリッヒ病
30	遠位型ミオパチー
31	ベスレムミオパチー
32	自己貪食空胞性ミオパチー
33	シュワルツ・ヤンペル症候群
34	神経線維腫症
35	天疱瘡
36	表皮水疱症
37	膿疱性乾癬（汎発型）
38	スティーヴンス・ジョンソン症候群
39	中毒性表皮壊死症
40	高安動脈炎
41	巨細胞性動脈炎
42	結節性多発動脈炎
43	顕微鏡的多発血管炎
44	多発血管炎性肉芽腫症
45	好酸球性多発血管炎性肉芽腫症
46	悪性関節リウマチ
47	バージャー病
48	原発性抗リン脂質抗体症候群
49	全身性エリテマトーデス
50	皮膚筋炎／多発性筋炎
51	全身性強皮症
52	混合性結合組織病
53	シェーグレン症候群
54	成人スチル病
55	再発性多発軟骨炎
56	ベーチェット病
57	特発性拡張型心筋症
58	肥大型心筋症
59	拘束型心筋症
60	再生不良性貧血
61	自己免疫性溶血性貧血
62	発作性夜間ヘモグロビン尿症
63	特発性血小板減少性紫斑病
64	血栓性血小板減少性紫斑病
65	原発性免疫不全症候群

◎指定難病

番号	病名
66	Ig A 腎症
67	多発性嚢胞腎
68	黄色靱帯骨化症
69	後縦靱帯骨化症
70	広範脊柱管狭窄症
71	特発性大腿骨頭壊死症
72	下垂体性ADH分泌異常症
73	下垂体性TSH分泌亢進症
74	下垂体性PRL分泌亢進症
75	クッシング病
76	下垂体性ゴナドトロピン分泌亢進症
77	下垂体性成長ホルモン分泌亢進症
78	下垂体前葉機能低下症
79	家族性高コレステロール血症（ホモ接合体）
80	甲状腺ホルモン不応症
81	先天性副腎皮質酵素欠損症
82	先天性副腎低形成症
83	アジソン病
84	サルコイドーシス
85	特発性間質性肺炎
86	肺動脈性肺高血圧症
87	肺静脈閉塞症／肺毛細血管腫症
88	慢性血栓塞栓性肺高血圧症
89	リンパ脈管筋腫症
90	網膜色素変性症
91	バッド・キアリ症候群
92	特発性門脈圧亢進症
93	原発性胆汁性胆管炎
94	原発性硬化性胆管炎
95	自己免疫性肝炎
96	クローン病
97	潰瘍性大腸炎
98	好酸球性消化管疾患
99	慢性特発性偽性腸閉塞症
100	巨大膀胱短小結腸腸管蠕動不全症
101	腸管神経節細胞僅少症
102	ルビンシュタイン・テイビ症候群
103	CFC症候群
104	コステロ症候群
105	チャージ症候群
106	クリオピリン関連周期熱症候群
107	若年性特発性関節炎
108	TNF受容体関連周期性症候群
109	非典型溶血性尿毒症症候群
110	ブラウ症候群
111	先天性ミオパチー
112	マリネスコ・シェーグレン症候群
113	**筋ジストロフィー**
114	非ジストロフィー性ミオトニー症候群
115	遺伝性周期性四肢麻痺
116	アトピー性脊髄炎
117	脊髄空洞症
118	脊髄髄膜瘤
119	アイザックス症候群
120	遺伝性ジストニア
121	神経フェリチン症
122	脳表ヘモジデリン沈着症
123	禿頭と変形性脊椎症を伴う常染色体性劣性白質脳症
124	皮質下梗塞と白質脳症を伴う常染色体性優性脳動脈症
125	神経軸索スフェロイド形成を伴う遺伝性びまん性白質脳症
126	ペリー症候群
127	前頭側頭葉変性症
128	ビッカースタッフ脳幹脳炎

◎指定難病

番号	病名
129	痙攣重積型（二相性）急性脳症
130	先天性無痛無汗症
131	アレキサンダー病
132	先天性核上性球麻痺
133	メビウス症候群
134	中隔視神経形成異常症/ドモルシア症候群
135	アイカルディ症候群
136	片側巨脳症
137	限局性皮質異形成
138	神経細胞移動異常症
139	先天性大脳白質形成不全症
140	ドラベ症候群
141	海馬硬化を伴う内側側頭葉てんかん
142	ミオクロニー欠神てんかん
143	ミオクロニー脱力発作を伴うてんかん
144	レノックス・ガストー症候群
145	ウエスト症候群
146	大田原症候群
147	早期ミオクロニー脳症
148	遊走性焦点発作を伴う乳児てんかん
149	片側痙攣・片麻痺・てんかん症候群
150	環状20番染色体症候群
151	ラスムッセン脳炎
152	PCDH19関連症候群
153	難治頻回部分発作重積型急性脳炎
154	徐波睡眠期持続性棘徐波を示すてんかん性脳症
155	ランドウ・クレフナー症候群
156	レット症候群
157	スタージ・ウェーバー症候群
158	結節性硬化症
159	色素性乾皮症

番号	病名
160	先天性魚鱗癬
161	家族性良性慢性天疱瘡
162	類天疱瘡（後天性表皮水疱症を含む。）
163	特発性後天性全身性無汗症
164	眼皮膚白皮症
165	肥厚性皮膚骨膜症
166	弾性線維性仮性黄色腫
167	マルファン症候群
168	エーラス・ダンロス症候群
169	メンケス病
170	オクシピタル・ホーン症候群
171	ウィルソン病
172	低ホスファターゼ症
173	VATER症候群
174	那須・ハコラ病
175	ウィーバー症候群
176	コフィン・ローリー 症候群
177	ジュベール症候群関連疾患
178	モワット・ウィルソン症候群
179	ウィリアムズ症候群
180	ATR-X症候群
181	クルーゾン症候群
182	アペール症候群
183	ファイファー症候群
184	アントレー・ビクスラー症候群
185	コフィン・シリス症候群
186	ロスムンド・トムソン症候群
187	歌舞伎症候群
188	多脾症候群
189	無脾症候群
190	鰓耳腎症候群
191	ウェルナー症候群
192	コケイン症候群

◎指定難病

番号	病名
193	プラダー・ウィリ症候群
194	ソトス症候群
195	ヌーナン症候群
196	ヤング・シンプソン症候群
197	1p36欠失症候群
198	4p欠失症候群
199	5p欠失症候群
200	第14番染色体父親性ダイソミー症候群
201	アンジェルマン症候群
202	スミス・マギニス症候群
203	22q11.2欠失症候群
204	エマヌエル症候群
205	脆弱X症候群関連疾患
206	脆弱X症候群
207	総動脈幹遺残症
208	修正大血管転位症
209	完全大血管転位症
210	単心室症
211	左心低形成症候群
212	三尖弁閉鎖症
213	心室中隔欠損を伴わない肺動脈閉鎖症
214	心室中隔欠損を伴う肺動脈閉鎖症
215	ファロー四徴症
216	両大血管右室起始症
217	エプスタイン病
218	アルポート症候群
219	ギャロウェイ・モワト症候群
220	急速進行性糸球体腎炎
221	抗糸球体基底膜腎炎
222	一次性ネフローゼ症候群
223	一次性膜性増殖性糸球体腎炎
224	紫斑病性腎炎
225	先天性腎性尿崩症

番号	病名
226	間質性膀胱炎（ハンナ型）
227	オスラー病
228	閉塞性細気管支炎
229	肺胞蛋白症（自己免疫性又は先天性）
230	肺胞低換気症候群
231	α1-アンチトリプシン欠乏症
232	カーニー複合
233	ウォルフラム症候群
234	ペルオキシソーム病（副腎白質ジストロフィーを 除く。）
235	副甲状腺機能低下症
236	偽性副甲状腺機能低下症
237	副腎皮質刺激ホルモン不応症
238	ビタミンD抵抗性くる病/骨軟化症
239	ビタミンD依存性くる病/骨軟化症
240	フェニルケトン尿症
241	高チロシン血症1型
242	高チロシン血症2型
243	高チロシン血症3型
244	メープルシロップ尿症
245	プロピオン酸血症
246	メチルマロン酸血症
247	イソ吉草酸血症
248	グルコーストランスポーター1欠損症
249	グルタル酸血症1型
250	グルタル酸血症2型
251	尿素サイクル異常症
252	リジン尿性蛋白不耐症
253	先天性葉酸吸収不全
254	ポルフィリン症
255	複合カルボキシラーゼ欠損症
256	筋型糖原病
257	肝型糖原病

◎指定難病

番号	病名
258	ガラクトース-1-リン酸ウリジルトランスフェラーゼ欠損症
259	レシチンコレステロールアシルトランスフェラーゼ欠損症
260	シトステロール血症
261	タンジール病
262	原発性高カイロミクロン血症
263	脳腱黄色腫症
264	無βリポタンパク血症
265	脂肪萎縮症
266	家族性地中海熱
267	高IgD症候群
268	中條・西村症候群
269	化膿性無菌性関節炎・壊疽性膿皮症・アクネ症候群
270	慢性再発性多発性骨髄炎
271	強直性脊椎炎
272	進行性骨化性線維異形成症
273	肋骨異常を伴う先天性側弯症
274	骨形成不全症
275	タナトフォリック骨異形成症
276	軟骨無形成症
277	リンパ管腫症/ゴーハム病
278	巨大リンパ管奇形（頚部顔面病変）
289	巨大静脈奇形（頚部口腔咽頭びまん性病変）
280	巨大動静脈奇形（頚部顔面又は四肢病変）
281	クリッペル・トレノネー・ウェーバー症候群
282	先天性赤血球形成異常性貧血
283	後天性赤芽球癆
284	ダイアモンド・ブラックファン貧血
285	ファンコニ貧血
286	遺伝性鉄芽球性貧血

番号	病名
287	エプスタイン症候群
288	自己免疫性後天性凝固因子欠乏症
289	クロンカイト・カナダ症候群
290	非特異性多発性小腸潰瘍症
291	ヒルシュスプルング病（全結腸型又は小腸型）
292	総排泄腔外反症
293	総排泄腔遺残
294	先天性横隔膜ヘルニア
295	乳幼児肝巨大血管腫
296	胆道閉鎖症
297	アラジール症候群
298	遺伝性膵炎
299	嚢胞性線維症
300	IgG4関連疾患
301	黄斑ジストロフィー
302	レーベル遺伝性視神経症
303	アッシャー症候群
304	若年発症型両側性感音難聴
305	遅発性内リンパ水腫
306	好酸球性副鼻腔炎
307	カナバン病
308	進行性白質脳症
309	進行性ミオクローヌスてんかん
310	先天異常症候群
311	先天性三尖弁狭窄症
312	先天性僧帽弁狭窄症
313	先天性肺静脈狭窄症
314	左肺動脈右肺動脈起始症
315	ネイルパテラ症候群（爪膝蓋骨症候群）／LMX1B関連腎症
316	カルニチン回路異常症
317	三頭酵素欠損症

資料

◎指定難病

番号	病名
318	シトリン欠損症
319	セピアプテリン還元酵素（SR）欠損症
320	先天性グルコシルホスファチジルイノシトール（GPI）欠損症
321	非ケトーシス型高グリシン血症
322	β－ケトチオラーゼ欠損症
323	芳香族L－アミノ酸脱炭酸酵素欠損症
324	メチルグルタコン酸尿症
325	遺伝性自己炎症疾患
326	大理石骨病
327	特発性血栓症（遺伝性血栓性素因によるものに限る。）
328	前眼部形成異常
329	無虹彩症
330	先天性気管狭窄症／先天性声門下狭窄症
331	特発性多中心性キャッスルマン病
332	膠様滴状角膜ジストロフィー
333	ハッチンソン・ギルフォード症候群
334	脳クレアチン欠乏症候群
335	ネフロン癆
336	家族性低βリポタンパク血症1（ホモ接合体）
337	ホモシスチン尿症
338	進行性家族性肝内胆汁うっ滞症
339	MECP2重複症候群
340	線毛機能不全症候群（カルタゲナー症候群を含む。）
341	TRPV4異常症

※**太字**の疾病は，医療保険の訪問看護になり回数制限のない疾病（厚生労働大臣が定める疾病，注：パーキンソン病についてはホーエン・ヤールの重症度分類がステージ3以上であって生活機能障害度がⅡ度またはⅢ度のものに限る。筋ジストロフィー症については進行性筋ジストロフィー症に限る）

※＿＿の疾病は，介護保険第2号被保険者（8疾病）

◎医療を提供しているが，医療資源の少ない地域

都道府県	二次医療圏	市町村
北海道	南檜山	江差町，上ノ国町，厚沢部町，乙部町，奥尻町
	日高	日高町，平取町，新冠町，浦河町，様似町，えりも町，新ひだか町
	宗谷	稚内市，猿払村，浜頓別町，中頓別町，枝幸町，豊富町，礼文町，利尻町，利尻富士町，幌延町
	根室	根室市，別海町，中標津町，標津町，羅臼町
青森県	西北五地域	五所川原市，つがる市，鰺ヶ沢町，深浦町，鶴田町，中泊町
	下北地域	むつ市，大間町，東通村，風間浦村，佐井村
岩手県	岩手中部	花巻市，北上市，遠野市，西和賀町
	気仙	大船渡市，陸前高田市，住田町
	宮古	宮古市，山田町，岩泉町，田野畑村
	久慈	久慈市，普代村，野田村，洋野町
秋田県	県南	大仙市，仙北市，美郷町，横手市，湯沢市，羽後町，東成瀬村
山形県	最上	新庄市，金山町，最上町，舟形町，真室川町，大蔵村，鮭川村，戸沢村
東京都	島しょ	大島町，利島村，新島村，神津島村，三宅村，御蔵島村，八丈町，青ヶ島村，小笠原村
新潟県	魚沼	十日町市，魚沼市，南魚沼市，湯沢町，津南町
	佐渡	佐渡市
石川県	能登北部	輪島市，珠洲市，穴水町，能登町
福井県	奥越	大野市，勝山市
山梨県	峡南	市川三郷町，早川町，身延町，南部町，富士川町
長野県	木曽	木曽郡（上松町，南木曽町，木祖村，王滝村，大桑村，木曽町）
	大北	大町市，北安曇野郡（池田町，松川村，白馬村，小谷村）
岐阜県	飛騨	高山市，飛騨市，下呂市，白川村
愛知県	東三河北部	新城市，設楽町，東栄町，豊根村
滋賀県	湖北	長浜市，米原市
	湖西	高島市
奈良県	南和	五條市，吉野町，大淀町，下市町，黒滝村，天川村，野迫川村，十津川村，下北山村，上北山村，川上村，東吉野村
兵庫県	但馬	豊岡市，養父市，朝来市，香美町，新温泉町
島根県	雲南	雲南市，奥出雲町，飯南町
	隠岐	海士町，西ノ島町，知夫村，隠岐の島町
香川県	小豆	小豆郡（土庄町，小豆島町）
長崎県	五島	五島市
	上五島	小値賀町，新上五島町
	壱岐	壱岐市
	対馬	対馬市
鹿児島県	熊毛	西之表市，熊毛郡（中種子町，南種子町，屋久島町）
	奄美	奄美市，大島郡（大和村，宇検村，瀬戸内町，龍郷町，喜界町，徳之島町，天城町，伊仙町，和泊町，知名町，与論町）
沖縄県	宮古	宮古島市，多良間村
	八重山	石垣市，竹富町，与那国町

上記のほか，離島振興法（昭和28年法律第72号）第2条第1項の規定により離島振興対策実施地域として指定された離島の地域，奄美群島振興開発特別措置法（昭和29年法律第189号）第1条に規定する奄美群島の地域，小笠原諸島振興開発特別措置法（昭和44年法律第79号）第4条第1項に規定する小笠原諸島の地域及び沖縄振興特別措置法（平成14年法律第14号）第3条第三号に規定する離島の地域に該当する地域

◎該当する疾病等のコード

コード		疾病，状態等
01	別表7	末期の悪性腫瘍
02		多発性硬化症
03		重症筋無力症
04		スモン
05		筋萎縮性側索硬化症
06		脊髄小脳変性症
07		ハンチントン病
08		進行性筋ジストロフィー症
09		パーキンソン病関連疾患（進行性核上性麻痺，大脳皮質基底核変性症及びパーキンソン病（ホーエン・ヤールの重症度分類がステージ3以上であって生活機能障害度がⅡ度又はⅢ度のものに限る。））
10		多系統萎縮症（線条体黒質変性症，オリーブ橋小脳萎縮症及びシャイ・ドレーガー症候群）
11		プリオン病
12		亜急性硬化性全脳炎
13		ライソゾーム病
14		副腎白質ジストロフィー
15		脊髄性筋萎縮症
16		球脊髄性筋萎縮症
17		慢性炎症性脱髄性多発神経炎
18		後天性免疫不全症候群
19		頸髄損傷
20		人工呼吸器を使用している状態の者
41	別表8	在宅麻薬等注射指導管理を受けている状態にある者
42		在宅腫瘍化学療法注射指導管理を受けている状態にある者
43		在宅強心剤持続投与指導管理を受けている状態にある者
44		在宅気管切開患者指導管理を受けている状態にある者
45		気管カニューレを使用している状態にある者
46		留置カテーテルを使用している状態にある者
47		在宅自己腹膜灌流指導管理を受けている状態にある者
48		在宅血液透析指導管理を受けている状態にある者
49		在宅酸素療法指導管理を受けている状態にある者
50		在宅中心静脈栄養法指導管理を受けている状態にある者
51		在宅成分栄養経管栄養法指導管理を受けている状態にある者
52		在宅自己導尿指導管理を受けている状態にある者
53		在宅人工呼吸指導管理を受けている状態にある者
54		在宅持続陽圧呼吸療法指導管理を受けている状態にある者
55		在宅自己疼痛管理指導管理を受けている状態にある者
56		在宅肺高血圧症患者指導管理を受けている状態にある者
57		人工肛門又は人工膀胱を設置している状態にある者
58		真皮を越える褥瘡の状態にある者
59		在宅患者訪問点滴注射管理指導料を算定している者
91	他	超重症児
92		準超重症児

◎該当する疾病等のコード

コード	ＧＡＦ尺度により判定した値
０１	ＧＡＦ尺度１００－９１
０２	ＧＡＦ尺度９０－８１
０３	ＧＡＦ尺度８０－７１
０４	ＧＡＦ尺度７０－６１
０５	ＧＡＦ尺度６０－５１
０６	ＧＡＦ尺度５０－４１
０７	ＧＡＦ尺度４０－３１
０８	ＧＡＦ尺度３０－２１
０９	ＧＡＦ尺度２０－１１
１０	ＧＡＦ尺度１０－１
１１	ＧＡＦ尺度０
２０	家族への訪問看護でありＧＡＦ尺度による判定が行えなかった（当該月に利用者本人への訪問看護を行わなかった）

◎GAF（機能の全体的評定）尺度

100-91	広範囲の行動にわたって最高に機能しており，生活上の問題で手に負えないものは何もなく，その人の多数の長所があるために他の人々から求められている。症状は何もない。
90-81	症状がまったくないか，ほんの少しだけ（例：試験前の軽い不安）。すべての面でよい機能で，広範囲の活動に興味をもち参加し，社交的にはそつがなく，生活に大体満足し，日々のありふれた問題や心配以上のものはない（例：たまに家族と口論する）。
80-71	症状があったとしても，心理社会的ストレスに対する一過性で予期される反応である（例：家族と口論した後の集中困難）。社会的，職業的，または学校の機能にごくわずかな障害以上のものはない（例：一時的に学業に遅れをとる）。
70-61	いくつかの軽い症状がある（例:抑うつ気分と軽い不眠）。または社会的，職業的，または学校の機能にいくらかの困難はある（例：時にずる休みをしたり，家の金を盗んだりする）が，全般的には機能はかなり良好であって，有意義な対人関係もある。
60-51	中程度の症状（例:感情が平板で，会話がまわりくどい，時にパニック発作がある），または，社会的，職業的，または学校の機能における中程度の困難（例：友達が少ししかいない，仲間や仕事の同僚との葛藤）。
50-41	重大な症状（例：自殺念慮，強迫的儀式が重症，しょっちゅう万引する），または社会的，職業的，または学校の機能におけるなんらかの深刻な障害（例：友達がいない，仕事が続かない）。
40-31	現実検討かコミュニケーションにいくらかの欠陥（例：会話は時々非論理的，あいまい，または関係性がなくなる）。または，仕事や学校，家族関係，判断，思考，または気分など多くの面での重大な欠陥（例：抑うつ的な男が友人を避け，家族を無視し，仕事ができない。子供がしばしば年下の子供をなぐり，家庭では反抗的であり，学校では勉強ができない）。
30-21	行動は妄想や幻覚に相当影響されている。またはコミュニケーションか判断に重要な欠陥がある（例：時々，滅裂，ひどく不適切にふるまう，自殺の考えにとらわれている），またはほとんどすべての面で機能することができない（例：１日中床についている，仕事も家庭も友達もない）。
20-11	自己または他者を傷つける危険がかなりあるが（例：死をはっきりと予期することなしに自殺企図，しばしば暴力的になる，躁病性興奮），または時には最低限の身辺の清潔維持ができない（例：大便をぬりたくる），またはコミュニケーションに重大な欠陥（例：大部分滅裂か無言症）。
10-1	自己または他者を傷つける危険が続いている（例：暴力の繰り返し），または最低限の身辺の清潔維持が持続的に不可能，または死をはっきり予測した重大な自殺行為。
0	情報不十分。

出典：高橋三郎，大野裕，染矢俊幸訳：DSM-IV-TR 精神疾患の分類と診断の手引き　新訂版，p.43-44，医学書院，2003.

索引

た

な

は

編集・執筆者一覧

●編集

公益財団法人日本訪問看護財団

●執筆（執筆順）

大竹 尊典（おおたけ・たかのり）―― 公益財団法人日本訪問看護財団事務局次長
No.001・054～096・243・244・280～286

内野 今日子（うちの・きょうこ）―― 公益財団法人日本訪問看護財団事業部看護専門相談員
No.002～053・097～216・219・224～238・242・379～381

岸 純子（きし・じゅんこ）―― 公益財団法人日本訪問看護財団立あすか山訪問看護ステーション，在宅看護専門看護師
No.217・218・220～223

萩原 正子（はぎわら・まさこ）―― オフィス萩原
No.239～241・245～266・279

髙橋 洋子（たかはし・ようこ）―― 公益財団法人日本訪問看護財団事業部部長，在宅看護専門看護師
No.267～278

角田 直枝（かくた・なおえ）―― 常磐大学看護学部教授，がん看護専門看護師
No.287～307

中山 優季（なかやま・ゆき）―― 公益財団法人東京都医学総合研究所副参事研究員
No.308～320

原子 英樹（はらこ・ひでき）―― 株式会社円グループ訪問看護事業部部長
No.321～336

小川 まり絵（おがわ・まりえ）―― 医療法人社団澄鈴会粟津神経サナトリウム，認知症看護認定看護師
No.337～346

田中 由美（たなか・ゆみ）―― 公益財団法人日本訪問看護財団立あすか山訪問看護ステーション，在宅看護専門看護師
No.347～357

野村 政子（のむら・まさこ）―― 東都大学ヒューマンケア学部看護学科教授・日本障害者虐待防止学会理事
No.358～362・365・366・368・373・374・377・378

吉岡 幸子（よしおか・さちこ）―― 八戸学院大学健康医療学部看護学科教授
No.363・364・367・369～372・375・376

【日本訪問看護財団電話相談サービス】
電話番号：03-5778-7007
（平日の月曜日，金曜日 9 時から 16 時まで，12 時から 13 時を除く）

報酬・制度・実践のはてなを解決
訪問看護お悩み相談室 令和 6 年版

2024 年 9 月 1 日　発行

編　集……………………公益財団法人日本訪問看護財団
発行者……………………荘村明彦
発行所……………………中央法規出版株式会社
〒 110-0016　東京都台東区台東 3-29-1　中央法規ビル
TEL 03-6387-3196
https://www.chuohoki.co.jp/
印刷・製本……………新日本印刷株式会社
本文デザイン・装幀…斎藤みわこ・権平京子・伊東裕美
D T P……………………有限会社アースメディア

定価はカバーに表示してあります
ISBN978-4-8243-0096-6

落丁本・乱丁本はお取り替えいたします。本書の内容に関するご質問については，下記 URL から「お問い合わせフォーム」にご入力いただきますようお願いいたします。
https://www.chuohoki.co.jp/contact/
A096